d'aujourd'hui

étranger

collection dirigée par
Jane Sctrick

LUCY

WILLIAM TREVOR

LUCY

roman

Traduit de l'anglais (Irlande) par
KATIA HOLMES

PHÉBUS

L'ÉDITEUR REMERCIE
L'IRELAND LITERATURE EXCHANGE, DUBLIN, IRLANDE
(FONDS D'AIDE A LA TRADUCTION)
POUR SON SOUTIEN FINANCIER
www.irelandliterature.com
info@irelandliterature.com

Illustration de couverture :
Photo : Joe Cornish

Titre original de l'ouvrage en anglais :
The Story of Lucy Gault

www.phebus-editions.com

A Jane

PREMIÈRE PARTIE

I

La nuit du vingt et un juin dix-neuf cent vingt et un, le capitaine Everard Gault blessa le garçon à l'épaule gauche. Visant dans le noir, au-dessus des têtes des intrus, il tira un seul coup d'une fenêtre du haut, puis regarda déguerpir les trois silhouettes, le blessé aidé par ses compagnons.

Ils étaient venus incendier la maison. Leur visite était attendue car il y en avait déjà eu une : ils étaient arrivés plus tard, l'autre fois, juste après une heure du matin. Les chiens de berger les avaient mis en fuite, mais la semaine n'était pas écoulée que les bêtes gisaient empoisonnées dans la cour : le capitaine Gault avait compris que les intrus seraient de retour. « On est débordés à la caserne, monsieur, avait déclaré l'inspecteur principal Talty qui avait fait le déplacement d'Enniseala. Oh, débordés comme c'est pas Dieu possible ! » Lahardane n'était pas la seule maison menacée : chaque semaine, il y en avait une qui partait en fumée, malgré les efforts des policiers pour se déployer. « Qu'il plaise à Dieu, tout ça finira bien un jour ! », avait conclu l'inspecteur Talty en partant. La loi martiale était en vigueur, le pays connaissant une agitation qui revenait à un état de guerre. L'empoisonnement des chiens n'avait donné lieu à aucune poursuite.

Quand le jour se leva, le lendemain du coup de feu, on s'aperçut qu'il y avait du sang sur les petits galets du parterre, devant la maison. On trouva deux bidons d'essence derrière un arbre. On ratissa les cailloux et on enleva ceux qui avaient été tachés lors de l'incident – deux pleins seaux.

Le capitaine Gault pensa que les choses en resteraient là : la leçon avait été apprise. Il écrivit au père Morrissey à Enniseala en lui demandant de transmettre l'expression de sa sympathie et de son regret au blessé, s'il venait à apprendre qui c'était. Il n'avait pas voulu infliger de blessure, seulement faire savoir que les lieux étaient gardés. Le père Morrissey lui répondit. « Il a toujours été l'élément incontrôlable de la famille », concluait-il, mais sa lettre dénotait une certaine gêne dans le choix des mots et des formules, comme s'il avait du mal à commenter l'événement, comme s'il ne comprenait pas l'absence d'intention de tuer ou de blesser. Il avait transmis le message, ajoutait-il, mais il n'y avait pas eu de réaction de la part de la famille qu'il avait mentionnée.

Le capitaine Gault avait lui-même été blessé. Depuis qu'il était rentré des tranchées estropié, six ans plus tôt, il trimballait dans son corps des fragments de shrapnel désormais logés là pour de bon. Sa blessure avait mis un terme à sa carrière militaire ; il resterait à jamais capitaine, vive déception pour lui qui s'était toujours imaginé parvenir à un grade beaucoup plus élevé. Néanmoins, ce n'était pas par ailleurs un homme déçu. Il trouvait un grand réconfort dans son heureux couple, dans l'enfant que sa femme Héloïse lui avait donné, dans sa maison. Il n'y avait pas d'endroit où il eût pu vivre avec plus de bonheur que sous le toit d'ardoise de ces trois étages de pierre grise adoucie par le bois blanc des croisées et la délicate fenêtre en demi-lune qui couronnait une porte blanche. Une large et haute arcade flanquait la maison sur sa droite et ouvrait sur une cour pavée d'où partaient des allées, elles aussi pavées, menant au jardin et à un verger planté de pommiers. Les chambres de devant donnaient sur un espace circulaire : le parterre de gravier en formait une moitié ; l'autre moitié, surélevée, était une pelouse séparée des bois en pente raide par l'arrondi d'une rangée d'hortensias bleus. Les chambres de l'étage, à l'arrière, avaient vue sur mer jusqu'à l'horizon.

Il y avait des siècles que les origines des Gault en Irlande étaient brumeuses. Initialement venus du Norfolk – croyait-on dans la famille, sans en avoir la certitude –, ils s'étaient d'abord installés au fin fond de la partie ouest de County Cork. Un mercenaire y avait établi leur modeste dynastie, restant tapi là pour des raisons inconnues. Devenue respectable et aisée, la famille s'était déplacée vers l'est au début du XVIIIe siècle et, à chaque génération, un fils confortait le lien familial avec l'armée. On avait acheté les terres de Lahardane et entrepris la construction de la maison. On avait ouvert la longue allée rectiligne, planté des marronniers de chaque côté, et boisé la vallée. Au fil des générations suivantes, on avait créé le verger avec des plants venus de County Arnagh ; le jardin, modeste, s'était élaboré peu à peu. En 1769, lord Townshend, le *Lord Lieutenant* [1], avait séjourné à Lahardane. Daniel O'Connell [2] aussi, en 1809, quand il ne restait plus une chambre libre à Dromana, la propriété des Stuart. Ainsi l'Histoire avait effleuré les lieux mais on y avait également connu quantité d'événements dont le souvenir était aussi vif et aussi souvent évoqué : naissances, mariages, décès, incidents domestiques, transformations ou agrandissements apportés à une pièce ou à une autre, colères et réconciliations. Victime d'une attaque cérébrale en 1847, un Gault était resté grabataire pendant trois ans, souffrant mais pas privé de l'entendement. En 1872, une désastreuse période de six mois avait été passée à jouer aux cartes et à perdre des champs, l'un après l'autre, au profit des voisins, les O'Reilly. Il y avait eu l'épidémie de diphtérie de 1901, qui s'était propagée si vite et si tragiquement que, sur une famille de cinq, elle n'avait épargné que l'actuel Everard Gault et son frère. Au-dessus du secrétaire du salon était accroché le portrait d'un lointain ancêtre dont on avait toujours ignoré l'identité, aussi loin que remontât la

1. Le vice-roi d'Irlande. *(Toutes les notes sont de la traductrice.)*

2. Activiste catholique surnommé « le Libérateur », Daniel O'Connell (1775-1847) fut le premier des grands leaders irlandais du XIXe siècle à entrer à la Chambre des Communes britannique.

mémoire des actuels occupants : un visage mince, qui avait l'air solennel, aux endroits laissés inoccupés par la moustache ; des yeux bleus sans expression particulière. C'était le seul portrait de la maison bien qu'on eût, depuis les débuts de la photographie, des albums où figuraient des clichés de parents et d'amis, et ceux des Gault de Lahardane.

Tout cela – la maison et ce qu'il restait de pâtures, le bord de mer au pied des pâles falaises d'argile, le rivage qu'on longeait pour aller au village de Kilauran, la grande allée au-dessus de laquelle les hautes branches des marronniers se rejoignaient à présent –, tout cela faisait partie d'Everard Gault, autant que les traits de son visage, ces traits de famille assez semblables à ceux du portrait du salon, le cheveu lisse et foncé. Grand, le dos droit, cet homme qui ne dissimulait rien de soi avait maintenant des ambitions modestes, ayant depuis longtemps accepté que sa destinée soit de conserver en bon état ce domaine dont il avait hérité, d'attirer des abeilles dans ses ruches, d'arracher les pommiers en bout de course et d'en replanter. Il ramonait sa maison, savait la rejointoyer et remplacer les vitres. Rampant sur le toit, il réparait les petites perforations du plomb qui se produisent de temps à autre, et la Seccotine qu'il y injectait les bouchait efficacement pour un temps.

Pour nombre de ces tâches, il avait l'aide d'Henry, un homme lent à la lourde charpente, qui ôtait rarement son chapeau pendant la journée. Des années auparavant, le mariage avait amené Henry dans le pavillon de gardien dont Bridget et lui étaient désormais les seuls habitants, puisqu'ils n'avaient pas eu d'enfants et que les parents de Bridget étaient morts. Avec deux hommes sous ses ordres, le père s'était occupé des chevaux et de toutes les besognes qu'Henry abattait à présent seul dans la cour ou aux champs. La mère avait travaillé dans la maison, comme sa grand-mère avant elle. Aussi massive que son époux, Bridget avait de larges épaules puissantes et l'air d'une personne capable : la cuisine était entièrement à sa charge. La femme de chambre, Kitty Teresa, aidait Héloïse Gault à l'ouvrage jadis accompli par plusieurs bonnes ; une fois la semaine, la vieille

Hannah venait à pied de Kilauran faire la lessive – vêtements, draps et nappes – et récurer les carrelages du hall et le dallage de pierre de derrière. Le train de maison d'antan n'était plus possible à Lahardane. La longue allée traversait des terres devenues propriété des O'Reilly à la table de jeu, à l'époque où il n'était resté aux Gault que juste assez de pâtures pour entretenir un modeste troupeau de vaches frisonnes.

Trois jours après le coup de feu nocturne, Héloïse Gault lut la lettre du père Morrissey, la retourna, la relut. C'était une femme svelte et gracile, la fin de la trentaine, aux longs cheveux blonds coiffés d'une façon qui seyait bien à son visage et donnait à sa tranquille beauté un soupçon de sévérité, constamment contredit par son sourire. Un sourire qu'on ne lui avait plus guère vu, cependant, depuis la nuit où elle avait été réveillée par un coup de feu.

Bien que n'étant pas d'ordinaire pusillanime, Héloïse Gault avait peur. Issue elle aussi d'une famille de militaires, elle avait su faire face quand, quelques années avant son mariage, elle s'était retrouvée quasi seule au monde à la mort de sa mère, veuve depuis la guerre des Boers. Le courage, naturel chez elle devant un bouleversement ou un chagrin, ne lui venait pas aussi généreusement qu'elle l'aurait cru, lorsqu'elle repensait à la tentative d'incendier la maison dans laquelle elle était cette nuit-là endormie, ainsi que son enfant et sa bonne. D'autant qu'il y avait eu aussi l'empoisonnement des chiens, le message à la famille du jeune homme resté sans réponse, le sang sur les galets.

– J'ai très peur, Everard, avoua-t-elle enfin, cessant de garder ses sentiments pour elle.

Ils se connaissaient bien, le capitaine et sa femme. Ils avaient en commun un certain mode de vie, un ordre de priorités et de préoccupations. L'expérience de la mort partagée dans leur jeunesse les avait rapprochés et avait rendu précieux pour leur couple ce sens de la famille que procure une naissance. Héloïse avait à une époque supposé que d'autres enfants lui naîtraient et n'avait pas abandonné l'espoir d'en avoir encore au moins un. En attendant, son mari l'avait persuadée que l'absence d'héritier mâle pour Lahardane n'était pas un manquement de sa part et il l'avait fait avec tant de conviction que cette unique naissance et cette trinité nourrie d'affection emplissaient Héloïse d'une gratitude de plus en plus profonde, à mesure que grandissait sa fille.

– Ça ne te ressemble pas d'avoir peur, Héloïse.

– Tout cela est arrivé à cause de ma présence ici. Parce que je suis une épouse anglaise à Lahardane.

C'était elle qui avait attiré l'attention sur la maison, insistait Héloïse, mais son mari en doutait. Le geste tenté à Lahardane s'inscrivait dans un schéma qui se répétait partout en Irlande, lui rappela-t-il. La nature de la maison, la possession de terres, même amoindries ; les liens de la famille avec l'armée : cela eût suffi pour précipiter l'événement de la fameuse nuit. Le capitaine ne pouvait supposer que sa réaction avait étouffé l'envie de destruction, d'où qu'elle vînt – force lui était de l'avouer. Pendant quelque temps, Everard Gault dormit l'après-midi et monta la garde la nuit et, bien que nul ne fût venu déranger sa veille, ce souci de protection et l'appréhension de son épouse suscitèrent une inquiétude plus profonde encore dans la maisonnée, une nervosité qui finit par affecter tout le monde, y compris l'enfant.

Lucy – huit ans, bientôt neuf – s'était liée d'amitié avec le chien des O'Reilly cet été-là. Mi-setter, mi-retriever, le gros animal joueur avait débarqué en catimini dans la cour des O'Reilly environ un mois plus tôt (il avait dû quitter une maison abandonnée et errer, supposait Henry), et il s'était fait accepter après avoir essuyé une certaine hostilité de la part des chiens de berger des O'Reilly. C'était un bon à rien, prétendait Henry, un casse-pieds disait le papa de Lucy, surtout avec sa façon de dévaler les falaises pour venir offrir sa compagnie à quiconque se trouvait sur la grève. Les O'Reilly n'avaient pas donné de nom à ce chien et, d'après Henry, ils n'auraient guère remarqué son départ s'il était reparti. Lorsque Lucy et son papa allaient se baigner, tôt le matin, son papa renvoyait toujours l'animal quand il le voyait arriver en bondissant sur les galets. Lucy trouvait cela dur mais ne soufflait mot, se gardant aussi de révéler que lors de ses baignades solitaires – qui étaient interdites –, le chien sans nom, très excité, courait de-ci de-là le long de la mer dans laquelle il n'entrait jamais, et galopait parfois avec une de ses sandales dans la gueule. Ce vieux cabot – au dire d'Henry – redevenait presque un jeune chiot sur la plage, en compagnie de Lucy, et finissait par se coucher, épuisé, sa longue langue rose pendant entre les mâchoires. Un jour, elle n'avait pas pu retrouver la sandale avec laquelle il avait joué, malgré toute une matinée passée à chercher. Elle avait dû aller en dénicher une vieille paire au fond de son placard, en espérant que personne ne le remarquerait – ç'avait été le cas.

Quand les chiens de Lahardane furent empoisonnés, Lucy suggéra qu'on prît celui-là pour en remplacer un, puisqu'il n'avait jamais vraiment appartenu aux O'Reilly, mais sa suggestion ne suscita pas l'enthousiasme et, dans la semaine, Henry commença d'entraîner deux jeunes chiens de berger qu'un fermier des environs de Kilauran lui avait cédés à un prix avantageux. Bien que Lucy fût profondément attachée à ses parents – à son père pour ses manières généralement accommodantes, à sa mère pour sa douceur et sa beauté –, elle leur en voulut cet été-là de ne pas partager son affection pour le chien des O'Reilly, comme elle en voulut à Henry pour la même raison. Voilà, rétrospectivement, les seules traces que cet été-là aurait dû laisser ; et qu'il aurait du reste laissées, sans les ennuis survenus au cours de la fameuse nuit.

On n'en avait pas parlé à Lucy. L'unique coup de feu de son père ne l'avait pas réveillée, devenu dans un rêve un craquement de branche brisée par le vent. Les chiens avaient sans doute rôdé sur des terres empoisonnées, avait raconté Henry. Mais l'été avait pris une tonalité différente au fil des semaines et elle s'était mise à écouter les conversations en douce pour se renseigner.

– Ça va se calmer, déclara son papa. Il est déjà question d'une trêve.

– Les troubles vont continuer, trêve ou pas. Ça se voit d'avance. Ça se sent. On ne peut pas être à l'abri, Everard.

Lucy, qui épiait du hall, entendit sa maman suggérer qu'il faudrait peut-être partir, qu'on n'aurait peut-être pas le choix. Elle ne comprit pas de quoi il s'agissait, ni ce qui était censé se calmer.

– Il faut qu'on pense à elle, Everard.

– Je sais.

A la cuisine, Bridget annonça :

– Les Morell ont quitté Clashmore.

– Il paraît, lâcha-t-il. (Longue à venir, la réponse d'Henry parvint à Lucy dans le passage aux chiens, comme on appelait le couloir menant de la cuisine à la porte de derrière.) Ma foi, il paraît.

– Plus de soixante-dix ans qu'ils ont, maintenant.

Henry resta un moment silencieux, puis ajouta qu'on doit toujours s'attendre au pire en des temps comme ceux-ci : le bénéfice du doute penche dans le mauvais sens quand il y a un malheur. Les Gouvernet étaient partis d'Aglish, poursuivit-il, les Prior de Ringville ; les Swift et les Boyd aussi s'en étaient allés. Partout, on entendait parler de départs.

C'est alors que Lucy comprit. Elle comprit « la maison abandonnée » d'où était venu le chien sans nom, au terme de son errance. Elle imagina les meubles et les affaires laissés sur place, car de cela aussi on avait parlé. Comprenant, elle quitta le passage en courant, sans se soucier de son pas sonore et de la porte de la cour qui claqua bruyamment, sans se soucier du fait qu'en entendant ces bruits, on saurait qu'elle avait été là, à écouter. Elle fila dans les bois et descendit jusqu'à la rivière où, quelques jours plus tôt, elle avait aidé son papa à installer une rangée de pierres pour traverser à gué. Ils allaient quitter Lahardane : la vallée, les bois et le bord de mer, les roches plates où se trouvaient les mares à crevettes, la chambre dans laquelle elle se réveillait le matin, les poules qui caquetaient dans la cour, les dindes qui glougloutaient, ses pieds inscrivant la première empreinte dans le sable quand elle partait à l'école de Kilauran, les algues qu'on suspendait pour savoir le temps qu'il ferait. Il faudrait qu'elle trouve une boîte pour les coquillages étalés sur la tablette de la fenêtre de sa chambre, pour ses pommes de pin et son bâton en forme de poignard, pour ses silex. Elle ne pouvait rien abandonner.

Se demandant où ils iraient, elle ne put supporter l'idée d'un ailleurs impossible à imaginer. Elle pleura toute seule parmi les fougères qui croissaient en touffes épaisses, à quelques mètres de la rivière. « C'en sera fini pour nous », avait dit Henry lorsqu'elle épiait les conversations, et Bridget avait répondu que oui. Le passé est l'ennemi en Irlande, avait déclaré son papa une autre fois.

Toute la journée, Lucy resta dans ses cachettes secrètes, dans les bois de la vallée. Elle but l'eau de la source que son papa avait découverte du temps où il était enfant. Elle chercha le cottage délabré de Paddy Lindon qu'elle n'avait jamais réussi à repérer. Paddy Lindon avait coutume de sortir des bois tel un sauvage, avec ses yeux injectés de sang, ses cheveux qui n'avaient jamais connu le peigne. C'était Paddy Lindon qui lui avait déniché le bâton en forme de poignard, qui lui avait appris à faire jaillir une étincelle d'un silex. Une partie du toit du cottage s'était effondrée, lui avait-il raconté, mais le reste allait. « Je suis-t-y point anéanti par la pluie ? A voir comme ça dégouline à travers les mottes de terre du toit, ça pourrait ben m'envoyer dans la tombe avant mon heure, s' pas ? » La pluie le narguait et le tourmentait, tel un diable envoyé de l'enfer, avait-il ajouté. Et un jour, le papa de Lucy lui avait annoncé : « Paddy est mort », et elle avait pleuré – ce jour-là, aussi.

Elle renonça à chercher le cottage de Paddy, comme tant d'autres fois. Sentant venir la faim, elle redescendit à travers bois pour gagner la rivière, puis le chemin de Lahardane. Seuls résonnaient le bruit de ses pas ou des coups de pieds qu'elle envoyait dans des pommes de pin. Elle l'aimait, ce raidillon, presque plus que n'importe quel autre endroit, bien qu'il grimpât tout du long pour rentrer à la maison.

– Mais regarde donc un peu l'allure que tu as ! la réprimanda Bridget à la cuisine, d'une voix aiguë. Voyons, mon petit, on a déjà assez d'ennuis comme ça !

– Je ne partirai pas de Lahardane.

– Allons, voyons.

– Jamais je ne partirai.

– File à l'étage immédiatement et lave-toi les genoux, Lucy ! Tu te laves avant qu'ils te voient. Il n'y a encore rien de décidé.

A l'étage, Kitty Teresa l'assura que sûrement, ça s'arrangerait. Elle avait sa façon de voir le bon côté des choses ; elle la puisait dans les romans que la mère de Lucy lui achetait pour quelques pence à Enniseala et, souvent, elle transmettait à Lucy des histoires de désastre ou d'amour contrarié qui trouvaient une fin heureuse. Les cendrillons arrivaient au bal, les duels à l'épée étaient gagnés par le plus bel adversaire, la modestie était récompensée par des richesses. Mais cette fois-ci, le bon côté des choses laissait tomber Kitty Teresa. Tandis que s'effondrait le simulacre, elle ne pouvait plus répéter que, sûrement, ça s'arrangerait.

– Je n'ai de racines nulle part ailleurs, s'écria Everard Gault.

Héloïse ajouta qu'elle non plus, depuis le temps. Elle avait été plus heureuse à Lahardane que n'importe où, mais le coup de fusil allait entraîner une revanche, comment pourrait-il en être autrement ?

– Cette nuit-là ne sera pas oubliée, même s'ils attendent jusqu'à la fin du conflit.

– Je vais écrire à la famille du garçon. Le père Morrissey a conseillé d'essayer.

– On peut vivre de mon bien, tu sais.

– Laisse-moi écrire à la famille.

Elle ne protesta pas. Ne protesta pas non plus quand la lettre resta toujours sans réponse après des semaines, ni plus tard encore quand son mari se rendit à Enniseala avec le cheval et le cabriolet pour rendre visite à la famille qu'il avait offensée. On lui offrit le thé, qu'il accepta, y voyant un signe de réconciliation : il était prêt à payer le prix qu'on lui demanderait pour régler l'affaire. Ils écoutèrent cette suggestion au milieu d'un va-et-vient d'enfants aux pieds nus dans la cuisine – l'un d'eux donnait parfois un coup de manivelle au soufflet à roue et des étincelles jaillissaient de la tourbe. Mais il n'y eut pas de réponse, on se borna à des formules de politesse. Le fils blessé était assis à la table, dédaignant la visite et ne pipant pas mot lui non plus, le bras en écharpe. Le capitaine Gault finit par mentionner, embarrassé et gêné d'en parler, que Daniel O'Connell avait naguère séjourné à Lahardane. Le nom était légendaire, l'homme avait été le champion adoré des opprimés. Mais le temps avait dérobé au passé sa magie, du moins dans cette modeste demeure. Les trois garçons étaient sortis poser des collets pour les lapins et s'étaient égarés. Ils n'auraient pas dû pénétrer dans une propriété privée, pas de doute, reconnut-on. Le capitaine Gault n'évoqua pas les bidons d'essence. Il rentra à Lahardane pour monter la garde, une nuit de plus.

– Tu as raison, avoua-t-il à sa femme quelques jours plus tard. Tu as toujours eu ce don-là, Héloïse.

– Cette fois-ci, je déteste avoir raison.

Everard Gault avait été porté disparu en 1915. L'attente, sans nouvelle aucune, avait été le moment de solitude le plus intense de la vie d'Héloïse; son bébé de deux ans – son plus grand réconfort. Et puis, un télégramme était arrivé et, peu après, elle avait fermé les yeux, égoïstement soulagée à l'annonce que l'armée avait réformé son mari pour invalidité. Elle s'était promis que plus jamais elle ne serait séparée de lui, aussi longtemps qu'ils vivraient; sa décision était l'expression de sa gratitude envers cette clémente infortune.

– Tout le temps que j'étais chez eux, je les sentais occupés à penser que j'avais eu l'intention de tuer leur fils. Ils n'ont pas cru un traître mot de mes paroles.

– Everard, je t'ai et tu m'as, et nous avons Lucy. On peut recommencer ailleurs. N'importe où, où on veut.

La femme d'Everard Gault avait toujours été une source de

force pour lui, lui prodiguant un réconfort qui effaçait l'usante douleur des menues défaites. Maintenant, face à cette plus grande malchance, ils se débrouilleraient. Ils vivraient de son héritage à elle, comme elle l'avait suggéré. Ils n'étaient pas pauvres, même si jamais ils ne seraient aussi opulents que les Gault, avant que ceux-ci aient perdu leurs terres. Quelque part ailleurs qu'à Lahardane, leurs conditions de vie ne seraient guère différentes de ce qu'elles étaient à présent. La trêve avait fini par arriver, mais on l'avait à peine remarquée, tant on s'y fiait peu.

Les conversations continuaient au salon et dans la cuisine, le même sujet abordé de deux points de vue différents. Éprouvée par tout ce qu'elle entendait, la femme de chambre posa des questions et obtint une réponse. Lahardane avait aussi été le foyer de Kitty Teresa, depuis plus de vingt ans déjà.

– Oh, madame ! chuchota-t-elle, le visage rouge, les doigts tordant l'ourlet de son tablier. Oh, madame !

Si c'était la fin des fins pour Kitty Teresa, ça ne l'était pas entièrement pour Henry et Bridget, contrairement à ce que ceux-ci avaient imaginé. Une fois les projets arrêtés, on leur annonça qu'en tant que gardiens de la grande maison, ils pourraient continuer à occuper le pavillon et que, pour le moment au moins, la propriété du troupeau leur serait transmise afin de leur procurer un gagne-pain régulier.

– Vous vous en tirerez mieux avec le chèque de la société laitière qu'avec les gages que nous serions en mesure de vous donner, calcula Héloïse. Nous pensons que c'est équitable.

Seul le passage du temps pourrait dissiper toute cette confusion, ajouta le capitaine.

Ils commenceraient par se rendre en Angleterre, expliqua enfin Héloïse à sa fille unique, après avoir promis à Kitty Teresa de lui chercher une autre place et après avoir congédié la vieille Hannah.

– C'est pour longtemps ? demanda Lucy qui connaissait déjà la réponse.

– Oui, pour longtemps.

– Pour toujours ?

– Nous ne le souhaitons pas.

Mais Lucy savait que ce serait pour toujours. Comme pour les Morell et les Gouvernet. Les Boyce étaient partis dans le Nord, avait raconté Henry, leur maison allait être vendue aux enchères. Lucy devina la teneur des propos de son père à sa voix, mais il lui annonça malgré tout la nouvelle.

– Je suis navré. Navré, Lucy, déclara son papa.

C'était la faute de sa mère, mais sa faute à lui aussi. Ils étaient aussi coupables l'un que l'autre du silence peiné de la vieille Hannah, des yeux rougis de Kitty Teresa, le tablier trempé de larmes qui ruisselaient le long de ses joues et de son cou, au point que Bridget la conjurait vingt fois par jour d'arrêter. Dans la cour, Henry allait d'un pas traînant, le dos voûté, l'air morose.

– Ah, voilà qui est une véritable gravure de mode ! s'exclama son papa, faisant mine de rien, un matin qu'elle arriva à la salle à manger dans sa robe rouge.

Sa maman servit le thé sur la desserte et porta les tasses et les soucoupes sur la table.

– Déride-toi un peu, chérie ! lui lança sa maman, la tête penchée de côté. Déride-toi ! supplia-t-elle encore.

Henry passa devant les fenêtres avec les bidons de lait sur la charrette et, sans se dérider le moins du monde, Lucy écouta le martèlement sourd des sabots des chevaux s'estomper peu à peu dans l'allée. Deux minutes, ça prenait ; un jour, au petit déjeuner, son papa avait vérifié avec sa montre gousset.

– Pense donc aux pauvres petits gitans, lui suggéra sa maman. Sans même un toit sur leur tête.

– Toi, tu auras toujours un toit sur la tienne, Lucy, promit son papa. On est tous obligés de s'habituer à la nouveauté. On est bien obligés, lady.

Elle adorait qu'il l'appelât sa lady, mais pas ce matin-là. Elle ne voyait pas pourquoi on devait s'habituer à la nouveauté. Elle avait faim mais prétendit le contraire quand ils l'interrogèrent.

Plus tard, sur la plage, la marée montante effaçait la trace des mouettes sur le sable, balayait les tortillons laissés par les vers. Lucy jetait des tiges d'algues pour faire jouer le chien des O'Reilly, se demandant combien de jours il restait. Personne ne l'avait précisé et elle n'avait pas posé la question.

– Maintenant, rentre chez toi, ordonna-t-elle au chien, lui désignant les falaises du geste, et imitant la voix de son père quand elle vit qu'il n'obtempérait pas.

Elle continua de marcher seule, passa devant la pointe rocheuse qui avançait, tel un doigt pointé dans la mer ; traversa la rivière par le gué. Elle grimpa un peu dans les bois de la vallée et bientôt n'entendit plus la mer ni le cri bref des mouettes. Des éclats de lumière vive se glissaient sous le couvert des arbres. « J'ai même jamais vu la moitié de cette sacrée vallée », disait toujours Paddy Lindon. Chaque année, il cultivait des pommes de terre dans une clairière qu'il avait défrichée, près de son cottage, lui avait-il un jour raconté mais, ce matin, elle n'avait pas le cœur à se remettre à chercher.

– Qui m'accompagne à Enniseala ? proposa son papa cet après-midi-là et, bien sûr, elle répondit à son offre.

Son papa s'appuya contre le siège du cabriolet, se cala dans sa courbe, les rênes lâches entre ses mains. Il avait cinq ans, la première fois qu'il était venu à Enniseala, confia-t-il ; on l'y emmenait pour lui faire couper le frein de la langue.

– Qu'est-ce que c'est, le « frein » ?

– Un petit morceau de peau, sous la langue. S'il est trop serré, on a la « langue bridée ».

– Qu'est-ce que c'est, la « langue bridée » ?

– C'est quand on ne peut pas parler clairement.

– Et toi, tu ne pouvais pas ?

– Il paraît que non. Ça n'a pas fait très mal. On m'a donné un sac de billes, après.

– Je crois que ça doit faire mal.

– Toi, tu n'as pas besoin de ça.

Les billes étaient dans une boîte en bois plate, fermée par un couvercle à glissière, qui était toujours là, au salon, à côté du jeu de *bagatelle* * [1]. Elle était obligée de monter sur un tabouret quand ils faisaient une partie de bagatelle, mais elle savait que c'étaient les billes que son papa avait reçues à ce moment-là, car il le lui avait un jour raconté. Il l'avait oublié ; il oubliait des choses, parfois.

– Il y a un pêcheur à Kilauran qui ne peut pas du tout parler, enchaîna-t-elle.

– Je sais.

– Il le fait avec ses doigts.

– En effet.

– On le voit faire. Et les autres pêcheurs le comprennent.

– Ça, par exemple ! Bon, maintenant, aimerais-tu tenir les rênes un petit peu ?

A Enniseala, son papa acheta des valises neuves chez Domville parce qu'on n'en avait pas assez. Un des propriétaires du magasin sortit de son bureau et vint déclarer qu'il était navré. Jamais il n'aurait cru ça. Jamais, il n'aurait cru voir un jour pareil, jamais de la vie.

– Plaise à Dieu que vous reveniez, capitaine !

Son papa hochait la tête sans parler. Il finit par tendre la main en appelant le commerçant « Mr Bothwell ». Les nouvelles valises rentraient à peine dans le cabriolet, mais elles finirent par y tenir.

– Allons-y, proposa alors son papa.

Au lieu de monter dans le cabriolet, il lui prit la main de telle façon qu'elle devina où ils allaient.

Il savait ouvrir la porte de chez Allen sans faire sonner la clochette. Il l'entrebâilla, leva le bras afin d'immobiliser le dispositif sur le dessus de la porte, qu'il poussa alors pour qu'ils puissent entrer. Tendant le bras par-dessus le comptoir, il

1. En français dans le texte, comme tous les mots ou expressions en italique suivis d'un astérisque. Dérivé du « Trou-madame », le jeu de bagatelle est l'ancêtre du flipper. Sur un plateau de jeu incliné, on tire à l'aide d'un chargeur à ressort des billes qui viennent buter et rebondir contre des « clous », avant de tomber dans des trous ou une cage. On compte le nombre de points indiqués dans chaque trou. Chaque joueur peut tirer dix billes.

attrapa le bocal de verre sur le rayon et versa des bonbons dans le plateau creux de la balance. Il les glissa dans un sac en papier blanc qu'il posa sur la balance avant de remettre le couvercle de verre du bocal. Les caramels à la réglisse et le nougat : voilà ce qu'il aimait, et elle aussi. Il était écrit *Lemon's Pure Sweets* sur le papier couleur argent qui emballait les caramels.

Pendant qu'il les pesait, Lucy eut envie de rire, comme toujours à ce moment-là, mais elle se retint, car cela aurait tout gâché. Alors, il ouvrit la porte et la clochette sonna.

– Quatre pence et un halfpenny, annonça-t-il quand la jeune fille aux nattes arriva de l'arrière-boutique.

– Vous êtes une sainte terreur ! s'esclaffa-t-elle.

C'était toujours lui qui tenait les rênes quand ils roulaient dans la rue. Assis bien droit, il gardait les lanières tendues, tirant tantôt sur l'une, tantôt sur l'autre, libérant de temps en temps une main pour adresser un signe à quelqu'un.

– Qu'est-ce que ça veut dire « and County » ? demanda-t-elle quand ils furent passés devant tous les magasins.

– « And County » ?

– Oui : « Driscoll and County », « Broderick and County » ?

– « Co. » n'est pas l'abréviation de *County*, mais de *Company*. C'est : « and Company Limited ». *Ltd.* signifie *Limited*[1].

– A l'école, « Co. » veut dire *County*. County Cork, County Waterford.

– Simplement que l'abréviation est la même. On raccourcit un mot pour qu'il ne soit pas trop long à écrire sur une carte ou à l'enseigne d'un magasin.

– Drôle que ce soit pareil.

– Tu aimerais prendre les rênes, maintenant ?

Il flottait dans le cabriolet une odeur de cuir qui devint plus forte encore quand on ouvrit les valises neuves à la maison. Les malles étaient déjà à demi pleines, leurs couvercles maintenus ouverts par des sangles qui se repliaient quand on fermait les

1. Par exemple, Driscoll and Co. Ltd, (Driscoll and Company Limited) correspond à Société Driscoll SARL.

bagages. Henry mesurait les fenêtres pour les boucher avec des planches.

– Qui n'est encore jamais monté dans un train ? demanda son papa avec cette façon de lui parler, comme si elle n'avait que trois ou quatre ans.

Lui, il prenait le train trois fois par an pour aller en pension. Il avait encore sa cantine de métal et sa malle de bois, avec ses initiales peintes en noir dessus. Lucy lui demanda de lui raconter son école et il promit de le faire plus tard, dans le train. Pour l'instant, tout le monde était très occupé.

– Je ne veux pas partir, décréta-t-elle, allant trouver sa maman dans la chambre de ses parents.

– Papa et moi non plus, on ne veut pas partir.

– Mais alors, pourquoi on part ?

– On est quelquefois obligés de faire des choses dont on n'a pas envie.

– Papa n'a pas voulu les tuer, ces hommes-là.

– C'est Henry qui t'a raconté ça ?

– Non, ce n'est pas Henry. Ni Bridget.

– Tu n'es pas mignonne quand tu es fâchée, Lucy.

– Je ne veux pas être mignonne. Je ne veux pas partir avec vous.

– Lucy…

– Je ne partirai pas.

Elle s'enfuit de la chambre et courut au gué de la rivière. Ils vinrent la chercher, l'appelant dans les bois, mais ils n'entendirent pas un mot de ce qu'elle leur disait sur le chemin du retour. Ils ne voulaient pas l'entendre, ils ne voulaient pas l'écouter.

– Veux-tu venir à la société laitière avec moi ? proposa Henry le lendemain, mais elle hocha la tête d'un air chagrin.

– Et si on prenait le thé dehors ? suggéra sa maman en lui souriant.

La nappe étendue sur l'herbe, on servit du gâteau au citron – son préféré – et son papa releva que le chat avait dû avaler la langue de Lucy. Elle regrettait d'être allée à Enniseala avec lui, regrettait de l'avoir questionné sur le frein de sa langue et sur ce qui était écrit sur les enseignes des magasins. Ils n'avaient pas cessé de faire semblant, tout le temps.

– Regarde ! lança son papa. Le faucon !

Elle leva les yeux malgré elle. Le faucon n'était guère qu'un point noir dans le ciel, décrivant de grands cercles. Elle l'observa et son papa lui dit de ne pas pleurer.

On n'entendait plus Kitty Teresa sangloter dans les chambres parce qu'elle était déjà partie, rentrée chez elle à Dungarvan quand on n'avait pas pu lui trouver une autre place. Elle reviendrait le jour même de leur retour, promit-elle avant de quitter la maison. Où qu'elle se trouvât à ce moment-là, elle reviendrait.

– Ils ont retenu une location, annonça Bridget en cuisine.

Sur l'étagère, au-dessus du fourneau, Henry prit le bout de papier sur lequel figurait l'adresse. Il resta coi un moment, avant de constater :

– Alors, ça y est.

– Seulement jusqu'à ce qu'ils aient du permanent, précisa Bridget. Ils achèteront quelque chose, m'est avis.

Dans la cour, Henry sciait le bois pour boucher les fenêtres.

Lucy le regardait, assise sur un rebord de la muraille, sous le poirier qui s'étirait contre le long mur est de la cour. (Elle s'était mise à se baigner toute seule en revenant de l'école, posant son cartable sur ses vêtements pour les retenir, courant se jeter à l'eau et en ressortant aussi vite, se séchant n'importe comment. Henry le savait – comment, elle l'ignorait, mais il était au courant.) Elle partit, le dos voûté, les épaules rentrées : il allait sans doute deviner où elle allait, mais elle s'en fichait. Elle s'en fichait qu'il aille rapporter. Ce n'était pas le genre d'Henry mais, à voir la tournure que prenaient les choses…

Dans le champ sur les falaises, elle entendit sonner l'Angélus à Kilauran. Certains jours on l'entendait, d'autres non. Le son continua de lui parvenir tandis qu'elle se déshabillait sur la plage. S'évanouit pendant qu'elle courait à l'eau et avançait dans la mer. C'était toujours le meilleur moment – la lente marche en fendant les vagues, le froid qui monte et vous fouette la peau, l'eau qui reflue à contre-courant et vous happe les pieds. Quand elle n'eut plus pied, elle étendit les bras pour nager, puis se laissa flotter au gré de la marée.

La plage avait été vide dans les deux directions quand elle s'était mise à l'eau. Sans bien distinguer le rivage qu'elle regagnait à la nage, elle reconnut ce qui semblait bouger là-bas : c'était le chien des O'Reilly, en train de courir après son ombre – comme souvent. Le chien resta tranquille un moment, pendant qu'elle le regardait, puis tourna les yeux vers l'endroit où elle se trouvait, avant de se remettre à jouer.

Elle s'étendit sur le dos pour faire la planche. Si elle s'enfuyait, elle prendrait le raccourci dont Paddy Lindon avait souvent parlé. « Rejoins les bois du haut par le raidillon, disait-il. Continue assez longtemps, et tu trouveras la route qu'il te faut. »

Elle regagna la plage à la nage et, quand l'eau ne fut plus très profonde, elle marcha à travers les dernières vagues. Le chien allait de-ci de-là, reniflant les galets, et elle comprit qu'il avait dû dérober des vêtements, que le larcin devait déjà être enterré sous les pierres ou parmi les algues. En se rhabillant, elle s'aperçut que sa petite chemise d'été avait disparu, mais elle eut beau fouiller la frange irrégulière des algues et parmi les galets, elle ne put la retrouver.

L'oreille basse, la queue entre les jambes, le chien sans nom avançait, pitoyable, impuissant dans sa disgrâce et grondé tout le long du chemin jusqu'au haut de la falaise. Jusqu'à ce que la punition eût été suffisante. Alors, la tête embroussaillée se pressa contre les jambes de Lucy, quêtant une caresse, une tape amicale, un câlin.

– Et maintenant, file chez toi ! ordonna-t-elle et, redevenue féroce, elle regarda le chien, tenté de désobéir mais se ressaisissant.

Dans sa chambre, elle remplaça la chemise perdue par une autre qu'elle sortit des affaires déjà préparées pour le départ. Il ne prenait jamais un autre chemin pour aller aux processions de Dungarvan ou au *hurling*[1], le dimanche, racontait toujours Paddy Lindon. Les jours de chance, une charrette passait sur la route et il la hélait.

– Celle-ci, elle est spécialement à ton intention, annonça son papa.

Il était retourné l'acheter chez Domville. Une valise bleue, à la différence des autres, et plus petite parce que Lucy l'était aussi. En cuir, bien qu'étant bleue, souligna-t-il, et il lui montra les clés qui ouvraient et fermaient la serrure.

– Il ne faut pas qu'on perde les clés, ajouta-t-il. Et si je gardais le double ?

Elle n'arrivait pas à sourire, elle ne voulait pas pleurer. Toutes ses affaires, tous ses objets précieux tiendraient dedans, précisa-t-il : les silex, le bâton en forme de poignard.

– Un jour, on fera graver les initiales L. G. sur le couvercle.

– Merci, papa.

– Allez, va mettre tes affaires dedans.

Mais dans la chambre de Lucy, la valise bleue resta vide sur le siège ménagé dans l'encoignure de la fenêtre, une des clés encore attachée à la poignée.

– Je comprends, fit Bridget quand on lui expliqua qu'il s'écoulerait peut-être un certain temps avant qu'on envoyât chercher une partie au moins des objets laissés à la maison.

Henry et elle reçurent instruction de venir de temps en temps faire le tour des pièces, car il peut y avoir des problèmes dans une maison vide. Lucy surprit la conversation.

Les draps destinés à recouvrir les meubles étaient prêts dans le hall. A l'étage, sur le premier palier, on avait empilé pour la vente de charité les vêtements qu'on ne voulait pas emporter. Il

1. Sport national irlandais, un peu semblable au hockey.

y avait là aussi une partie des habits de Lucy, comme si tout cela était d'ores et déjà une affaire entendue.

– Oh, voyons, ma chérie, il ne faut pas ! s'écria sa maman, debout à la porte de la chambre de Lucy.

Lucy ne leva pas les yeux, la figure enfoncée dans l'oreiller. Alors sa maman entra et la prit dans ses bras. Elle lui essuya ses larmes avec son mouchoir qui sentait le même parfum que d'habitude. Toujours le même, le parfum. Tout irait bien, l'assura sa maman. Elle le lui promit.

– Il faut qu'on aille dire au revoir à Mr Aylward, déclara plus tard son papa qui l'avait trouvée dans le verger aux pommiers.

Elle fit non de la tête, mais il lui prit la main et ils marchèrent à travers champs, puis sur la plage jusqu'à Kilauran. Le chien des O'Reilly les observait du haut des falaises, assez malin pour comprendre qu'il ne fallait pas les suivre, parce que le papa de Lucy était là.

– Je ne pourrais pas rester avec Henry et Bridget ? demanda-t-elle.

– Ah non, non ! rétorqua son papa.

Les pêcheurs étalaient leurs filets. Ils saluèrent, et son papa leur rendit leur salut. Il fit une remarque à propos du temps ; vraiment formidable en ce moment, ajouta l'un des pêcheurs. Lucy chercha des yeux celui qui parlait avec les doigts, mais il n'était pas là. Elle questionna son papa et il répondit que l'homme était peut-être encore en mer sur son bateau.

– Je serais bien, avec Henry et Bridget, reprit-elle.

– Ah non, ma chérie, non.

Elle tendit la main pour prendre celle de son papa, détournant le visage pour qu'il ne se rendît pas compte qu'elle s'efforçait de ne pas pleurer. Quand ils arrivèrent à l'école, il la souleva dans ses bras pour qu'elle pût voir par la fenêtre. Tout était bien rangé, car c'étaient les vacances. Tout était en place, tel que le voulait Mr Aylward : les quatre tables vides, les bancs rangés dessous, les panneaux accrochés au mur. « Les premières baïonnettes ont été fabriquées à Bayonne. Le cidre est le jus des pommes. » Le tableau noir était propre, le chiffon plié près de la boîte à craies. Les cartes luisantes – rivières et montagnes, comtés d'Angleterre et d'Irlande – étaient roulées sur l'étagère.

– Il nous faudra un peu de temps, expliqua son papa chez Mr Aylward en inclinant la tête vers elle, et elle comprit qu'il n'avait pas voulu parler d'eux trois en disant « nous ».

– Ah, mais naturellement, confirma Mr Aylward. Naturellement.

– Ça me fend le cœur, à vous dire vrai, reprit son papa.

Pourtant, qu'aurait-il pu faire d'autre, demanda-t-il à Mr Aylward, quand il avait vu ces ombres en bas, devant lui, sachant qu'il devait aussi y avoir de l'essence quelque part, sachant que ces gens-là avaient empoisonné les chiens ? Il s'était senti nerveux de devoir tirer dans le noir, expliqua-t-il. Pas étonnant qu'il n'eût jamais eu la fibre d'un vrai soldat.

– Il n'y a pas un père de famille qui n'aurait pas agi comme vous, renchérit Mr Aylward.

Un chien de Lahardane s'était déjà égaré sur des terres empoisonnées, avait raconté Henry. Il n'en était pas mort pour autant, mais n'empêche. Henry voulait que tout se passe bien, lui aussi il faisait semblant.

– Continue la poésie, petite ! suggéra Mr Aylward. Elle est drôlement forte pour apprendre les poèmes par cœur, capitaine.

– C'est une bonne petite fille.

Mr Aylward l'embrassa en lui disant au revoir. Son papa vida le verre qu'on lui avait servi. Il serra la main de Mr Aylward. « Pensez, en arriver là ! », fit Mr Aylward. Et puis ils partirent.

– Pourquoi ils avaient apporté de l'essence ? s'enquit-elle.

– Un jour, je t'expliquerai tout ça.

Ils repassèrent devant les pêcheurs, maintenant occupés à réparer les filets qu'ils avaient étendus par terre. C'était là que les femmes s'étaient postées pour scruter la mer quand le *Mary Nell* n'était pas rentré. Ces femmes, Lucy les avait vues en allant à l'école, et encore une fois en rentrant, serrées dans leurs châles noirs qui leur cachaient presque le visage. La tempête qui avait causé le naufrage du *Mary Nell* était alors calmée, le soleil brillait même. « Accorde ta bénédiction, afin qu'ils soient à l'abri de tous les périls de l'océan ! », avait-on prié avec Mr Aylward mais, ce même jour, on avait entendu les pleurs et les lamentations des femmes. Pas un marin n'était revenu, pas un n'avait été sauvé, car le canot de sauvetage de Ballycotton avait été vaincu par les vents déchaînés. Aucun noyé n'était venu s'échouer sur le rivage avec les planches fracassées, les lambeaux de toile déchirée, les débris de mât et de bôme. « Cette mer-là ne rend pas les hommes, avait déclaré Henry. Aussi loin que remonte la mémoire des vivants et de leurs aïeux. » Les requins accouraient de kilomètres à la ronde quand un bateau sombrait.

En passant devant les pêcheurs avec son père, Lucy crut réentendre les pleurs et les lamentations, la plainte déchirante qui s'insinuait dans les cottages par les demi-portes – écho tragique d'un funeste moment revisitant un autre moment funeste. La gaieté qui se manifestait de temps en temps à Lahardane n'était pas réelle et ne durait qu'aussi longtemps qu'ils pensaient à faire semblant.

– Je ne veux pas quitter Lahardane, répéta-t-elle sur la plage.

– Aucun de nous ne le veut, lady.

Il se baissa et la souleva, comme ç'avait été son habitude quand elle était petite. Il la tint dans ses bras et lui fit contempler la mer calme, lui fit chercher du regard l'homme qui parlait avec ses doigts mais elle ne vit pas de bateau de pêche, et lui non plus. Il la reposa par terre et écrivit dans le sable avec un galet : « Lucy Gault ».

– Le joli nom que voilà !

Ils escaladèrent la falaise à l'endroit où c'était facile, jusqu'au champ voisin du champ de navets des O'Reilly, là où on avait cultivé de l'orge, l'année d'avant. Mr O'Reilly adressait toujours un signe de la main à Lucy quand il se trouvait là à désherber.

– Pourquoi faut-il qu'on parte ? protesta-t-elle.

– Parce qu'on ne veut pas de nous ici, répondit son papa.

Héloïse écrivit à sa banque en Angleterre pour expliquer ce qui allait se passer et pour demander conseil à propos de ses avoirs, tous investis dans divers secteurs d'entreprise de la *Rio Verde Railway Company*. Depuis des générations sa famille avait partie liée avec cette société de chemin de fer réputée mais, les circonstances étant ce qu'elles étaient – puisque son héritage allait, pour un temps au moins, jouer un rôle plus important dans sa vie et celles de son mari et de leur enfant –, les interrogations d'Héloïse ne semblaient pas inopportunes et la réponse du banquier en confirma d'ailleurs la sagesse. Stable et prospère durant près de quatre-vingts ans, le *Rio Verde Railway* commençait seulement à présenter les signes d'un éventuel début d'essoufflement commercial. On recommandait donc à Héloïse de songer à liquider la totalité ou la majeure partie de cet investissement qui avait bien servi les intérêts de sa famille depuis si longtemps.

Voulant avoir confirmation du conseil, le capitaine alla trouver son notaire et ami de longue date, à Enniseala. Aloysius Sullivan était versé dans la finance comme dans le droit, et il partageait l'opinion de la banque : la *Rio Verde Railway Company* ne risquait certes pas de s'écrouler du jour au lendemain, avec un sens du commerce demeuré excellent et les ressources capitalisées dont elle disposait, néanmoins le notaire suggérait lui aussi de diversifier le portefeuille.

– Pas la peine de s'en préoccuper avant notre départ, rapporta le capitaine Gault en rentrant à Lahardane.

Se faisant de nouveau l'écho de l'avis du banquier, le notaire avait également confirmé que ce n'étaient pas là des décisions à prendre à la hâte.

Ils discutèrent alors d'une existence en Angleterre et de tous les autres détails pratiques qu'il leur faudrait régler quand ils seraient moins perturbés par l'émotion. Comme leur vie allait être différente ! songeait chacun d'eux, mais ni l'un ni l'autre ne disaient mot.

Les paniers à poisson en osier étaient suspendus en rang dans la longue arrière-cuisine, à côté de la chambre froide. Ils étaient plats et ne contenaient pas grand-chose, si bien que Lucy en subtilisa deux (elle les emporta un par un, deux jours différents). Elle prit du pain dans la huche du cellier – un croûton de pain blanc la première fois, puis des quignons de pain noir ou de pain à la levure chimique –, ce qui risquait le moins de se remarquer. Elle les enveloppa dans des papiers de magasin, rangés dans les tiroirs du vaisselier de la cuisine. Elle remplit ensuite un panier, puis l'autre avec ces paquets, avec des pommes, des petits oignons et de la nourriture qu'elle soustrayait à son assiette lors des repas, quand on ne la regardait pas. Elle cacha les paniers dans une resserre de la cour où personne n'allait jamais, derrière une brouette tombée en morceaux.

Elle fouilla dans les affaires empilées sur le palier pour la vente de charité et en tira une jupe et un chandail qu'elle enroula dans un vieux manteau noir de sa mère : les nuits seraient froides. Il n'y avait pas un son sur le palier, à part le léger bruissement qu'elle avait causé, et elle ne rencontra personne dans l'escalier de service ou le passage aux chiens, quand elle emporta les vêtements dans sa cachette.

L'après-midi de la veille du départ, capitaine Gault tria ses papiers, sentant qu'il se devait de le faire. Mais c'était une tâche fastidieuse et, la délaissant, il démonta le fusil avec lequel il avait tiré dans la nuit. Résolument, il en nettoya chaque partie comme s'il s'attendait à réutiliser l'arme à l'avenir, bien qu'il ne l'emportât pas en partant.

– Oh, tout finira par se mettre en place, murmura-t-il plus d'une fois, confiant dans ces paroles destinées à se rassurer.

Partir, arriver, les meubles retrouvant un jour une place autour d'eux. Le temps et les circonstances organiseraient leur vie, comme tant d'autres existences en exil.

Il se remit à feuilleter ses papiers et tâcha de faire de son mieux, consciencieusement.

Héloïse boucla les sangles de cuir des malles prêtes à partir, puis elle y attacha les étiquettes écrites de sa main. Se demandant si elle reverrait jamais tout ce qu'ils avaient dû abandonner, elle disposa des boules de camphre dans les tiroirs et les armoires, dans les manches et les poches des vêtements.

C'était le temps vide de la journée. La maison était silencieuse, à présent, en dépit de l'agitation qui avait régné jusque-là et du caractère singulier de ce jour-ci par rapport aux autres. Ni bruits de casseroles, ni musique sur le gramophone du salon, ni bavardages pour troubler les heures d'avant le soir. Sans rien trahir du chagrin que lui inspirait la tâche, Henry descendit les malles et les valises qu'on avait préparées. Sur la table de la cuisine, Bridget étala sur sa couverture à repasser les cols de chemise dont le capitaine aurait besoin pour le voyage. Les chaufferettes destinées à son fer commençaient à rougeoyer dans les profondeurs de la cuisinière.

Bridget ne leva pas les yeux quand Lucy passa devant la porte ouverte de la cuisine. Henry n'était pas dans la cour. Seul le verger était bruyant : les freux perchés sur les branches de pommiers se dispersèrent, dérangés par sa présence.

Elle prit par le raidillon, comme l'avait conseillé Paddy Lindon, évitant le chemin de la vallée, plus facile, au cas où Henry s'y serait trouvé. Elle ignorait combien de temps il lui faudrait pour aller jusqu'à Dungarvan, Paddy Lindon n'avait jamais été précis sur ce point. Une fois là-bas, elle ne saurait où trouver la maison de Kitty Teresa, mais celui qui la prendrait sur sa charrette le saurait. Kitty Teresa dirait qu'elle était obligée de la ramener chez elle, mais ça n'aurait pas d'importance, parce qu'à ce moment-là, tout serait différent : Lucy le savait depuis qu'elle mûrissait le projet de s'enfuir. Tout serait différent, dès qu'ils auraient découvert son absence, dès qu'ils se seraient rendu compte de ce qui était arrivé. « Ça me fend le cœur aussi, avait avoué sa maman. Et ça fend celui de papa. Encore plus. » Quand Kitty Teresa la reconduirait à la maison, ils avoueraient qu'ils avaient toujours su qu'ils ne pouvaient pas partir.

Elle nota au passage un rocher incrusté de mousse qu'elle se rappelait avoir déjà vu, puis un arbre tombé qui ne lui était pas du tout familier ; à la cassure, il était hérissé de pointes auxquelles on risquait de s'accrocher dans le noir. Mais il ne faisait pas nuit pour l'instant, juste un peu sombre, comme toujours dans les forêts de grands arbres. La nuit tomberait cependant d'ici une heure ou deux, et il lui fallait rejoindre la route avant cela, sinon elle n'aurait aucune chance de voir passer une charrette avant le matin. Elle pressa le pas et, presque aussitôt, elle trébucha, projetée en avant, le pied coincé dans un trou. Une douleur irradia de sa cheville quand elle voulut la bouger. Elle était incapable de se relever.

– Lucy ! appela le capitaine Gault dans la cour. Lucy !

Il n'y eut pas de réponse. A l'entrée de la salle de traite, il cria pour se faire entendre d'Henry qui était à l'autre bout :

– Dites à Lucy, si vous la voyez, que je suis allé faire mes adieux au pêcheur que nous avons manqué la dernière fois. Je passe par l'allée et la route, je reviendrai par la plage. Dites-lui que j'apprécierais un brin de compagnie.

Il l'appela de nouveau devant la maison avant de partir, seul.

– Elle était là, tout à l'heure. Je l'ai vue dans le coin, avait répondu Bridget.

Cela n'avait rien d'inhabituel, Lucy était souvent partie. Croisant Bridget dans l'escalier, Héloïse l'avait questionnée sans inquiétude. Il y avait peut-être le chien des O'Reilly à qui il fallait dire au revoir, supposait Bridget.

– Vous m'avez été d'un grand réconfort, Bridget. Toutes ces

années, vous m'avez été d'un grand réconfort, lui confia Héloïse à la faveur de ce moment de calme sans perturbation, avant de revenir à ses valises, dans sa chambre.

– Si seulement vous n'étiez pas obligée de partir, madame ! Si seulement les choses étaient différentes !

– Je sais. Je sais.

Dans la grande allée, le capitaine Gault se demanda dans quelles circonstances il pourrait de nouveau cheminer sous son ombrage, sous la longue arche de branches qui volait le plus clair de la lumière. De chaque côté de lui, l'herbe privée de jour était d'une longueur modeste pour l'été ; çà et là pointait le jaune des pissenlits, tandis que flétrissaient les digitales qui avaient prospéré à l'ombre. Il s'arrêta un instant en parvenant au pavillon de gardien, où la vie continuerait quand on aurait abandonné la maison. Maintenant que la fin était arrivée, il doutait ce soir qu'il ramènerait un jour sa famille vivre à Lahardane. La prédiction lui venait de nulle part, répétition indésirée de ce qu'il avait nié dans son for intérieur, ces derniers temps.

Sur la pâle route d'argile qui s'ouvrait au-delà du portail, il tourna à gauche. Il y avait des baies sur le chèvrefeuille à présent dénué de parfum, les fuchsias de septembre fleurissaient les haies. Ils n'auraient pas besoin de vivre longtemps de l'héritage d'Héloïse. Il s'imagina vaguement dans un bureau d'expédition, bien qu'il ne sût guère en quoi consistait le travail dans un tel endroit. Qu'importe : le premier emploi décent conviendrait. Ils reviendraient de temps à autre en visite pour voir où en étaient les choses, pour garder le contact. « Ce n'est pas pour toujours », avait déclaré Héloïse la veille au soir, évoquant des fenêtres qu'on rouvre, des draps qu'on retire des meubles, des feux qu'on allume, des plates-bandes qu'on désherbe. « Bien sûr que non, bien sûr que non », avait-il renchéri.

A Kilauran, il conversa avec le pêcheur sourd-muet, comme il l'avait appris, enfant : par gestes et en articulant les mots avec la bouche. Ils se dirent au revoir. « Pas pour trop longtemps », ajouta-t-il. Laissant cette promesse silencieuse en partant, il eut conscience d'une autre contrevérité inventée, là encore. Il resta un moment planté sur des rochers où poussaient des touffes d'œillets marins. La mer avait une luisance diaprée, sa surface rayée par les dernières lueurs du couchant. Les vagues déferlaient doucement, à peine frangées d'écume. Il n'y avait nulle part d'autre mouvement sur l'eau.

Avait-il eu raison de ne pas révéler à Héloïse ou à sa fille l'irrévocabilité de ce départ, telle qu'il avait commencé de la percevoir ? Aurait-il dû retourner voir la famille d'Enniseala pour plaider sa cause un peu plus longtemps ? Aurait-il dû leur offrir davantage – la somme qu'ils auraient jugée susceptible de réparer sa faute –, acceptant de reconnaître que la violence de cette nuit-là avait été la sienne, et non celle des intrus venus chez lui ? De roc en roc, il descendit jusqu'aux galets sur lesquels il traîna les pieds pour gagner le sable – il n'avait pas la réponse. Ne l'avait toujours pas tandis qu'il continuait à marcher, s'attardant çà et là pour contempler la mer déserte. En cette dernière soirée, il aurait pu s'interpeller : se dire qu'il avait trahi le passé avec trop de légèreté, pour trahir ensuite une épouse et une fille avec de faciles paroles réconfortantes. C'était lui le plus proche des lieux et des gens d'ici, lui dont l'amour des terres restantes, de la maison, du verger et du jardin, de la mer et du rivage, nourrissait l'instinct et la prémonition. Pourtant, il avait beau scruter ses sentiments, il n'y trouvait rien pour le guider, rien que confusion et contradiction.

Il bifurqua vers la falaise, écrasant de nouveau les galets sous son pas. Un moment perdu dans les arbres, sa maison réapparut, une lumière s'éclaira à une fenêtre de l'étage. Son pied accrocha quelque chose parmi les pierres et il se baissa pour le ramasser.

– Lucy ! appela Héloïse.

Henry suggéra qu'elle était peut-être allée retrouver son père. Il ne l'avait pas vue pour lui transmettre le message du capitaine mais, butée comme elle l'était ces temps-ci, elle avait pu être cachée dans la cour et entendre. Il y avait trois jours qu'elle ne lui avait pas adressé la parole, pas plus qu'à Bridget. Dans ces conditions-là, pas étonnant qu'elle ne soit pas rentrée prendre le thé.

Héloïse l'entendit crier le nom de Lucy dans les remises de la cour. « Lucy ! », cria-t-elle à son tour dans le verger aux pommiers et dans le pré des vaches, celui qu'on traversait pour rentrer de chez les O'Reilly. Elle franchit le portillon qui s'ouvrait dans la clôture blanche séparant les champs du parterre, devant la maison. Elle en foula le gravier pour gagner la pelouse aux hortensias.

C'était elle qui l'avait baptisée ainsi, elle aussi qui avait découvert que les terres de Lahardane se nommaient jadis *Long Meadow*, *Clover Hill*, *Celui-de-John-Joe* et *Le Pré de la rivière*. Elle avait toujours souhaité entendre ces noms remis en usage, mais personne ne s'était donné la peine de les utiliser quand elle l'avait suggéré. Les hortensias étaient lourds de fleurs, leur bleu encore distinct à la lumière déclinante du crépuscule, étalant leur riche profusion tout le long du demi-cercle qu'ils décrivaient devant un mur de pierre grise. Ils étaient ce que Lahardane avait de plus charmant, elle l'avait toujours pensé.

– Lucy ! appela-t-elle parmi les arbres.

Elle s'immobilisa, tendant l'oreille dans le silence. Elle s'enfonça dans les bois et en ressortit vingt minutes plus tard, sur le chemin qui descendait à la rivière et au gué.

– Lucy ! Lucy ! criait-elle.

Rentrée à la maison, elle y appela le nom de sa fille, ouvrant les portes des chambres vacantes, grimpant au grenier. Elle redescendit. Se planta près de la porte ouverte, dans le hall et, un instant plus tard, entendit son mari qui rentrait. Elle comprit par l'absence de voix qu'il était seul. La barrière qu'elle avait franchie un peu plus tôt grinça quand il l'ouvrit et la referma, le loquet retomba à sa place.

– Lucy est avec toi ? demanda-t-elle, haussant de nouveau le ton pour poser sa question.

Les pas sur le gravier s'arrêtèrent. Il n'était guère plus qu'une ombre.

– Lucy ? s'enquit-elle.

– Lucy n'est donc pas là ?

Il resta figé sur place. Il avait quelque chose de blanc à la main, un rai de lumière se déversait dessus par la porte ouverte du hall.

II

– Sainte Mère de Dieu ! souffla Bridget qui avait blêmi.

– Puisque je te le dis, fit Henry, ponctuant ses paroles de lents hochements de tête.

Ils étaient descendus sur la plage, expliqua-t-il. Le capitaine était rentré à travers champs et ils étaient repartis à la plage tous les deux.

– Il a trouvé ses habits. La marée était descendante et il revenait de Kilauran. C'est tout ce qu'il a dit.

Non, ce n'était pas vrai, murmurait Bridget. Ça ne pouvait pas être comme il le racontait.

– Sainte Mère, c'est pas vrai !

– La marée aurait tout emporté. Sauf ce qui était coincé dans les pierres. Il avait un vêtement à la main, précisa Henry qui marqua une pause avant de poursuivre. Y a quelque temps, je me suis demandé si elle allait pas se baigner toute seule. Si je l'avais vue faire, je l'aurais signalé.

– Est-ce qu'elle pourrait être sur les rochers ? Elle avait pas bien le moral ces temps derniers. Elle pourrait être dans le coin où elle pêche la crevette ?

Henry resta coi. Bridget hocha le chef. Pourquoi une enfant se déshabillerait-elle sur une plage si ce n'était pour se baigner ? Pour prendre un dernier bain avant leur départ ?

– Moi aussi je me suis posé des questions, releva-t-elle. Plusieurs fois, je lui ai trouvé les cheveux un peu mouillés.

– Je vais descendre leur apporter de la lumière.

Une fois seule, Bridget pria. Ses mains lui parurent froides quand elle les joignit. Elle pria à haute voix, étouffant ses larmes. Quelques minutes plus tard, elle suivait son mari, traversait la cour, le verger aux pommiers, puis le pâturage, et descendait sur la plage.

Ils scrutaient l'obscurité, contemplant la mer déserte. Ils ne parlaient pas mais restaient tout près l'un de l'autre, comme s'ils craignaient d'être seuls. Doucement, les vagues léchaient le sable, un peu plus chaque fois, au gré de la marée montante.

– Oh, madame, madame ! s'exclama Bridget d'une voix suraiguë, le pas bruyant sur les galets avant de fouler le sable. Je l'avais pensé, il y a quelque temps ! (Les mots se bousculaient, son visage semblait à peine lui appartenir, à la lueur vacillante de la lampe d'Henry.)

Désemparés, le capitaine Gault et son épouse se détournèrent de la mer. Pouvait-il y avoir de l'espoir dans cette agitation, un grain d'espérance, là où il n'y en avait eu aucun jusque-là ? Dans leur stupeur, surgissaient ces pensées, identiques pour eux deux.

– Je dis point qu'elle en ait jamais soufflé mot, madame. C'est juste une impression qu'on avait, Henry et moi. On aurait dû vous le signaler, monsieur.

– Signaler quoi, Bridget ?

Une politesse lasse perçait dans la voix du capitaine, de la patience aussi, tandis qu'il attendait une réponse sans rapport avec la situation. Déjà l'espoir s'était réduit à néant.

– Tout ce que j'ai remarqué, c'est qu'elle rentrait avec les cheveux un peu mouillés.

– De s'être baignée ?

– Si on en avait eu la certitude, on l'aurait dit.

Il y eut un silence, puis le capitaine Gault reprit :

– Vous n'avez rien à vous reprocher, Bridget. Jamais personne n'ira penser ça.

– Sa robe myosotis qu'elle portait, monsieur.

– Ce n'était pas sa robe.

Sa petite chemise d'été, précisa Héloïse et, retrouvant le silence, ils se dirigèrent vers l'endroit où elle avait été retrouvée.

– On lui a raconté des mensonges, lâcha le capitaine chemin faisant.

Héloïse ne comprit pas. Et puis elle se rappela les paroles rassurantes et les demi-promesses, se rappela qu'elle avait su que les promesses risquaient de ne pas être tenues. La désobéissance avait été une bravade d'enfant ; la mystification, une trouvaille qu'ils lui avaient eux-mêmes inspirée.

– Elle savait que je me baignais toujours avec elle, commenta le capitaine.

Le morceau de bois qui avait accroché le vêtement ramassé par le capitaine était toujours là, sa pâle surface lisse tout juste visible dans le noir. Henry approcha la lampe, cherchant à distinguer autre chose encore, mais il n'y avait rien.

L'idée fausse qui abusait le capitaine, son épouse et leurs domestiques n'était ni contestée ni contredite, comme si elle avait acquis un pouvoir autonome en se nourrissant des circonstances et des événements. On avait fouillé la maison, les remises de la cour, le jardin, le verger. Et, bien que rien ne suggérât que l'enfant disparue pût être dans les bois à cette heure tardive, on y avait crié son nom. On s'était rendu dans la cuisine des O'Reilly. Restait la mer. Ne pas en accepter les revendications, appuyées avec tant d'insistance par le peu d'indices disponibles, ce n'était rien de plus que la farce des désirs pris pour des réalités.

– Voulez-vous bien m'accompagner à Kilauran, Henry, et nous sortirons en bateau ?

– Oui, monsieur.

– Laissez-leur la lampe.

Les deux hommes s'en furent. Des heures plus tard, les deux femmes qu'ils avaient laissées là trouvèrent une sandale parmi les mares à crevettes, sur la pointe rocheuse qui brisait la continuité de la longue étendue de sable et de galets.

Les pêcheurs de Kilauran apprirent la disparition à l'aube, en rentrant à la rame. De leurs barques ils n'avaient rien vu de toute la nuit, rapportèrent-ils, se remettant pourtant à marmotter la superstition qui, depuis si longtemps, enrichit la conversation des gens de mer : les requins qui se repaissent de tragédies ne laissent que les débris des naufrages – pas grand-chose, d'ailleurs. Et les pêcheurs, eux aussi, pleurèrent la mort d'une enfant vivante.

Tandis que, sur le rivage, la surface des rochers était rongée par les vagues et se couvrait de patelles qui la dissimulaient plus encore, le temps, lui, conférait une réalité aux apparences. Les jours passant devinrent des semaines, sans pour autant troubler une autre surface – celle qu'avait créée une simple présomption. Le beau temps d'un superbe été se prolongeait, sans le moindre signe ou indice qu'on s'était fourvoyé dans l'acceptation du vrai. L'unique sandale découverte parmi les rochers devint une image détrempée de la mort. Aux lamentations funèbres sur la jetée de Kilauran, expression traditionnelle du chagrin infligé par la mer, répondit le silence de Lahardane.

Le capitaine Gault ne passait plus ses nuits à une fenêtre de l'étage. Seul, planté sur les falaises, il scrutait la mer sombre et calme, il se maudissait et maudissait ses ancêtres pour avoir bâti une maison à cet endroit-là, du temps de leur prospérité. Parfois, le chien sans nom des O'Reilly s'armait de courage et venait s'asseoir à côté de lui, tête basse, comme s'il percevait une mélancolie et offrait une sympathie à sa manière. Le capitaine ne le chassait pas.

Ici comme à la maison, les souvenirs n'étaient que regrets, les pensées toutes dénuées de consolation. On n'avait pas eu le temps de faire graver les initiales sur la valise de cuir bleu :

pourtant, comment avait-on pu être à court de temps puisque, maintenant, il s'étirait sans fin, puisque les jours qui se succédaient, avec leur cortège de longues et lentes nuits, pesaient aussi lourd qu'autant de siècles ?

– Oh, ma chérie ! murmurait le capitaine Gault en contemplant encore une nouvelle aube. Oh, ma chérie, pardonne-moi !

Le tourment, pour Héloïse, trouvait une variation particulière. Arrachées au passé d'un méchant coup de griffe et crûment étalées au milieu de sa souffrance, les années de bonheur de son couple lui semblaient de l'égoïsme. A chaque pièce de la demeure où elle était arrivée, jeune mariée, s'attachaient des souvenirs de ce qu'elle avait goûté avec tant d'avidité : la musique de gramophone sur laquelle elle avait dansé, légèrement enlacée dans les bras d'Everard ; le tic-tac poussif de l'horloge du salon quand ils lisaient au coin du feu, le canapé à grand dossier qu'on tirait près de la cheminée, les bûches qui pétillaient dans l'âtre. Et puis il était rentré de guerre, déçu, mais au moins en vie. L'enfant qui leur était né avait grandi, Lahardane avait été à la fois un gagne-pain et un mode de vie. Pourtant, l'implacable fin de cet enchaînement de circonstances ne serait pas advenue, si Everard s'était marié différemment. C'était un fait.

– Non, non, protestait-il à présent, rejetant la faute ailleurs. Si jamais ils reviennent, je les tuerai à coups de fusil.

Pour eux deux, les chiens de berger gisaient de nouveau empoisonnés dans la cour, leurs corps froids sur le pavé. Henry ratissait de nouveau le gravier marin aux endroits où le sang avait taché les galets.

– On ne pouvait pas lui donner davantage d'explications, murmurait Héloïse, mais son sentiment de culpabilité ne s'atténuait pas : elle n'avait pas suffisamment expliqué les choses à sa fille.

– Je me demande s'ils vont partir malgré tout ? s'interrogea Bridget quand les préparatifs du départ ne reprirent pas. Je doute qu'ils s'intéressent à ce qui leur arrive.

– Mais, de toute façon, c'est déjà réglé, non ?

– Ce qui a été réglé est différent, maintenant.

– Tu veux dire que Kitty Teresa va être rappelée ? Et Hannah aussi ?

– Je ne dis pas ce que je ne sais pas. Seulement que je serais pas étonnée, si c'était la tournure que ça prenait.

Bridget avait toujours pensé que l'affection qu'ils portaient à ces lieux y ramènerait le capitaine Gault et son épouse, quand le pays aurait retrouvé le calme et qu'on pourrait arriver à un arrangement au sujet de la blessure. L'espoir inspirant sa réflexion, elle avait trouvé significatif que le bétail n'eût pas été destiné à la vente.

– Moi, je serais d'avis qu'ils vont partir, répondit Henry. M'est avis que maintenant, ils vont vouloir partir.

Les formalités d'usage furent accomplies de manière aussi complète que possible, en la circonstance. La déclaration du capitaine Gault était austèrement dénuée de sentiment, mais l'employé de l'état civil qui vint l'enregistrer à Lahardane fut ému et leur témoigna sa sympathie.

– Pourquoi attendre davantage ? demanda Héloïse quand l'homme fut reparti. Si les pêcheurs de Kilauran ont raison, il n'y a plus rien à faire. S'ils ont tort, c'est une telle horreur à mes yeux que je ne veux pas savoir. Suis-je différente de toutes les mères du monde, qui hanteraient à jamais les galets et les mares, à la recherche d'un fil de ruban dont elles auraient souvenir ? eh bien, je suis différente. Si je suis contre-nature, faible, et pleine d'une peur que je ne comprends pas, eh bien, je suis contre-nature. Mais je peux seulement dire qu'avec l'impitoyable regret qui est le mien, je ne pourrais pas supporter de baisser les yeux, de voir les os sans chair de mon enfant et d'en savoir trop long.

Leur chagrin était leur terrain d'entente, pourtant il les séparait. L'un parlait, l'autre l'entendait à peine. Chacun tournait le dos à une inutile pitié. Aucune prémonition ne les aidait à présent, pas de voix dans un rêve, pas d'instinct soudain. Héloïse boucla leurs derniers bagages.

Au cours de la sinistre période qui venait de s'écouler, elle avait demandé à sa banque, par télégramme, d'adresser les certificats de ses actions Rio Verde à la banque de son mari à Enniseala. Elle le lui révéla quand ce dernier s'apprêtait à aller voir Aloysius Sullivan, afin de prendre les ultimes dispositions qui s'imposaient.

– Mais pourquoi donc nous les expédier maintenant ? s'étonna-t-il, la fixant d'un air stupéfait. Les faire venir de si loin, alors que nous sommes sur le point de partir ?

Héloïse ne répondit pas, mais rédigea un pouvoir permettant à son mari de recevoir les certificats à sa place.

– C'est ainsi que je veux procéder, précisa-t-elle.

Cette excentricité continua d'occuper la pensée du capitaine Gault tandis qu'il faisait ce dont sa femme l'avait prié. Le choc des événements de l'été et le profond déchirement avaient-ils pu avoir des répercussions aussi terribles que le drame même ? De précieux documents avaient été inutilement confiés au courrier et seraient exposés aux périls du voyage de retour dans l'île d'où ils étaient venus. La liquidation des titres aurait pu être organisée sans qu'il fût besoin d'envoyer un seul document : il eût suffi qu'Héloïse en donnât l'ordre, comme l'avait précisé la lettre exposant les réserves de la banque sur l'avenir de la compagnie de chemin de fer.

A Enniseala, le capitaine Gault fut tenté de rendre la grosse enveloppe qu'on lui remit et de demander qu'elle revînt sans encombre à l'expéditeur, expliquant qu'il y avait eu une erreur, peut-être compréhensible dans les circonstances présentes. Mais il n'en fit rien et ne rentra pas à Lahardane avec une excuse mal ficelée. Il tendit à sa femme le pli qu'on lui avait donné et lui transmit aussi le bon souvenir d'Aloysius Sullivan. Le contenu de l'enveloppe fut examiné de près, les civilités du notaire évacuées avec un hochement de tête, comme si elles n'avaient pas la moindre espèce d'intérêt, alors qu'Héloïse avait toujours eu une affection particulière pour Aloysius Sullivan.

Ce soir-là, ils auraient pu parcourir ensemble la maison, le verger et le jardin, se promener dans les prés. Mais capitaine Gault ne le suggéra pas et ne le fit pas non plus seul, comme ça lui était arrivé. Ses pommiers, les abeilles de ses ruches, le bétail qui avait été sa fierté, l'attiraient toujours autant, mais son épouse comptait davantage. Ce serait vraiment la cruelle goutte d'eau qui fait déborder le vase, si les apparences se confirmaient.

Sombre et silencieux, buvant en solitaire, il tâchait d'éviter de se demander s'il y avait là un châtiment. Car après tout, les gens ne s'étaient-ils pas soulevés et n'avait-ce pas été le début de l'enfer qui avait si vite tout englouti, dans ce petit coin de pays ? Il ne pouvait pas savoir que la vérité, aussi sûrement qu'elle n'avait pas place dans une présomption fausse, n'en avait pas non plus dans ces épouvantables idées de damnation. C'était le hasard, non le courroux, qui avait décidé du sort des Gault cet été-là.

Dans le train de Dublin, Héloïse se taisait. Autant qu'elle exécrait le bord de mer qu'ils avaient quitté, elle détestait ces champs et ces collines devant lesquels ils passaient, les bois et les bosquets, les ruines silencieuses. Elle ne demandait rien de plus que d'être séparée à jamais d'un paysage qui l'avait jadis ravie, de visages qui lui avaient souri avec bonté, de voix qui avaient parlé gentiment. Une villa louée dans un faubourg du Sussex, ce n'était pas assez loin : depuis des jours déjà, elle le savait, mais ne le lui avait pas confié. Ce qu'elle fit à présent.

Le capitaine écouta. Il ne lui manquait ni intelligence ni cœur nécessaires pour comprendre : l'épouse qu'il avait amenée à Lahardane treize ans plus tôt souhaitait, en quittant ces lieux, continuer à voyager. Loin toujours plus loin, jusqu'à ce qu'un train quelconque les déposât dans un endroit où les étrangers ne suscitent ni commentaire ni curiosité. L'avenir imaginé dans une Angleterre plaisante et commode n'était plus envisageable.

– L'adresse du Sussex est celle qu'on a laissée, releva-t-il, histoire de dire quelque chose.

De fait, il ne se souciait guère du Sussex, de ses faubourgs et ses villas, ou de la tranquillité anglaise. L'inquiétaient en revanche le visage amaigri et pâli de sa femme, sa façon de fixer le paysage avec des yeux morts, sa voix privée de timbre, ses mains jointes pareilles à celles d'une statue. Pourtant, il éprouvait aussi du soulagement : Héloïse n'avait pas agi sous l'emprise de la confusion en télégraphiant à sa banque, mais avec la détermination de fermer résolument la porte sur le passé. Les titres qu'il avait cherchés de sa part les accompagnaient dans leurs bagages et deviendraient leurs moyens de subsistance, là où les conduirait leur voyage.

– N'importe où, fit-elle. N'importe où, ça ira.

A Dublin, à la gare de King's Bridge, le capitaine Gault envoya un télégramme pour annuler la location de la maison d'Angleterre. Quand ce fut fait, ils se retrouvèrent debout près de leurs bagages, telle une île.

– Nous sommes au même diapason, déclara-t-il.

La fragilité d'Héloïse lui semblait toujours alarmante, cependant ils partageaient un état d'esprit illustré par la nature de leur départ, partageaient le désir de se perdre, de se débarrasser de la mémoire. Il exprima tout cela, tentant de la réconforter.

Héloïse ne répondit pas mais parla plus tard, quand ils traversaient la ville pour rejoindre les docks :

– C'est bizarre que ça ne nous fasse pas la moindre peine de partir. Alors qu'à un moment donné, ça paraissait insupportable.

– Oui, c'est étrange.

C'est ainsi que le jeudi vingt-deux septembre 1921, le capitaine Gault et sa femme abandonnèrent leur maison. Et, à leur insu, leur enfant. En Angleterre, villes et campagnes affairées défilèrent sous leurs yeux, sans qu'ils les remarquent. Les clochers et les maisons de village, les derniers pois de senteur dans les jardinets, les haricots grimpants s'étalant sur des fils soigneusement tendus, les géraniums dans leur ultime floraison : ç'aurait pu être une possibilité. La France, quand ils l'eurent atteinte, ne fut juste qu'un autre pays, malgré quelques nuits passées là. « Nous avons poursuivi le voyage », écrivit le capitaine Gault au notaire d'Enniseala – une des trois phrases inscrites sur une feuille de papier à l'en-tête d'un hôtel.

III

Bridget cira les meubles avant de les recouvrir de vieux draps qu'on n'avait jamais jetés. Elle nettoya les fenêtres avant que des planches les recouvrent. Elle récura les marches de bois nu de l'escalier de service et les dalles du passage aux chiens. Elle rangea les édredons et les couvertures.

Au matin, dans la maison plongée dans l'obscurité, quand il ne resta plus rien à faire, sauf à la cuisine et dans les arrière-cuisines où continuait à régner la lumière du jour, Henry parcourut les chambres du haut avec une lampe. Déjà, l'air y était confiné. Ce soir-là, ils fermeraient la maison.

Ils étaient tous deux mélancoliques. Au cours des jours écoulés depuis le départ des Gault, on s'était attendu quotidiennement à ce qu'un des pêcheurs arrivât avec la nouvelle que quelque chose s'était pris dans leurs filets ou sous une rame. Mais nul n'était venu. Et s'il en avait été autrement, les Gault auraient-ils voulu le savoir ? s'était demandé Bridget. Henry avait hoché le chef, incapable de répondre à cette question-là.

Dans le hall, il souleva le verre de la lampe et moucha la mèche. A la laiterie, il rinça les bidons que, plus tôt, il avait rapportés de la société laitière.

– J'ai un mur à m'occuper, lança-t-il à Bridget quand elle apparut sur le seuil de la porte arrière de la maison.

Elle acquiesça du chef et il perçut le sens de son signe de tête, de l'autre bout de la cour. Il se demanda comment ce serait, à son retour, de s'attabler à la cuisine pour la dernière fois. Un peu de bacon, elle leur préparait.

Les chiens de berger accoururent dans la cour quand Henry siffla et Bridget les regarda se bousculer derrière lui quand il partit.

– Ça attendra ! l'assura-t-elle, élevant la voix pour se faire entendre.

– Ça devrait, je crois aussi, renchérit-il.

Bridget n'avait pas le sentiment que ses prières l'avaient trahie. C'était suffisant d'avoir prié. C'était la volonté de Dieu, s'Il ne l'avait pas entendue. Ils se feraient au nouvel ordre des choses. Ils l'accepteraient, puisqu'il devait en être ainsi. La vieille Hannah passerait de temps à autre au pavillon et peut-être même un jour Kitty Teresa, bien qu'elle habitât assez loin. Mais il était plus probable que Kitty Teresa n'aurait pas envie de venir : elle aurait peut-être trop de mal, après le cirque que ç'avait été quand elle avait dû partir.

Mais c'est surtout cette bonne vieille grande cuisine qui va te manquer, songea Bridget en y rentrant. Elle continuerait à venir dans la cour donner à manger aux poules, aussi longtemps qu'on en aurait. Elle se trouverait de l'occupation dehors. Bridget avait joué dans la cour quand sa mère avait commencé à l'amener à la cuisine et, quand il pleuvait, elle s'asseyait près du feu dans la remise à grain, activant le feu de tourbe avec le soufflet à roue et regardant les étincelles.

A l'évier, elle frotta une casserole ; l'émail en était écaillé d'une façon qui lui était familière depuis des années. Elle la rinça, l'essuya, la rangea à sa place : s'en resservirait-elle un jour ? Oui, pensa-t-elle dans un élan d'optimisme soudain : ils reviendraient quand le temps aurait guéri les blessures. Au fourneau, elle amena le morceau de bacon à ébullition.

Henry ne se rappela pas le manteau noir quand il l'aperçut. Non pas faute de l'avoir souvent vu porté, des années plus tôt, mais il ne le reconnut pas. Un manteau qui n'était pas là avant : voilà ce qu'il pensa. Il n'y avait eu que de la mauvaise herbe dans ce coin-là, la dernière fois qu'il était venu chercher des pierres pour boucher un trou dans le mur de l'enclos à moutons des O'Reilly. Il resta planté là à fixer le vêtement, sans pénétrer plus avant dans les ruines, et ordonnant aux chiens de rester où ils étaient. Lentement, il alluma une cigarette.

Les pierres qu'il voulait étaient là, au même endroit que l'autre fois, écroulées au pied des murs, parmi les orties. Il se souvint de Paddy Lindon assis à la table dont il ne restait que les pieds et une unique planche. Autour de la table, les orties avaient été écrasées pour frayer un chemin jusqu'à l'endroit où gisait le manteau. Il y avait là par terre deux paniers à poisson en paille et il distingua des mouches sur des trognons de pomme brunis.

Il tenta de comprendre la scène et, lorsque se dessina une manière de sens, il n'eut pas envie de s'approcher. Un des chiens gémit, il lui ordonna de la fermer. Il n'avait pas envie de soulever le manteau pour regarder dessous mais, pour finir, il le fit.

Dans la cour, un des chiens jappa une fois : Bridget sut qu'Henry était de retour. Ce chien-là aboyait toujours une fois quand Henry rentrait dans la cour, une habitude que ce dernier essayait de lui faire perdre. Au fourneau, elle poussa la casserole de pommes de terre sur le feu et versa l'eau bouillante sur le chou qu'elle avait coupé en morceaux. Elle mit le couvert, puis elle entendit le pas d'Henry dans le passage. Quand elle se détourna de la cuisinière pour le regarder, il se dressait dans l'encadrement de la porte. Il portait un ballot dans les bras.

– Qu'est-ce que c'est que ça ? interrogea-t-elle.

Il n'esquissa pas la moindre espèce de réponse, se contentant d'entrer dans la cuisine.

Pendant toute la traversée des bois, il s'était hâté, pressé de se décharger de l'effort de comprendre seul ce qui n'avait pas encore suffisamment de sens. L'immobilité de son fardeau était celle des morts, à n'en pas douter, non ? Il l'avait posé par terre à plusieurs reprises, avait même tendu le bras pour fermer les yeux qui le fixaient car, comment y aurait-il pu rester de la vie après tant de temps passé dans cet endroit humide ?

Dans la cuisine, l'odeur du bacon en train de bouillir s'insinua dans la confusion, telle la réalité qui ordonne les fragments d'un rêve. La pendule sur le vaisselier égrenait un joyeux tic-tac, la vapeur faisait cliqueter le couvercle de la casserole.

– Sainte Mère de Dieu ! s'exclama Bridget. Oh, sainte Mère de Dieu !

Les lèvres de l'enfant étaient tachées de jus de mûres. Elle avait un air maladif, les joues émaciées, des creux noirs sous les yeux, les cheveux aussi embroussaillés que ceux d'une romanichelle. Elle était dans les bras d'Henry, couverte d'un vieux manteau de sa mère. Crasseux, qu'il était…

Henry ouvrit enfin la bouche. Il raconta qu'il était allé chercher des pierres au cottage de Paddy Lindon. Il avait, comme souvent, le visage vide de toute expression en parlant. « Il se passe davantage de choses dans un jambon », avait un jour noté le père de Bridget à propos de la figure d'Henry.

– Bonne Mère ! murmura Bridget en se signant. Notre-Dame de la Pitié !

Lentement, Henry se dirigea vers une chaise. L'enfant était affamée, si faible qu'on avait l'impression qu'elle ne pourrait pas vivre : ces observations informulées se bousculaient dans la pensée de Bridget, comme elles l'avaient fait plus tôt dans la tête d'Henry, et elles entraînaient la même confusion. Comment avait-elle pu remonter là de la mer ? Comment se faisait-il qu'elle fût là ? Bridget s'assit pour soulager la faiblesse qui avait gagné ses genoux. Elle essaya de compter les jours, mais ils ne cessaient de lui échapper. Une éternité, on aurait dit, depuis la nuit sur la plage. Une éternité avant le départ des Gault.

– Il y avait la nourriture qu'elle avait prise dans la maison, suggéra Henry. Des sandwiches au sucre : voilà peut-être de quoi elle a vécu. Et Dieu merci, il y a de l'eau là-bas !

– Elle était tout de même pas dans les bois, Henry, non ?

Chaque matin, Bridget prenait son chapelet, l'emportait à la cuisine de la grande maison et le posait sur l'étagère, au-dessus du fourneau. S'appuyant sur la table pour se lever à demi, elle tendit le bras pour l'attraper et le garda entre ses doigts sans le faire tourner, trouvant une consolation à son contact.

– Elle s'est enfuie, lâcha Henry.

– Oh, ma petite, ma petite…

– Elle est terrifiée par ce qu'elle a fait.

– Pourquoi as-tu fait une chose pareille, Lucy ?

Bridget trouva sa propre voix stupide et éprouva un sentiment de culpabilité en l'entendant – coupable de bêtise. N'était-ce pas à elle la faute, de n'avoir pas mentionné les bains de mer ? L'enfant ne passait-elle pas son temps à jouer à ses petits jeux dans la vallée et dans les bois, en haut – pourquoi ne le leur avait-elle pas rappelé ? Pourquoi n'avait-elle pas dit que ce n'étaient que des inventions, ces croyances de pêcheurs ?

– Qu'est-ce qui t'a donc possédée, Lucy ?

Une de ses chevilles était plutôt mal en point, releva Henry. Elle avait voulu se mettre debout, quand ils étaient arrivés dans la cour, mais il ne l'avait pas posée par terre. On ne sait jamais, avec une cheville si mal en point. Elle pouvait être en morceaux, impossible de s'en rendre compte. Il irait chercher le Dr Carney.

– Je la monte d'abord à l'étage ? demanda-t-il.

Il n'en dirait pas davantage, songea-t-elle, tant que l'enfant mouillée et en piteux état ne serait pas dans une chambre. Elle n'apprendrait rien de plus avant cela, mais il lui raconterait comment il était arrivé par hasard jusqu'à elle et ce qu'elle lui avait dit – si même elle avait articulé une parole. La petite était si silencieuse à présent, elle pourrait aussi bien ne jamais rouvrir la bouche.

– Attends un peu que je prépare une paire de bouillottes pour le lit.

Bridget replaça son chapelet sur l'étagère et remit sur le feu l'eau qui venait de bouillir. Presque aussitôt, la bouilloire laissa échapper de la vapeur et crachota. Le capitaine, la maîtresse et Henry arpentant la plage, farfouillant dans les galets : des dupes du diable, comme elle l'avait été elle-même, aggravant tout. Dans un éblouissement, Bridget les revoyait maintenant, absurdement présents.

– Tu as faim, Lucy ? Tu meurs de faim ?

Lucy fit non de la tête. Henry s'était assis à son tour, son chapeau brun légèrement rabattu vers l'avant – la marche à travers les bois avait dû déranger son couvre-chef et il n'avait pas pensé à le redresser quand il avait déposé son fardeau sur une chaise.

– La Providence l'a aidée ! murmura Bridget qui sentit la chaleur des larmes sur ses joues avant de se rendre compte qu'elle pleurait, avant de comprendre que la bêtise importait peu. Dieu soit loué ! chuchota-t-elle, entourant soudain de ses bras les frêles épaules de Lucy. Dieu soit loué !

– Tout va bien maintenant, Lucy, déclara Henry.

Bridget remplit deux bouillottes. Une sorte d'épuisement se lisait dans les yeux de la petite. Une atroce douleur, aurait-on dit, sourdement présente.

– Tu es malade, Lucy ? Tu as mal à ta jambe ?

Un instant passa dans le regard ce qui aurait pu être une dénégation, mais il n'y eut pas de réaction, pas un mot, pas un geste. Henry se leva pour reprendre dans ses bras le corps qui ne résistait pas. A l'étage, tandis que Bridget tenait les deux lampes qu'elle avait allumées, il coucha l'enfant sur le lit dont on avait enlevé les draps et les couvertures, une semaine plus tôt.

– Attends de voir le Dr Carney en personne, recommanda Bridget. Ramène-le ici très vite. Prends le cabriolet, n'y va pas à pied. A présent, je peux me débrouiller.

Elle fouilla dans la literie qu'elle avait rangée dans le placard du palier et dénicha une chemise de nuit.

– On va prendre un bon bain, annonça-t-elle quand elle eut fait le lit du mieux qu'elle pouvait, sans déranger le corps atone couché là.

Le bain devant attendre jusqu'au passage du médecin, elle emplit une cuvette d'eau chaude à la salle de bains et l'apporta dans la chambre. Elle entendit du remue-ménage dehors et devina qu'avant d'aller chercher le Dr Carney, Henry venait de poser une échelle contre le mur et enlevait les planches occultant les fenêtres de Lucy. Il pourrait quand même être assez malin pour ne pas perdre de temps à ça ! s'indigna-t-elle. Son irritation la soulagea.

– Et si je te faisais un œuf à la coque quand je t'aurai lavée ? Un «œuf en tasse », Lucy ?

De nouveau, Lucy fit non de la tête. Elle pouvait avoir une fracture, vu l'aspect de sa cheville : plus noire que bleue, et aussi enflée qu'une grosse balle. Toute la jambe était devenue inerte, comme une chose morte qu'elle traînait.

– Attends que je prenne ta température, annonça Bridget.

Il y avait un thermomètre quelque part, elle ne se rappelait plus où. Elle se demanda si, de toute façon, il n'avait pas disparu de la maison. Il faudrait laisser cela au Dr Carney.

– On va te faire propre comme un sou neuf pour le docteur !

L'enfant était crasseuse du haut en bas, elle avait les pieds et les mains sales, les cheveux emmêlés, les bras et le visage éraflés. Elle avait les côtes saillantes, la peau du ventre flasque. Un œuf à la coque écrasé avec du pain grillé dans une tasse, elle en avait toujours raffolé.

– Peut-être que l'appétit reviendra après la visite du Dr Carney.

L'eau de la cuvette devint grise instantanément. Bridget la vida à la salle de bains et la remplit une nouvelle fois. Qu'avait-il voulu dire, en parlant de « sandwiches au sucre » ? Il était en ruine, ce cottage-là. La petite était-elle restée là-dedans tout ce temps-là ? Ç'avait donc été une invention d'enfant – vouloir y rester pour toujours, parce qu'elle n'avait pas envie de partir ? Et ce petit rien avait suffi à causer le terrible bouleversement, un chagrin tel qu'on n'en voit pas dans une vie entière ? Elle aurait dû dire à Henry d'envoyer un câble à l'adresse qu'ils avaient laissée. D'un autre côté, ça l'aurait obligé à s'arrêter au pavillon en passant, pour prendre le bout de papier. De fait, elle espérait qu'il n'en aurait pas lui-même l'idée, à cause du retard que ça causerait.

– Papa et maman sont partis, annonça Bridget. Mais maintenant, ils vont revenir.

Elle introduisit une des bouillottes à mi-hauteur du lit pour réchauffer les draps froids, glissa l'autre au fond de la couche. Elle déverrouilla la fenêtre à guillotine et baissa un peu la partie supérieure. Henry avait arraché plusieurs planches, mais il en restait encore.

– Le Dr Carney ne va pas tarder, l'assura-t-elle, ne sachant que dire.

– Ma foi, tout est là, conclut Henry dans le hall, désignant vaguement de la tête la chambre dont il avait enlevé les planches des fenêtres. Il n'y a rien de plus, juste ce qu'elle veut bien raconter.

– Rien de plus ? Après être revenue d'entre les morts ?

– Revenue : elle aurait été incapable de parcourir un centimètre ! répliqua Henry.

Elle n'avait déjà que trop marché pour arriver là où il l'avait découverte. Il ne l'aurait d'ailleurs pas trouvée du tout, s'il n'avait pas eu dans l'idée d'arranger le pan de mur par lequel les moutons avaient recommencé à s'introduire.

– Et qu'est-ce que c'est que cette histoire de « sandwiches au sucre » ?

Il était resté des portions de beurre dans un morceau de papier journal, et des grains de sucre en poudre. Il y avait les pommes qu'elle avait dû cueillir, pas encore mûres, mais elle les avait mangées, les trognons étaient par terre. Elle s'était bien débrouillée, ajouta Henry.

– Elle a perdu la boule, la petite, Henry ?
– Penses-tu, pas du tout !
– Elle savait ce qu'elle faisait quand elle est partie ?
– Évidemment.
– Il faut qu'on prévienne Mr Sullivan. Et en Angleterre.
– Je me le disais aussi.

Le médecin diagnostiqua une fracture qu'il faudrait examiner de plus près, des ligaments abîmés tout autour, une hémorragie interne, de la fièvre avec une forte température et de la malnutrition. Il recommanda du bouillon de bœuf ou du lait chaud, et pas plus d'une tranche de pain grillé pour commencer. Henry retourna avec lui à Kilauran pour envoyer les télégrammes qui s'imposaient. A la cuisine, Bridget fit griller une unique tranche de pain devant la grille du fourneau.

Ce soir, il leur faudrait dormir dans la grande maison. Henry parvint à cette conclusion sur le chemin du retour de Kilauran et Bridget y songea en montant le plateau dans la chambre. Ils ne pouvaient pas laisser l'enfant toute seule, pas dans l'état actuel des choses, sans même parler de nouvelle tentative d'incendier les lieux. Ils seraient obligés de rester sur place jusqu'à ce qu'une autre solution fût trouvée, jusqu'au retour du capitaine et de Mrs Gault.

– Qu'est-ce que tu as mis dans le câble ? s'enquit Bridget lorsque Henry rentra.

« Lucy retrouvée vivante dans les bois » : tel était le message parti pour l'Angleterre.

IV

Ils séjournèrent à Bâle, évaluant le train de vie que l'héritage d'Héloïse pourrait leur assurer. Il y eut quelque inquiétude au début : avait-elle été plus optimiste que la situation ne le permettait, en prévoyant que l'argent suffirait ? Mais c'était en effet le cas. Les seuls biens du capitaine étant la maison et les terres qu'ils avaient abandonnées, ils resteraient intouchés, à moins que des circonstances imprévisibles n'exigent autre chose. Un emploi dans un bureau d'expédition ou un travail du même genre, ce n'était pas facile à trouver à l'étranger mais, heureusement, ce ne serait pas nécessaire.

Ce fut en discutant de tout cela que le capitaine se rendit compte que, désormais, ils voyaient l'avenir différemment. Bien que partageant tant de ces choses qui leur étaient arrivées, ils étaient moins au même diapason qu'il n'y avait paru quand il avait usé de l'expression. Il s'était trompé en imaginant qu'il n'aurait plus jamais envie de revenir à la maison qu'ils avaient abandonnée, il avait commencé à le sentir durant la courte période écoulée depuis leur départ. Mais il percevait aussi qu'en Héloïse le sentiment contraire s'était renforcé à chaque kilomètre parcouru. L'exil, voilà ce qu'elle appelait de ses vœux, dans quoi elle plaçait toute sa foi, son espérance. Il n'avait pas l'intention de la faire changer d'avis à la faveur de cajoleries : sa tâche était plutôt de s'occuper d'elle. Elle n'était encore que l'ombre de la femme qu'elle avait été, il n'y avait pas si longtemps.

Une fois réglées les affaires qu'ils avaient décidé de traiter à Bâle, ils se remirent en route. Ils partirent pour le sud, pour Lugano, où ils passèrent plusieurs jours au bord de son paisible lac. Par un après-midi d'automne sans nuages, ils franchirent la frontière italienne et continuèrent lentement leur voyage.

V

– Une ruine ? s'étonna Aloysius Sullivan. Une ruine ?

Bridget expliqua. Elle évoqua les provisions emportées dans les paniers à poisson, les pommes pas mûres. Mr Sullivan ferma brièvement les yeux.

– Elle était fâchée, vu la tournure des événements. Elle avait dans l'idée de s'enfuir, pour qu'ils fassent peut-être attention à elle.

Et Bridget lui conta ce qu'elle avait reconstitué en imagination et les quelques faits qu'elle avait glanés : l'obstacle des branches pointues dans l'obscurité des bois ; le fardeau supplémentaire du manteau apporté pour se tenir chaud la nuit, d'autres branches tombées qui font trébucher.

– Il y avait du sang qui suintait des éraflures de son visage. Elle en a senti le goût et ça l'a effrayée. La pauvre petiote, elle s'est traînée par terre avec tout ce qu'elle emportait, jusqu'à ce que, par hasard, elle arrive chez Paddy Lindon pour s'abriter. Le jour revenu, elle a essayé de rentrer à la maison, mais son pied avait tellement enflé qu'elle ne pouvait pas faire plus de quelques pas. Elle a eu peur pour sa cheville, quand elle est sortie chercher des mûres. Elle a eu peur aussi quand ses provisions se sont épuisées. Quelqu'un viendra : voilà ce qu'elle se disait toujours. Mais quand personne n'est venu, elle a pensé qu'elle allait mourir.

Aloysius Sullivan n'était guère convaincu.

– Ainsi, le vêtement retrouvé sur la plage avait été mis là pour créer une fausse piste ? Doit-on parler de ruse, de tromperie calculée ?

– Oh non, Mr Sullivan, oh non !

– Et de quoi alors ? D'une plaisanterie ?

Bridget, qui n'avait pas été informée du rôle joué par le chien (et qui ne le fut jamais), suggéra que l'objet retrouvé parmi les galets avait dû être oublié là par erreur.

– Le fait est, monsieur, qu'on est partis sur une fausse piste : l'idée qu'elle s'était enfuie ne nous a jamais effleuré l'esprit. Pas plus le mien que celui d'Henry, du maître ou de la maîtresse, monsieur.

– J'imagine que non, commenta sèchement le notaire.

Ils se tenaient au salon, les meubles étaient toujours couverts. Il y avait deux lampes allumées. La plupart des planches occultant les fenêtres étaient encore en place dans la maison.

– C'était un sentiment qu'on avait, monsieur – que quelque chose était arrivé de la manière que les apparences donnaient à penser, vu ce qu'on avait trouvé…

– Je comprends, Bridget, je comprends.

– Quel sens ça aurait pu avoir pour nous, monsieur, qu'elle soit partie pour Dungarvan à la nuit tombante, qu'elle soit passée par les bois pour rejoindre la route, à des kilomètres d'ici ? Ça n'aurait pas eu de sens, monsieur, pas plus que ça n'en a pour elle maintenant.

– Je me félicite de pouvoir déclarer, Bridget, que je ne sais rien du bon sens ou de son absence chez les très jeunes, mais je vous accorde que dans mon travail, j'en constate fréquemment les limites chez les personnes mûres. Où se trouve l'enfant à présent ?

– Dans la cour. Avec Henry.

– Et son état ?

– Toujours silencieuse, monsieur, répondit Bridget, enlevant un drap pour découvrir un des fauteuils. Mais asseyez-vous donc, monsieur.

Aloysius Sullivan, homme corpulent, apprécia l'invitation. Ses mollets lui faisaient mal, bien qu'il fût venu à Lahardane dans son automobile. Quelque instinct lui soufflait que ces douleurs étaient dues au poids de la responsabilité que les nouvelles circonstances lui imposaient injustement. Depuis que les lignes d'Everard lui étaient parvenues de France, il avait perçu dans son corps une nervosité d'une sorte ou d'une autre, qui se manifestait sous la forme d'une éruption sous le col, et qui rappelait présentement sa présence dans ses mollets douloureux. Apprenant, une semaine plus tôt, que les présomptions concernant le sort de l'enfant avaient été erronées, il avait senti se réveiller une névralgie dormante depuis des années.

– Bridget, ma mère avait coutume d'affirmer qu'on peut trouver le diable chez un enfant.

– Oh non, monsieur, non ! Elle était mal dans sa peau à cause de ce qui se passait. Comme nous tous, monsieur. Il n'y a plus jamais eu de tranquillité dans cette maison, après que ces hommes sont venus nous assassiner dans nos lits. Si la faute doit en revenir à quelqu'un, monsieur, c'est là qu'on peut la chercher.

Le notaire soupira. Il comprenait, l'assura-t-il, mais tout de même, il était obligé de penser à ce que lui avait raconté Everard Gault en personne : tant et tant de fois, ils étaient descendus à la plage, sa femme et lui ; jour et nuit, ils avaient enduré les tourments de l'enfer, et maintenant, semblait-il, ils voyageaient sans but aucun. Et pendant ce temps-là, leur enfant terrible s'était nourrie de sandwiches au sucre...

– Asseyez-vous aussi, Bridget.

Mais elle n'en fit rien. Elle ne s'était jamais assise dans cette pièce et ne pouvait s'y résoudre, même en tenant compte de ce qui s'était passé. Ça lui avait mis le cœur à l'envers de voir Henry rentrer avec la petite dans les bras, confia-t-elle. C'était une chose terrible qui était arrivée, une chose terrible que l'enfant avait faite – Bridget ne songeait pas une minute à le nier. Mais elle n'avait jamais rien vu de tel que la pauvre créature qu'Henry avait ramenée.

– Faut-il qu'on envoie un autre câble, monsieur, au cas où celui-là se serait égaré ?

– Il ne s'est pas égaré, Bridget.

Bridget fut informée de la lettre arrivée de France. Ce n'était pas rester à sa place que de froncer les sourcils, mais elle ne put résister à l'impulsion. Mr Sullivan marqua une pause, comme s'il se rendait compte qu'elle avait besoin d'un moment à elle. Il reprit ensuite, expliquant que, dans le message reçu, il était question des meubles et des affaires qui se trouvaient toujours à Lahardane. Il avait lui-même toujours supposé que des camions de déménagement viendraient un jour les chercher. Or, la lettre indiquait que ce qu'on avait laissé là devait y rester.

– Votre câble est bien arrivé à l'adresse où vous l'aviez expédié, Bridget. Ainsi que la lettre d'annulation du capitaine Gault. J'ai naturellement eu des contacts. Nous aurons tôt ou tard des nouvelles de l'endroit où le capitaine et Mrs Gault se sont installés, évidemment. Il est regrettable que nous n'en ayons pas pour le moment.

Pour accentuer tout ce que la situation avait de malcommode pour lui, la tête gominée de Mr Sullivan se mut lentement d'un côté à l'autre. L'œil ardoise était morose. Le soupir qui s'ensuivit fut une longue inspiration, un instant retenue avant d'être expulsée.

– Avant de partir, ils ne vous ont pas parlé de l'éventualité d'un revirement, je suppose ? Ou de leurs intentions ?

L'angoisse se peignit fugitivement sur le visage de Bridget, et le fit avec encore moins d'égard pour sa volonté que le froncement de sourcils de tout à l'heure. Lui avait-on dit quelque chose ? N'aurait-elle pas bien écouté, au milieu du chamboulement qui les affectait tous ? Elle réfléchit encore un brin avant de faire non de la tête.

– Ils ont juste laissé l'adresse, monsieur.

Les deux mains potelées de Mr Sullivan reposaient sur le tissu bleu à fines rayures blanches étiré sur ses genoux.

– Y aurait-il ici des papiers que nous pourrions consulter,

Bridget ? Au cas où il s'y trouverait quelque chose qui puisse nous aider.

Bridget souleva d'autres draps. Mais ils ne trouvèrent rien qui eût un rapport avec le problème qu'ils devaient affronter, pas plus dans les tiroirs du bureau que dans ceux de la desserte. Rien non plus dans les tiroirs de la coiffeuse, quand ils se rendirent à l'étage avec des lampes.

– Il n'y a que des reçus ici, déclara Bridget en cherchant sur les rayons d'un placard d'angle situé sur le palier du premier étage, pendant que Mr Sullivan tenait la lampe.

Ailleurs, parmi de la correspondance, il y avait une unique carte postale du frère du capitaine, avec l'adresse d'un régiment en Inde et une date vieille de près de trois ans. Dans les quelques lettres plus récentes, provenant de la tante d'Héloïse Gault, dans le Wiltshire, s'affirmait un ton d'acrimonieuse récrimination.

– Les dispositions que le capitaine avait prises au sujet de la maison et de vous-mêmes n'ont pas été remises en cause, précisa Mr Sullivan. Ce qui vient de se produire n'y change rien.

On avait laissé de quoi régler les dépenses futures, on avait tenu compte d'éventuelles urgences. Les Gault s'étaient montrés méticuleux, même si leur départ avait été plus abrupt qu'il eût pu l'être. Le notaire avait placé son espoir dans la maison, avoua-t-il : il y aurait pu y avoir un indice, quelque part, du changement survenu par la suite dans leurs projets.

– J'ai pris des renseignements à droite et à gauche, continua-t-il quand ils retournèrent au salon. J'ai interrogé toutes les personnes qui me venaient à l'esprit. J'ai cru que les cousins de Mount Bellew auraient pu recevoir des nouvelles, mais il semble qu'ils aient eux aussi quitté l'Irlande, il y a déjà quelque temps. Avaient-ils eu des contacts suivis avec eux, savez-vous ?

Bridget l'ignorait. Une fois, oui, ils avaient été en rapport, elle s'en souvenait, mais elle n'avait plus entendu parler d'eux depuis qu'ils étaient partis en Angleterre. On ne découvrit pas de lettres d'eux en refouillant dans les tiroirs d'en bas, mais les cousins de Mount Bellew figuraient dans un album de photos, pique-niquant sur l'herbe à Lahardane dix ans plus tôt.

– Un de ces garçons-là est allé à Passchendaele, si je ne me trompe, se rappela le notaire. Le même régiment que le capitaine.

– Je n'en ai jamais entendu parler.

– Vous êtes inquiète, Bridget. C'est un choc, ce que je vous ai annoncé, mais on arrivera à entrer en contact avec eux, ça ne fait pas de doute. Il nous reste toujours le régiment d'Inde, au cas où le capitaine entrerait en relation avec son frère ; et si celui-ci n'était plus cantonné au même endroit, tout message de ma part lui serait renvoyé. L'armée met un point d'honneur à ces choses-là.

– C'est juste la petite, monsieur.

– Le Dr Carney m'enverra son compte rendu, Bridget. Nous en avons discuté, lui et moi, ajouta Mr Sullivan qui marqua une pause. Serait-ce abuser que de vous demander de prolonger l'état de choses actuel pendant quelque temps ? Momentanément, Bridget ?

– L'état de choses actuel, monsieur ?

– Juste pour le moment.

– Henry et moi installés dans les pièces du haut ? C'est ce que vous voulez dire, monsieur ?

– Je veux dire que, dans les circonstances présentes, maintenant que l'enfant est de retour, il serait peut-être préférable de la laisser dans la grande maison. Si ça ne vous ennuie pas, il me semble que, tout bien considéré, cela vaudrait mieux que de l'emmener dans le pavillon de gardien.

Faute de pouvoir prédire la durée du « pour le moment » qu'il avait mentionné, Mr Sullivan songeait que devoir quitter la maison, tout en continuant à passer si souvent devant les fenêtres bouchées et les portes closes, serait plus perturbant pour l'enfant – cause de tous ces ennuis –, que de rester dans un cadre familier. Conscient de faire à son tour une supposition, il estimait cependant que les visiteurs nocturnes devaient avoir cessé de s'intéresser à leur projet initial – ce qu'il souligna à l'intention de Bridget, craignant d'avoir malgré lui suscité une certaine appréhension chez elle.

– Ils vont nous laisser en paix, voilà ce que dit Henry, monsieur, vu qu'ils ont chassé le maître et la maîtresse. Ça leur a suffi, d'après Henry.

Mr Sullivan marqua son accord mais s'abstint de commentaire.

Henry avait dû entendre dire quelque chose, en déduisit-il, ou sinon, on pouvait se fier à l'instinct de cet homme-là. La suite d'événements survenus depuis la nuit de l'incident pouvait certes être considérée comme une vengeance suffisante, malgré la blessure du jeune.

– On a bouclé le pavillon pour l'instant, monsieur. On le laissera comme ça jusqu'à ce qu'ils rentrent.

– Et que pense notre amie de cette éventualité-là ?

– De quel ami s'agit-il, Mr Sullivan ?

– L'enfant, j'entends. De quel œil voit-elle le retour de son père et de sa mère ? Et cette fois-ci, partira-t-elle avec eux sans histoires ?

– Mais, ne pourraient-ils pas décider de rester, une fois rentrés ? N'est-ce pas possible, vu qu'elle a été si chamboulée ?

– Je le souhaiterais également, Bridget.

– Le conflit n'est-il pas fini maintenant, à ce qu'il paraît ?

– On peut avoir des espérances de ce côté-là aussi. Au moins, nous pouvons espérer ! conclut Mr Sullivan en se levant. Il faut que je voie la petite.

– Vous remarquerez qu'elle est docile, monsieur.

Mr Sullivan soupira, se gardant de partager son sentiment que la docilité n'était pas un luxe, en la circonstance.

– Il y a une chose que vous ne savez peut-être pas, monsieur. Sa boiterie actuelle va lui rester, à cause de la façon dont l'os s'est ressoudé pendant qu'elle était couchée par terre.

– De fait, je suis au courant, Bridget. Le Dr Carney est venu m'annoncer la nouvelle.

Il se releva en parlant, traversa la maison plongée dans l'obscurité pour gagner la cour. La fillette qui avait été l'objet de leur conversation était assise sur le seuil d'une remise devenue le domaine d'Henry, au fil des ans. De l'autre côté de la cour, sous le poirier adossé au mur, deux jeunes chiens de berger étaient couchés au soleil, étirés de tout leur long. Ils dressèrent la tête à l'arrivée du notaire, le poil de l'échine hérissé. L'un d'eux gronda mais ils ne bronchèrent pas. Puis ils se réinstallèrent tranquillement, le nez à plat sur les pavés.

A travers la porte ouverte de l'atelier d'Henry, Mr Sullivan aperçut un établi muni d'étaux et surmonté de rangées d'outils de menuiserie : marteaux, ciseaux à bois, rabots, maillets, planes, pinces, niveaux, tournevis, clés à molette. Il y avait deux caisses en bois bourrées de morceaux de bois de toutes sortes de largeurs et de longueurs. A des crochets étaient suspendus des scies et des rouleaux de fil de fer, une balle de ficelle bien entamée et une faucille.

Assis sur le seuil de la porte à côté de l'enfant, Henry peignait en blanc un aéroplane en bois. L'avion, long d'une trentaine de centimètres, avait deux ailes de chaque côté mais pas encore d'hélice, et il était posé en équilibre sur un pot de confiture. Les ailes étaient raccordées par des allumettes, l'angle et la position en avaient été copiés sur une photo déchirée dans un journal, également posée sur le seuil.

– Lucy, dit Mr Sullivan.

Elle ne répondit pas. Henry aussi se taisait. Le pinceau, trop gros et malcommode pour la tâche, continuait de badigeonner le bois brut – à la chaux, estima le notaire.

– Eh bien, Lucy, commença l'homme de loi.

– Une belle journée, Mr Sullivan, releva Henry quand aucune réponse ne vint.

– En effet, Henry. En effet. Voyons, Lucy, j'ai une ou deux questions à te poser.

Avait-elle jamais entendu ses parents parler de voyages qu'ils auraient aimé faire ? Évoquer des villes qu'ils auraient voulu visiter ? Avaient-ils mentionné un pays en particulier ?

L'enfant hochait le chef avec un mouvement de tête un peu plus véhément à chaque question, agitant ses cheveux blonds. Le visage qu'observait Mr Sullivan du haut de sa stature était presque celui de la mère de la petite : les yeux, le nez, le ferme contour des lèvres. Un jour, il y aurait de la beauté là aussi, et il se demanda si ce serait une compensation tardive pour le temps qui s'écoulait actuellement.

– Tu le diras à Bridget ou à Henry, Lucy, si quelque chose te revient ? Tu feras ça pour moi ?

Il y avait dans sa voix une imploration qui était sans rapport avec sa demande, il le savait, mais qui suppliait la petite de sourire, comme elle souriait avant, il s'en souvenait.

– Oh, Lucy, Lucy, murmura-t-il en regagnant le salon.

Le thé était servi à son intention, les lampes brûlaient toujours. Il en but deux tasses et tartina du miel sur un *scone*. Ses réflexions étaient douloureuses. Maintenant qu'il était dans la maison, la calamité qui l'avait conduit là lui semblait plus extraordinaire encore, par la façon dont elle était survenue, qu'au moment où il avait appris que l'enfant était toujours vivante. Quel caprice du hasard avait voulu qu'Everard Gault ne fût pas passé sans le voir à côté d'un morceau de vêtement, à peine distinct sur la plage ? Quelle force perverse s'était jouée d'eux quand personne n'avait pensé à la gentille femme de chambre chez qui aurait pu se réfugier une enfant éperdue ?

Aucune réponse ne venait. Aloysius Sullivan essuya une trace de beurre sur ses lèvres avec la serviette qu'on lui avait apportée en même temps que le thé. Il secoua les miettes tombées sur ses genoux, rectifia la position de son gilet. Dans le hall, il appela Bridget et, celle-ci arrivée, ils marchèrent ensemble jusqu'à son auto.

– Vous allez les ramener ici, monsieur ?

Quelques tours de manivelle, et le moteur reprit vie en crachotant. Oui, il les ramènerait, promit Mr Sullivan avec autant d'assurance qu'il le put. Il ne laisserait aucune piste inexplorée. Tout se passerait bien.

Bridget regarda l'automobile disparaître dans la grande allée, la fumée du pot d'échappement s'attardant un brin dans son sillage. Elle pria pour la réussite du notaire. Et pria encore, plus tard à la cuisine, implorant que fût accordée cette unique faveur, car rien d'autre n'importait.

– La peinture séchera demain, déclara Henry. On va le laisser dehors, n'est-ce pas ?

– Il ne m'aime pas.

– Penses-tu, bien sûr que si ! Tout le monde t'aime, voyons. Et pourquoi ne t'aimerait-on pas ?

Il cala l'aéroplane contre le seuil de la porte à l'aide de chutes de bois restées après la construction. Il lui recommanda de ne pas toucher la peinture avant le lendemain matin.

– Bien sûr, qu'il t'aime ! répéta-t-il.

Aloysius Sullivan se remit en quête de renseignements à Enniseala et à Kilauran. Il écrivit aux amis qu'on connaissait au capitaine Gault, aux amis anglais de sa femme avec qui elle avait, semble-t-il, été en relation. Il retrouva la trace des Gault de Mount Bellew en Angleterre, et d'autres parents lointains des Gault dans le County Roscommon. Mais aucune suggestion d'une possible terre d'exil ne vint récompenser ses efforts, lesquels ne suscitèrent que surprise et inquiétude, du fait de la nécessité même de telles recherches. La lettre d'Everard Gault reçue par le notaire lui-même avait été postée de la ville de Belfort, en France, son bref contenu noté sous l'en-tête de l'Hôtel du Parc, boulevard Louis XI. Après une certaine attente, Aloysius Sullivan fut informé par le propriétaire de l'hôtel que les clients au sujet desquels il s'était enquis avaient passé une seule nuit dans la *Chambre Trois* *. Leur destination après Belfort était inconnue.

Le directeur de la banque d'Héloïse Gault à Warminster, dans le Wiltshire, se montra d'abord réticent à révéler les détails de certaines instructions qui lui étaient parvenues, mais finit par dévoiler que Mrs Gault lui avait écrit de Suisse pour clore son compte. Les fonds à son actif avaient été transmis à une banque de Bâle et il avait des raisons de penser que ses actions des chemins de fer de Rio Verde avaient été liquidées. Cette piste s'arrêtant là, Mr Sullivan écrivit à une agence de détectives, MMrs Timms et Wheldon de High Holborn, à Londres.

« Il est possible que mon client ait établi sa résidence dans cette ville, ou qu'on puisse découvrir là quelque indication de l'endroit où son épouse et lui se trouvent actuellement. Veuillez m'adresser un devis du total de vos honoraires, dans l'éventualité où je déciderais de faire appel à vos services. »

Un certain Mr Blenkin de l'agence Timms et Wheldon fut finalement envoyé en Suisse. Il passa quatre jours à Bâle sans recueillir d'autre information qu'une confirmation de la vente des actions. L'argent n'avait pas été immédiatement réinvesti ; le séjour en ville du gibier qu'il pourchassait avait été bref, dans un petit hôtel de Schützengraben, et nul ne savait où les Gault se trouvaient actuellement. Poursuivant une idée de son cru, Mr Blenkin était parti en Allemagne et avait passé une semaine infructueuse à Hanovre et dans d'autres villes, après quoi il avait continué ses recherches en Autriche, au Luxembourg et en Provence. Ensuite, en réponse à son télégramme demandant de nouvelles instructions, et après consultation entre MMrs Timms et Wheldon et Mr Sullivan, Mr Blenkin fut rappelé à High Holborn.

VI

Ils avaient loué un logement au-dessus de l'échoppe d'un cordonnier, dans la via Cittadella, à Montemarmoreo. « Qu'allons-nous faire aujourd'hui ? » demandait le capitaine qui connaissait d'avance la réponse. Eh bien, marcher un peu, suggérait Héloïse, et ils se baladaient dans les collines où poussaient des cerises aigres noires, près des carrières de marbre à présent épuisées. Ils devisaient par intermittence, et la conversation allait au petit bonheur la chance. Jamais elle ne portait sur Lahardane ou l'Irlande, mais sur le passé d'Héloïse : son enfance, les souvenirs qu'elle avait de son père, de sa mère avant son veuvage, les lieux et les gens de cette époque sans périls. Le capitaine encourageait son épouse par de patientes questions et une écoute tout aussi patiente ; Héloïse était loquace, car de telles évocations dissipaient la lancinante mélancolie. Sa beauté, le dos droit et la démarche militaire d'Everard, les faisaient remarquer à Montemarmoreo : un couple qui avait semblé mystérieux au départ, et puis plus du tout.

Peut-être naîtrait-il un jour en Italie, ce deuxième enfant dont ils avaient si longtemps été privés. C'était ce qu'espérait le capitaine Gault, pour l'amour de sa femme, et ce qu'elle aussi espérait pour lui. Mais ils se méfiaient des espérances et reculaient devant elles, comme devant le sujet qu'il ne fallait pas aborder. Désormais passés maîtres dans l'art de modifier une phrase déjà commencée, de la laisser mourir ou de la chasser d'un sourire, ils s'abandonnaient à l'absence de familiarité de ce lieu où ils étaient arrivés, marqués par l'infirmité du chagrin. Se donnaient à ses collines rocailleuses et à ses étroites ruelles, à une langue qu'ils apprenaient à la manière des enfants, à la simplicité de leur habitation. De ces différentes façons qu'ils s'étaient inventées, ils usaient les heures d'un jour, puis d'un autre, et d'un autre encore, jusqu'à ce que vînt le moment d'ouvrir la première bouteille d'Amarone. Ils ne gênaient personne à Montemarmoreo.

VII

« C'est plein de regret que je vous réponds, étant très affecté par ce que vous m'apprenez, écrivait-on à Aloysius Sullivan, de la partie la plus méridionale du Bengale. Everard et moi n'avons eu qu'une correspondance épisodique, au fil des ans. Ma dernière visite à Lahardane remonte à environ un an après la naissance de sa fille, que mon frère m'avait annoncée dans une lettre. L'Irlande, à mon humble avis, a toujours été l'affligeant pays que veut sa réputation. Que mon frère et d'autres aient été obligés de le quitter, telles les Oies sauvages [1], voilà bien la plus triste nouvelle que j'aie entendue depuis fort longtemps. Si je devais avoir un mot d'Everard, soyez assuré que je vous informerais de ce qu'il est advenu. Mais je crois plus probable que vous, ou que ceux qui sont restés à Lahardane, appreniez quelque chose avant moi. »

L'étude Goodbody et Tallis, notaires à Warminster dans le Wiltshire, priait Mr Sullivan de clarifier sa lettre du quatorze courant adressée à leur cliente, à présent impotente, tante de la

1. Les Oies sauvages : surnom donné, à l'image des oies sauvages qui migrent d'est en ouest, aux émigrés irlandais qui participèrent à la Guerre civile américaine : les hommes comme soldats – pour les trois quarts d'entre eux aux côtés des Confédérés, dans les rangs de l'Irish Brigade –, les religieuses comme infirmières (elles représentèrent plus de la moitié de l'effectif total).

susdite Héloïse Gault. Mr Sullivan répondit et révéla la situation dans laquelle se trouvaient deux domestiques et une enfant, expliquant comment elle était survenue. La missive qu'il reçut en retour – d'une certaine Miss Chambré, compagne de la dame impotente – exprimait l'horreur et la répugnance que l'événement inspirait à son auteur. On n'avait pas eu de nouvelles récentes d'Héloïse Gault, déclarait Miss Chambré, et il était impossible de communiquer la teneur du message à sa patronne, dont le cœur fragile risquait de ne pas supporter le choc d'être informée du navrant manque de considération de la fillette.

« Puisqu'on n'a jamais eu la courtoisie d'offrir à ma patronne la possibilité de faire la connaissance de cette enfant, continuait Miss Chambré, et qu'il y a longtemps qu'elle est négligée par sa nièce, dont elle ne reçoit depuis des années qu'une carte à Noël, il me semble doublement justifié de ne pas transmettre ces nouvelles scandaleuses à une impotente. Je suggérerais que l'enfant soit placée en maison de correction jusqu'à ce que ses parents rentrent de voyage. Non que ces derniers soient eux-mêmes exempts de tout blâme dans cette malheureuse affaire, d'après ce que vous avez dépeint. »

Les dernières planches avaient été enlevées des fenêtres de Lahardane, afin de dissiper l'obscurité et d'aérer de nouveau la maison. A plusieurs reprises, Mr Sullivan prit le thé au salon, arrivant chaque fois sans nouvelles. Quand l'automne fut passé, puis le plus clair de l'hiver suivant, tandis que la menace de rupture planait constamment sur la nerveuse pause marquée dans les troubles d'Irlande, alors seulement suggéra-t-il qu'il fallait réfléchir à l'avenir de Lahardane.

– Au regard de la loi, déclara-t-il de but en blanc un après-midi, je ne suis en rien habilité à décider de ce qu'il faut faire à présent, Bridget. Mon rôle aurait dû se terminer le jour où vous auriez fermé la maison. « Les terres et le bétail devraient permettre de conserver les choses en l'état », m'a répété le capitaine Gault la dernière fois qu'il est venu me trouver, un jour ou deux avant leur départ. Il n'avait pas oublié, malgré son profond chagrin, d'assurer des moyens d'existence décents pour Henry et vous. Il m'a confié de l'argent pour couvrir les dernières dépenses relatives à la grande maison, mais le changement de situation m'a contraint à utiliser cette somme à d'autres fins, et celle-ci est en réalité épuisée. Par conséquent, au regard de la loi, Bridget, là s'arrête ma tâche. C'est donc en tant qu'ami de votre patron – et le vôtre, je l'espère – que je pourrai à l'avenir apporter une aide. J'ai pris des dispositions pour financer les dépenses de l'enfant sur mes propres ressources. Je ne doute pas que le capitaine Gault réglera cette dette à son retour.

– Vous êtes bon de penser à nous, monsieur.

– Vous vous en sortez, Bridget ?

– Oh oui, oui.

Mr Sullivan serra la main de Bridget, geste qu'il n'avait encore jamais eu et qui, en fait, ne se reproduisit plus. Il ne les abandonnerait pas, promit-il. Il continuerait à faire ses visites dans cette maison jusqu'au jour de grande liesse où cela deviendrait inutile. Et ce jour viendrait, il en était aussi certain que jamais, réaffirma-t-il vigoureusement.

Dans tout cela, Mr Sullivan ne fit pas allusion à ses propres frustrations : ne parlant pas de langue étrangère, ses demandes d'information dans les pays où auraient pu séjourner les Gault avaient dû passer par les canaux officiels, à Dublin, mais la confusion due au hiatus politique et la nature insatisfaisante du traité ensuite rendaient la communication rien moins qu'aisée. Un transfert de pouvoir, d'ordre et de responsabilité s'opérait lentement, à son propre rythme mais, en attendant, le chaos continuait à régner. Faute de réponses à ses courriers, Mr Sullivan avait par deux fois adressé copie de ses lettres à des bureaux, qui s'étaient révélés par la suite manquer de personnel. Bien plus tard, il avait conclu que cela se comprenait – qu'importe une petite crise locale face à la plus grande crise d'un pays en plein bouleversement ! –, et il s'en était voulu, autant qu'il en voulait aux circonstances dont il était lui-même la victime, car l'urgence qu'il avait tâché d'exprimer dans ses messages n'avait visiblement pas été perçue. Il ne se fia pas aux assurances qu'il finit par recevoir, y voyant plutôt des promesses creuses, destinées à calmer le citoyen. Quelque version défigurée de ses requêtes finirait peut-être un jour par être transmise, éventée et mal ficelée, réduisant à presque rien la poignante douleur d'une famille. Il s'imaginait un tel document classé par des fonctionnaires étrangers, irrités ou déconcertés, et qui avaient bien d'autres chats à fouetter.

Il ne cesserait pas de les relancer, mais son impuissance contaminerait malgré tout son autorité de notaire, il le savait. La honte qu'il éprouvait le rapprochait de ce qui s'était passé, de même que la culpabilité avait rapproché Bridget et Henry quand ils avaient soupçonné Lucy de se baigner seule mais n'en avaient soufflé mot.

– Nous devons garder espoir, insista-t-il de nouveau cet après-midi-là, bien qu'il ne crût plus lui-même à l'espoir.

Il dit au revoir à Bridget et gagna son automobile sous un ciel chargé de pluie.

A la cuisine, où l'on commençait toujours la journée en allumant le fourneau, le plafond et les murs étaient blancs, les boiseries vertes. Il y avait une lourde table de bois blanc, tant de fois récurée que son grain laissait saillir des reliefs, et munie de tiroirs à poignées de laiton. Entre les fenêtres se dressait un vaisselier vert encombré d'assiettes, de soucoupes et de tasses. Des placards étaient intégrés au mur, de chaque côté de la porte.

Lucy, à un bout de la table, regardait le jaune s'écouler de l'œuf au plat d'Henry. Elle aimait le jaune mais pas le blanc, sauf s'il était écrasé. Elle observait Henry en train de saler son jaune d'œuf qu'il épongea avec son pain frit.

– Henry va se sentir seul, déclara Bridget. Va donc avec lui, cocotte.

Le matin, quand il faisait beau, Bridget décrétait qu'Henry allait se sentir seul – partir ainsi sans personne, avec ses bidons de lait. Lucy savait que ce n'était pas le cas. Savait que ce n'était qu'un prétexte pour l'inciter à l'accompagner, puisqu'elle n'avait pas grande occupation pendant les vacances scolaires. « Ah, Lucy ! Entre, entre donc ! » s'était exclamé Mr Aylward le matin où elle était revenue à l'école, et elle avait cru qu'il allait la prendre dans ses bras, mais Mr Aylward n'avait pas de pareils gestes. « Ils s'habitueront », lui avait-il promis quand la poignée d'autres enfants n'avaient pas voulu jouer avec elle, quand ils l'avaient fixée, dévisagée, ou lui avaient jeté des regards en coulisse en se poussant du coude, sans pouffer de rire, car ce qu'elle avait fait était bien trop mal pour qu'on en rît. Le chien sans nom qui s'était un jour enfui, lui aussi, était son compagnon sur la plage.

– D'accord, acquiesça-t-elle, regardant Henry saucer le reste du jaune d'œuf avec son pain. Oui, d'accord.

Maintenant, on était en avril, en début de mois. C'était un matin clair, des nuages pelucheux traversaient le ciel – ils pourchassaient le soleil, commenta Henry. « Pas de pluie aujourd'hui, annonça-t-il. Pas de risque. » Le ciel est là-haut, au-delà des nuages, au-delà du bleu, disait sa maman. Chacun s'invente son ciel, on se l'invente tel qu'on veut qu'il soit, ajoutait-elle.

Les grosses roues de bois de la charrette roulaient bruyamment dans la grande allée, le cheval marchait d'un pas tranquille, les rênes lâches entre les mains d'Henry. Le soleil et le ciel disparurent quand les branches se rencontrèrent au-dessus de leurs têtes. La lumière était filtrée par les feuilles de marronnier. Bientôt, le pavillon de gardien devint visible. Le portail était largement ouvert au bout de la grande allée ; devenu impossible à déplacer, pour être resté si longtemps ainsi, il disparaissait presque sous la végétation. Il faisait plus chaud au soleil, sur la route d'argile poussiéreuse qui virait sur la droite.

Avant, elle bavardait pendant le trajet, demandant à Henry de lui parler de Paddy Lindon, de lui raconter comment celui-ci débarquait à Kilauran une fois l'an, au moment de la Fête-

Dieu, l'air égaré, avec des champignons dans un grand mouchoir rouge. Le prédécesseur du père Morrissey avait lancé un avertissement dans son prêche, en chaire, édictant la règle : Dans l'intérêt de la tranquillité de Kilauran, nul ne devait acheter de champignons à Paddy Lindon car, s'il les vendait, il se soûlait et devenait plus fou encore. « Arpentant le môle en lançant des cocoricos ! », contait Henry.

Henry avait grandi à Kilauran, l'un des sept enfants d'une famille de pêcheurs, mais il avait abandonné la pêche après avoir épousé Bridget. « Je n'ai jamais nagé dans la mer », avait-il souvent répété à Lucy sur le chemin de la société laitière, s'enorgueillissant de la chose pour des raisons connues de lui seul. Lucy, quant à elle, lui avait raconté les histoires que sa mère lui lisait dans le livre des Grimm, et celles de Kitty Teresa.

– Où serait-on sans notre petite goutte de lait ? déclara Henry pour faire la conversation, cette première fois qu'ils se rendaient ensemble à la société laitière depuis ce qui était arrivé. C'est-y pas ce qui nous permet de tenir le coup ?

C'était ce qu'il pouvait trouver de mieux. L'ambiance entre eux ne se prêtait guère aux habituelles remémorations de ses jeunes années – la fois où les toits de chaume des cottages de Kilauran avaient été arrachés par une tempête de novembre, l'été où les courses de chevaux s'étaient tenues sur la plage, l'évocation de Paddy Lindon, une fois ses champignons vendus.

– Sûr, petite, que tu n'as pas voulu causer de tort, s'aventura-t-il à déclarer quand le silence s'installa entre eux.

– Mais si, je l'ai voulu.

Lucy prit les rênes, parce qu'il les lui tendait. A la différence de celles du cabriolet, la corde en était rêche contre ses paumes et ses doigts.

– Vont-ils rentrer un jour, Henry ?

– Ah, mais naturellement que oui. Pourquoi ils ne rentreraient pas ?

Le silence retomba. Et se prolongea quand la charrette vira pour rejoindre la grand-route, puis tout le long du chemin, jusque dans la cour de la société laitière où Henry fit reculer l'attelage jusqu'à la plate-forme de livraison. Il déchargea les bidons, fumant une cigarette pendant qu'il parlait au contremaître, puis il regrimpa sur la charrette. Il reprit lui-même les rênes, car il était parfois difficile de mener les chevaux au milieu des autres voitures. Il récupéra deux bidons vides à la porte.

– Ils ne reviendront plus jamais, lâcha Lucy.

– Ils rentreront à l'instant même où ils apprendront que tu es là, je peux te le promettre.

– Mais comment le sauront-ils, Henry ?

– Ils écriront ici et Bridget leur répondra. Ou bien Mr Sullivan réussira à les toucher. Dans tout County Cork, il n'y a pas homme aussi intelligent qu'Aloysius Sullivan. Je l'ai maintes fois entendu dire, maintes fois. Et si on faisait halte pour prendre une limonade ?

Ils devaient de toute façon s'arrêter dans le magasin de Mrs McBride, en bord de route, pour acheter les provisions dont Bridget avait dressé la liste sur un bout de papier. Mais Henry donna à son offre de limonade l'air d'une invitation dont il venait d'avoir l'idée.

– D'accord, dit-elle.

Mrs McBride s'efforcerait de ne pas la dévisager – comme tout le monde. Mr Aylward aussi l'avait fixée, au début. Juste une fois, mais elle l'avait remarqué. Ils la dévisageaient à cause de ce qu'elle avait fait, et à cause de sa claudication. Dans la cour de récréation, Edie Hosford avait dit qu'elle ne voulait pas s'approcher d'elle.

– Avez-vous un biscuit pour la p'tite mam'selle ? demanda Henry dans la boutique.

Mrs McBride projeta soudain vers Lucy sa grande figure, lourde et anguleuse comme le coin avec lequel Henry fendait les bûches.

– Un *Kerry Cream*, n'est-ce pas ? s'enquit Mrs McBride, les dents en avant elles aussi. Un *Kerry Cream* ferait l'affaire, Lucy ?

– Oui, répondit Lucy, bien qu'elle n'eût pas compris « ferait l'affaire ».

Peut-être que la lettre serait là quand ils rentreraient. Bridget les attendrait en leur adressant de grands signes et le leur annoncerait lorsqu'ils seraient plus près. Elle rirait, excitée. Elle serait toute rouge et elle pleurerait en riant.

– C'est-y pas un temps magnifique, Henry ? releva Mrs McBride en tirant la chope de bière brune d'Henry avant toute autre chose. On dira ce qu'on voudra, mais c'est-y pas magnifique pour un mois d'avril ?

– Ça oui, ma foi.

– Dieu soit loué !

Bridget dirait qu'elle allait avoir besoin d'aide pour préparer leur chambre. On y porterait des fleurs, on ouvrirait les fenêtres. On mettrait des bouillottes dans le lit. « On va sortir le cabriolet », déclarerait Henry qui le nettoierait à fond, fin prêt pour eux. Ils seraient fâchés contre elle mais ça n'aurait pas d'importance. Ils pouvaient être fâchés contre elle tant qu'ils voudraient, ça n'aurait pas d'importance.

– Ah, je me souviens, c'est les *Kerry Cream* qu'on préfère ! s'écria Mrs McBride.

Elle sortit de derrière le comptoir pour venir sur le devant, où étaient alignées les boîtes en fer à couvercle de verre, qui contenaient les biscuits. Elle tourna le bouchon transparent des *Kerry Cream* et le retira ; Lucy prit un biscuit.

La première fois qu'elle était allée à la société laitière avec Henry, il l'avait soulevée pour l'asseoir sur le comptoir avec sa limonade. Première fois aussi qu'elle avait vu mousser la bière tirée à la pression. Six ans, elle avait, à l'époque.

– Donnez-m'en dix, indiqua Henry.

Mrs McBride répondit qu'elle ne les avait qu'en paquets de cinq et Henry précisa qu'alors il en prendrait deux de cinq. Des Woodbine, c'était toujours celles-là qu'il fumait. Il n'avait jamais essayé qu'une seule autre marque de cigarette, les Kerry Blue. Il l'avait un jour raconté à Lucy. Il lui avait montré le paquet, avec un chien dessus. Des Sweet Afton, voilà ce que son papa fumait.

– Comment va vot' dame, Henry ?

– Bah, pas mal.

– Vous avez la petite liste sous la main ?

Il trouva la liste de commissions de Bridget, la tendit par-dessus le comptoir et Mrs McBride se mit à réunir les denrées. Mrs McBride ne l'aimait pas davantage parce qu'elle lui avait donné un biscuit. Mrs McBride était pareille que tous les autres gens, excepté Henry et Bridget.

– Je n'ai pas de confiture de fraises, Henry. Juste de la framboise, des pots d'une livre.

– Ça ira, la framboise, Lucy ? On pourrait dire que oui, n'est-ce pas ?

Elle acquiesça du chef, penchée sur son verre, ne voulant pas parler parce que Mrs McBride était là. Mr Sullivan ne l'aimait toujours pas, lui non plus.

– La Keiller's, c'est de la bonne confiture, l'assura Mrs McBride.

– Y a pas meilleur, confirma Henry, bien que Lucy ne l'eût jamais vu mettre de confiture sur son pain.

Il étalait un tas de beurre sur son pain, qu'il salait parfois ensuite. Il répétait souvent qu'il n'était pas porté sur le sucré.

– La reine-claude est bonne, ajouta Mrs McBride.

Elle enchaîna alors sur les sandwiches à la viande qu'elle avait confectionnés pour les gars de l'armée, une bande de soldats qui étaient passés, une nuit. Ils venaient de leur cantonnement d'Enniseala pour aller danser à l'*Old Fort Crossroads*. Ils avaient eu faim en route, expliqua-t-elle.

– Mike, il fait des trop gros sandwiches, poursuivit-elle, parlant de son mari. Épais comme deux seuils de porte, il les fait. Sûr qu'il y a pas un jeune soldat qui pourrait mordre là-dedans !

Lucy cessa d'écouter et lut les réclames pour *Ryan's Towel Soap*, pour du corned-beef, du whiskey et de la bière brune Guinness. Elle avait demandé à son papa ce qu'était de la Guinness quand ils avaient vu le nom écrit quelque part, et il avait répondu que c'était le truc que buvait Henry. Il y avait une bouteille de whiskey qu'ils avaient laissée dans la grande maison, avec juste un petit peu qui manquait. Du *Power's*, c'était.

– Merci, lâcha-t-elle quand ils se retrouvèrent dans la charrette et qu'Henry eut allumé une autre cigarette.

Les sacs en papier gris contenant les provisions étaient posés à leurs pieds. Loin devant, deux autres charrettes repartaient aussi en remportant leurs bidons vides.

– Allez, hue ! ordonna Henry au cheval, secouant les rênes.

Il repoussa son chapeau un peu en arrière pour profiter du soleil sur son front. Déjà, ses premières taches de rousseur de l'été étaient apparues.

VIII

Elle regardait le papillon disparaître et réapparaître. Les doigts ratatinés du magicien s'écartaient en un geste triomphant et, lentement, les ailes du papillon se repliaient, dissimulant leur vif éclat rose et or. Jamais l'expression du magicien ne changeait. Il avait toujours son sourire plissé, l'œil fixe, les joues de parchemin. Seuls les bras bougeaient.

Le pas d'Everard dans l'escalier, sa clé dans la serrure. Il rapportait les courses. Il était aussi allé à la gare, raconta-t-il.

– Tu es si gentil avec moi ! murmura Héloïse.

Pendant des mois, pendant qu'elle se reposait, il lui avait lu des livres anglais qu'il avait dénichés chez un libraire, à deux rues de là. Il lui avait cuisiné ses repas, lavé ses chemises de nuit, lui avait brossé les cheveux et apporté son maquillage. Il l'avait écoutée évoquer une nouvelle fois ses souvenirs d'enfance. Il avait acheté des tasses, des soucoupes, des assiettes et des bibelots en porcelaine dans les marchés du samedi, pour donner une touche plus personnelle à leur logement, mettant de côté la vaisselle fournie avec le meublé.

Elle le regarda remonter le mécanisme du magicien. Il l'avait acheté pour la divertir pendant qu'elle se reposait mais un matin, tôt, elle avait perdu son bébé et le médecin qu'on avait appelé avait eu peine à trouver ses mots en apprenant qu'elle avait déjà subi des fausses couches. Plein de commisération mais ferme, il avait expliqué que jamais il ne faudrait répéter la tentative.

– Si cela te fait plaisir, répondit-elle quand le jouet s'immobilisa. Oui, bien sûr, ce serait agréable.

Craignant que sa présente lassitude ne s'incrustât en elle, le capitaine avait suggéré une visite des grandes cités italiennes :

– Aller passer un moment ailleurs, juste une semaine ou deux de temps en temps, avait-il expliqué, se voulant persuasif.

Il lui avait lu des passages du guide qu'il s'était procuré, attirant son attention sur les photographies d'édifices, de sculptures, de fresques et de mosaïques.

– Bien sûr, répéta Héloïse, alors qu'il tentait une fois encore de la convaincre. Un endroit différent, ce serait agréable.

Pourtant, Montemarmoreo, c'était la différence, celle qui comptait, eût-elle pu lui répondre. Leur petit *appartemento* au-dessus de l'échoppe du cordonnier, leurs propres affaires en nombre croissant, les promenades qui bientôt reprendraient : il y avait là une sorte de paix. Le fait que *cucchiaio* signifiât cuillère, *seggiola* chaise et *finestra* fenêtre ; que chaque matin, de l'autre côté de la rue, le concierge du *Credito Italiano* ouvrît la porte pour laisser entrer les employés de la banque qui attendaient ; que la femme de *Fiori et Frutta* eût commencé à lui dire plus de deux ou trois mots ; qu'en s'éveillant elle entendît les cloches de l'église Santa Cecilia, la sainte dont le courage devant les vicissitudes avait depuis des siècles donné du cœur au ventre à cette ville : tout cela, c'était la paix, autant qu'on pût la trouver.

Les pâles mains du magicien s'élevèrent de nouveau, le papillon apparut, fut chassé, revint. On consulta les indications copiées sur les horaires de la gare – les trains commodes, les villes à visiter.

– Et si on ouvrait la bouteille de vin un peu plus tôt, ce soir ? proposa Héloïse.

IX

Les visites de Mr Sullivan continuèrent, ainsi qu'il l'avait promis. Et le chanoine Crosbie vint d'Enniseala pour s'assurer que Lucy était dûment élevée dans la foi protestante. Quand Bridget et Henry allaient à la messe le dimanche, ils emmenaient Lucy avec eux à Kilauran où, de son côté, elle attendait une demi-heure avant que commençât l'office dans la hutte de tôle ondulée, peinte en vert, qui servait de temple à la petite congrégation de l'Église d'Irlande[1]. Le chanoine Crosbie savait que Lucy assistait à l'office dominical à Kilauran, puisque c'était son vicaire qui l'y célébrait, mais il éprouvait néanmoins le besoin d'aller voir en personne comment cela se passait à Lahardane.

– Et tu dis toujours tes prières, Lucy ?

Le chanoine Crosbie, aussi sympathique vieillard que le suggéraient son innocent sourire et ses cheveux de neige, la regardait, les yeux étincelants, par-dessus la table du thé que Bridget leur avait dressée à la salle à manger.

– Peux-tu me réciter le Notre Père, Lucy ?

– « Notre Père qui êtes aux cieux », commença Lucy qui poursuivit jusqu'à la fin.

1. Forme irlandaise de l'Église anglicane *(Church of England)*, l'Église d'Irlande *(Church of Ireland)* est elle aussi issue de la Réforme et d'obédience protestante.

– Eh bien, c'est parfait !

Avant de partir, le chanoine Crosbie lui laissa un livre intitulé *Les Jeunes Filles de l'école Sainte-Monique*. La situation eût-elle été différente, Lucy aurait déjà été envoyée en pension elle aussi, songeait-il. Ç'aurait été l'intention de la famille, l'homme d'église n'en doutait pas, mais lorsqu'il aborda le sujet plus tard, avec Aloysius Sullivan, ce dernier souligna que, dans l'état actuel des choses, il n'y avait pas d'argent pour des dépenses de cet ordre. Lucy Gault devrait continuer sa scolarité dans la petite salle de classe de Mr Aylward jusqu'au retour de ses parents.

L'accalmie qui avait suivi l'insurrection en Irlande avait maintenant laissé place à la guerre civile. Une guerre qui déchirait et ensanglantait le nouvel État libre d'Irlande, les villes, les villages et les familles. La terrible beauté d'un destin accompli entraîna dans son sillage une aussi terrible amertume, qui allait hanter les mémoires longtemps après la fin du conflit, en mai 1923. Dans les derniers jours de ce même mois, Mr Sullivan reçut une lettre de Miss Chambré : la tante d'Héloïse Gault – informée du départ d'Irlande de sa nièce, quand sa santé s'était un peu améliorée – avait été prise d'un désir de réconciliation. Apprenant qu'on ignorait où se trouvait actuellement Héloïse, elle avait, confiante, demandé à Miss Chambré de mettre une petite annonce dans plusieurs journaux anglais. L'absence de réponse avait été cause d'une considérable déception. « Personnellement, je ne m'attendais pas à autre chose, écrivait Miss Chambré, mais dans l'intérêt de la paix de l'esprit d'une vieille dame, je considère qu'il est de mon devoir de vous prier de bien vouloir m'informer quand vous aurez reçu des nouvelles d'Héloïse Gault. La conduite de sa fille n'a naturellement pas été dévoilée à ma patronne. »

Mr Sullivan soupira en lisant la dernière phrase. Il aurait pu faire valoir (mais n'en fit rien) que la conduite de Lucy Gault avait sécrété son propre châtiment, comme le confirmaient ses conversations avec Bridget et les constatations que lui fournissaient ses visites régulières. Une chose était également claire à ses yeux : la confusion qui possédait la maisonnée de Lahardane était improductive, autant que l'agitation qui perturbait ses propres pensées quand il s'appesantissait trop sur ce qui s'était passé. Vivant seul, en dehors de la compagnie d'une gouvernante, le notaire gardait pour lui la profondeur de son inquiétude.

Souvent, Bridget se réveillait la nuit, affectée par ce même souci, et elle restait couchée sans dormir, attendant le moment de saluer Henry dès qu'il ouvrirait les yeux, lui demandant de lui raconter une fois de plus le moment où il avait découvert le ballot parmi les herbes folles et les pierres du mur éboulé. Le chien que la petite avait pris en amitié avait un jour disparu et on ne l'avait plus revu ; c'était bien du même style que le reste, estimèrent Bridget et Henry mais, avec le temps, ils écartèrent cette idée-là, n'y voyant plus que le fruit de leur imagination.

Tandis que Lahardane était en proie à la force brute du désordre, le récit de l'événement qui l'avait si dramatiquement déclenché dans une demeure de campagne avait fini par trouver place parmi les histoires des Troubles qui se racontaient dans le voisinage, à Kilauran, Clashmore, Ringville, et dans les rues d'Enniseala. Le drame qu'une enfant avait attiré sur sa propre tête, et sa vie depuis lors, fournissait un sujet de conversation, et les étrangers croyaient y voir la matière même des légendes. Ceux qui visitaient les plages de cette côte tranquille écoutaient et restaient stupéfaits. Les représentants de commerce qui prenaient commande de leurs marchandises au comptoir des commerçants colportaient l'histoire jusque dans des villes éloignées. Dans les bars à l'arrière des salles de pub, aux tables où l'on prenait le thé et à celles où l'on jouait aux cartes, la conversation était stimulée par le récit de ce qui s'était passé.

Comme il arrive souvent aux témoignages de voyageurs, l'exagération bonifiait le discours. Des faits empruntés ailleurs et ajoutés pour combler les manques gagnaient en autorité à chaque répétition. Réveillées par ces relations des événements de Lahardane, les mémoires s'aventuraient dans d'autres maisons, compulsaient d'autres archives familiales : pour subir un aussi grand malheur, les Gault du temps jadis avaient sûrement dû trahir un domestique qui avait été envoyé au gibet ; ou bien ils n'avaient pas respecté les principes de justice élémentaires, ou encore ils avaient manifesté trop d'arrogance en considérant que leurs privilèges allaient de soi. Dans les conversations inspirées par ces récits, les subtilités qui encombraient le bon ordre du propos disparaissaient sous les rajouts. La mince réalité de ce qui était arrivé était colorée, enrichie, carrément enjolivée. Le voyage entrepris par les parents affligés devenait un pèlerinage, quête d'absolution pour des péchés dont la nature variait selon le conteur.

« Le grand-duc d'York avait dix mille hommes… » chantaient les enfants qui fêtaient Noël dans la classe de Mr Aylward.

Des ballons décoraient les panneaux de conjugaisons, du houx égayait les cartes et les portraits de rois et de reines appartenant à Mr Aylward. Il y avait du thé et une collation pour les enfants, tous les quinze installés sur des bancs autour de quatre tables réunies – des sandwiches et du pain au raisin, des gâteaux décorés de vermicelles en sucre multicolores. On avait fait le noir dans la salle avec des rideaux d'emprunt pour cacher les deux fenêtres, et Mr Aylward produisit des ombres sur un drap blanc avec ses doigts : un lapin, un oiseau, un profil cabossé de vieillard.

Après, Lucy rentra à la maison par la grève, seule dans l'obscurité croissante, avec à côté d'elle la mer d'hiver violente et insoumise. Comme toujours quand elle était sur la plage, elle continuait d'espérer que le chien était revenu et qu'il allait dévaler la falaise en trébuchant, aboyant de cette façon qu'il avait de japper. Mais rien ne bougeait, hormis ce que poussait le vent ; on n'entendait que le gémissement incessant de la bise, le déferlement des vagues. « Ne t'approche pas de moi », avait répété Edie Hosford, ne voulant pas être touchée par elle, quand on avait joué à *Oranges and Lemons*.

DEUXIÈME PARTIE

I

Un matin de février, un porteur qui balayait le quai de la gare à Enniseala se prit à repenser au jour où on lui avait tiré dans l'épaule, d'une fenêtre du premier étage. Il s'était trouvé ramené à cette époque-là, pour y avoir rêvé la nuit précédente : il montrait sa blessure aux gens et la marque sombre sur son chandail, là où le tricot était imbibé de sang, et il leur racontait comment la balle lui avait déchiré la chair sans s'y loger. Dans son rêve, il avait de nouveau le bras en écharpe, s'attirant le regard approbateur d'hommes plus âgés, dans la rue, qui l'invitaient à rejoindre une des écoles de terroristes – il y en avait une demi-douzaine –, comme ils l'y avaient incité dans sa vraie vie. Ils lui avaient fait l'honneur de le prendre pour un insurgé, alors qu'il n'avait jamais appartenu à une organisation révolutionnaire. « Eh bien, c'est-y pas malheureux ce qui vous est arrivé ! s'était exclamée une vieille mendiante installée à la porte du bar-épicerie de Phelan. Qu'un homme vous ait tiré dessus ! » La même remarque lui avait été adressée dans la rue par le Frère chrétien qui lui tordait naguère la peau de la nuque, quand ses longues divisions étaient fausses ou qu'il confondait les comtés de l'Ulster avec ceux de Connacht. On l'avait invité à entrer chez Phelan pour exhiber sa blessure, et les buveurs présents dans le bar avaient déclaré qu'il avait de la chance d'être en vie. Ils avaient été là aussi, dans son rêve, les hommes, la mendiante et le Frère chrétien, levant leurs verres à sa santé.

Balayant le quai de gare, le lendemain de la nuit où il avait fait ce rêve pour la première fois, le porteur avait du mal à séparer le songe de l'expérience si lointaine qui l'avait inspiré. Incapable de vérifier seul ses souvenirs, il prit conscience, ce matin-là, d'un sentiment de solitude. Ses compagnons de la nuit du passé avaient émigré, l'un d'eux un certain temps auparavant, l'autre seulement depuis peu. Son père, qui avait opposé un si strict refus à une indemnisation de la blessure et à l'excuse qu'on avait présentée, était mort un mois plus tôt. De son vivant, ce dernier s'était toujours enorgueilli de ce qui s'était passé : car, très vite après, s'était ensuivi le départ – définitif, semblait-il – de l'ex-officier de l'armée britannique et de son Anglaise de femme. Que ce couple eût par erreur cru leur enfant morte, ce n'était que ce qu'ils méritaient : le père du porteur à la compagnie de chemin de fer avait souvent exposé ce point de vue, mais quand il l'avait fait dans le rêve, son fils avait éprouvé un profond désarroi, jamais ressenti dans la réalité.

Il faisait froid, ce jour de février-là. « Il y a besoin de charbon dans la salle d'attente », l'informa une voix. L'impression de malaise du porteur ne s'atténua pas, tandis qu'il déposait le balai et la pelle à poussière dans la remise de la gare, qu'il tisonnait le feu de la salle d'attente et y empilait une généreuse provision de charbon. Dans son rêve, les rideaux de la maison s'étaient enflés et flottaient hors des fenêtres, brûlant dans le noir. Il y avait là le corps sans vie d'une enfant.

Ce jour-là passa. Puis d'autres jours aussi coulèrent, et les familiers du porteur de la gare remarquèrent qu'il était devenu plus silencieux, moins porté à discuter avec les passagers sur le quai, souvent abîmé dans une absence. Le même rêve continuait de perturber ses nuits, inchangé et très clair dans son sommeil. Au réveil, il se sentait invariablement pris d'un irrésistible besoin de calculer l'âge de l'enfant qui avait été séparée de ses parents et il apprit, quand il se renseigna, qu'elle et eux ne s'étaient jamais retrouvés depuis. Dans son rêve, c'était lui qui déposait le poison pour les chiens, lui qui, avant d'être blessé, cassait la vitre et versait l'essence, lui qui frottait l'unique allumette. Un après-midi, alors qu'il chaulait les pierres entourant les parterres de fleurs de la gare, il vit les rideaux en flammes, aussi clairement que dans son rêve.

Avant même la fin de l'année, il cessa de travailler à la gare et apprit le métier de peintre en bâtiment. Il se demanda par la suite pourquoi il avait changé d'occupation : il l'ignorait. Et puis un instinct lui souffla qu'il avait dû s'imaginer que la journée d'un peintre serait plus remplie : que peindre les portes et les plinthes en imitant le grain du bois, mastiquer, mélanger les couleurs, lui laisserait moins de temps pour ruminer ses pensées. En quoi il se trompait, hélas.

Tandis qu'il maniait la torche, grattait de la vieille peinture et en étalait de la nouvelle, cela devenait un gros effort pour lui d'établir la réalité, encore plus que du temps où il avait été porteur à la gare. Il avait eu de l'aide, après le coup de feu. Ses compagnons avaient trouvé leurs bicyclettes à l'endroit où ils les avaient cachées et l'avaient aidé, car il ne pouvait pas se débrouiller avec la sienne. Dans la hâte de s'enfuir, les bidons d'essence avaient été abandonnés sur place, encore pleins. Il avait beau se le répéter, sachant que c'était la vérité, la contradiction demeurait. Sa silhouette en salopette blanche était devenue aussi familière que celle du porteur de la gare dans son uniforme, et son caractère tranquille lui avait acquis le respect. Il ne parlait à personne de ce qui le perturbait, pas plus à sa mère qu'à son employeur ou à ceux qui s'arrêtaient pour bavarder pendant qu'il travaillait. Il menait cette existence subreptice, se rassurant à l'idée que, dans la réalité qui le hantait, il ne s'était en fait rien passé de plus grave que l'empoisonnement de trois chiens. Pourtant, pourtant, il y avait le corps d'une enfant.

II

Après avoir quitté l'école de Mr Aylward, Lucy disposa de plus de temps libre qu'elle n'en avait jamais eu et elle se mit à lire les ouvrages de la bibliothèque du salon. C'étaient tous des livres anciens dont le dos lui avait toujours été familier, aussi loin que remontât son souvenir. Mais lorsqu'elle les ouvrit, elle se trouva entraînée dans un monde de nouveauté, dans d'autres siècles et d'autres lieux, dans des idylles et des rapports compliqués, dans la vie de personnages aussi différents que Rosa Dartle et Giles Winterborne, dans le morne brouillard londonien et sous le soleil de Madagascar. Et quand elle eut dévoré presque tout ce qu'il y avait à lire dans le salon, elle passa à la bibliothèque du palier du premier et à celle de la salle du petit déjeuner, où l'on n'allait jamais.

Dans la maison, la brève époque des planches aux fenêtres était à peine un souvenir et il y avait belle lurette qu'on avait réutilisé à d'autres fins les draps enlevés des meubles. La scolarité de Lucy terminée, Henry et Bridget restaient ses compagnons de chaque jour, lui offrant la même amitié que quand elle était enfant. Si Mr O'Reilly travaillait à proximité lorsqu'elle traversait les pâtures, il lui adressait un signe, comme il l'avait toujours fait.

L'intérêt qu'avaient porté Mr Sullivan et le chanoine Crosbie au bien-être d'une fillette solitaire ne diminua pas avec la fin de son enfance. Leurs visites continuèrent, ainsi que les cadeaux d'anniversaire et de Noël. En retour, ils avaient la latitude de choisir leur dinde de Noël parmi celles qu'élevait Henry.

– Je me demande juste si c'est une bonne chose pour une jeune fille d'être si seule, si loin de tout ?

Chaque fois que l'homme d'église s'interrogeait, il suscitait la même réponse : C'est ainsi, soulignait Bridget.

– Parle-t-elle parfois de faire quelque chose de sa vie ? poursuivait le chanoine Crosbie. Lui arrive-t-il de manifester une préférence ?

– Une préférence, monsieur le chanoine ?

– Pour une vocation d'une sorte ou une autre ? Pour… bon, pour découvrir le monde, je suppose ?

– Ce qu'elle connaît est ici, monsieur. Il n'y a pas un coquillage de la plage pour lequel elle n'ait pas d'affection. Elle est comme ça, monsieur le chanoine. Elle l'a toujours été.

– Mais ce n'est pas du tout ce qui convient ! Une jeune fille ne doit pas déverser son affection sur des coquillages. Ce n'est pas bien qu'il faille qu'elle ait des coquillages pour compagnie.

– Il y a Henry. Et moi.

– Oh, certes ! Certes, évidemment. Une bénédiction. Ça ne passe pas inaperçu, Bridget. Vous êtes parfaits.

– Je ne dis pas que c'est moins que pas banal, monsieur, la manière dont sont les choses. Tout ce que je dis, c'est qu'Henry et moi, on fait de notre mieux.

– Mais bien sûr que oui. Bien sûr, bien sûr. Vous avez fait des merveilles. Personne ne soutiendrait le contraire, déclara le chanoine Crosbie avec insistance, marquant une pause avant d'enchaîner : Et, voyons, Bridget, est-ce qu'elle continue de croire qu'ils reviendront ?

– Elle n'a jamais cessé d'y croire. C'est ce qu'elle attend.

– J'ai connu son père quand il avait son âge, raconta le vieil homme d'église après un silence (son intonation incertaine évoquait la défaite, comme si la conversation ne devait plus mener à rien, quel que fût le temps qu'ils y passeraient). « Everard Gault a épousé une beauté », m'a annoncé Mrs Crosbie, qui avait vu Mrs Gault avant que je l'aie moi-même rencontrée. « Eh bien, voilà qui compense », m'a déclaré Mrs Crosbie, parce que la famille d'Everard Gault lui avait été enlevée, nous le savions tous. Et depuis, elle a toujours eu un faible pour Héloïse Gault. Bon, pour eux deux, plutôt. Et moi aussi, naturellement.

– Henry et moi…

– Je sais, Bridget, je sais. C'est juste que parfois, le soir, au presbytère, quand nous sommes assis tous les deux, nous pensons à une petite jeune fille esseulée – oh, pas tout à fait, naturellement, mais presque. Et nous caressons des espoirs, Bridget, des espoirs.

– Elle a repris les abeilles.

– Les abeilles ?

– Le capitaine avait des ruches dans le verger. Quand il est parti, nous, on ne s'est pas embêtés avec le miel. Henry ne peut pas sentir les abeilles, mais elle, elle a remis les ruches en état.

Le chanoine Crosbie hocha la tête :

– Bon, c'est déjà ça. Les abeilles, c'est mieux que rien.

On en vint à croire qu'il était arrivé quelque chose au capitaine Gault et à son épouse : ils s'étaient brusquement trouvés sans le sou – une infortune propre à l'époque ; ils avaient été victimes d'un désastre. Tel ou tel drame rapporté par les journaux devenait facilement un nouveau fragment de leur histoire, qui prenait de plus en plus d'intérêt à mesure qu'on la racontait. L'absence change la présomption en vérité, songeait souvent Mr Sullivan, bien qu'il se fût lui-même livré à des suppositions, car il était impossible de ne pas le faire. « C'est notre drame, en Irlande, que pour une raison ou pour une autre, nous soyons encore et toujours obligés de fuir ce qui nous est cher, l'entendit-on relever plus d'une fois. Nos patriotes vaincus sont partis, nos grands comtes, nos émigrants de la Famine et maintenant, les pauvres en quête de travail. L'exil fait partie de nous. »

Pour sa part, il ne croyait pas qu'un nouveau malheur, d'ordre naturel ou autre, se fût abattu sur le capitaine Gault et son épouse. Les exilés ont tendance à s'installer dans leur exil, acquérant souvent une stature qu'ils ne possédaient pas auparavant. Il l'avait fréquemment observé chez ceux qui revenaient à Enniseala et se retrouvaient mal à l'aise dans une ville trop petite, avec le sentiment de n'avoir désormais plus d'attaches nulle part, mais semblant malgré tout plus avisés qu'ils ne l'avaient été. Et qui pourrait jeter la pierre à Everard Gault et à sa femme, abattus par leur tristesse, s'ils avaient voulu prendre un nouveau départ, dans un endroit où tout était différent? Avec le bénéfice de la distance que donne un regard rétrospectif, il regrettait d'avoir engagé un détective privé incompétent pour effectuer des recherches dans une ville suisse, surtout quand il pensait que les sommes dépensées par cet individu auraient pu être bien plus utiles maintenant. Cela l'énervait aussi que la fameuse dame Chambré eût choisi des journaux anglais pour y insérer des petites annonces, alors qu'il l'avait assurée que le couple avait explicitement écarté l'Angleterre comme pays où s'installer. Son sens professionnel de l'ordre s'insurgeait devant la confusion qu'il avait lui-même contribué à entretenir en taisant ses convictions : il avait moins de mal à vivre avec Lahardane, tel qu'il était aujourd'hui, qu'avec le souvenir de ses affirmations que tout irait bien.

Lucy, pour sa part, ne s'interrogeait guère sur la nature de l'exil. Avec le temps, elle avait accepté ce qui était advenu, comme elle acceptait sa claudication et les traits qui se reflétaient dans son miroir. Le chanoine Crosbie eût-il évoqué avec elle la question de découvrir le monde, elle aurait répondu que la nature et les principes de sa vie avaient déjà été établis à son intention. Elle attendait, aurait-elle expliqué. Et ce faisant, elle gardait confiance. Chaque pièce était tenue propre, époussetée. Chaque chaise, chaque table, chaque bibelot était tel que dans le souvenir de tous. Ses pleins vases d'été, ses abeilles, ses pas dans l'escalier et sur les paliers, traversant les pièces, dans la cour pavée et sur le gravier : voilà ce qu'elle offrait. Elle ne se sentait pas seule ; parfois, elle se rappelait à peine ce qu'était la solitude.

– Oh, mais je suis heureuse, aurait-elle assuré l'homme d'église s'il lui avait posé la question. Assez heureuse, vous savez.

Pour le vingt et unième anniversaire de Lucy, des cadeaux arrivèrent une fois de plus de la part du chanoine, de son épouse, et de Mr Sullivan. Ensuite, elle s'étendit dans le verger aux pommiers, au chaud soleil vespéral, pour lire encore un autre roman laissé là par les générations précédentes. Aux yeux de Lucy, vingt et un ans, c'était une découverte du monde suffisante que de visiter Netherfield[1].

1. Résidence des Bingley dans le roman de Jane Austen, *Orgueil et préjugés*.

III

Les images de la Sainte Conversation n'oblitéraient pas entièrement celles d'un après-midi en Angleterre, d'un crépuscule anglais de décembre. Derrière les détails de la composition de Bellini – colonnes de marbre et arbres feuillés, tuniques bleues, vertes et écarlates – s'inscrivaient des tasses à thé sur une table en bois de rose, des carreaux embrumés, un grand feu de charbon dans une cheminée. Les remémorations dont Héloïse avait allumé la flamme dans l'imagination de son mari, une heure plus tôt, s'y attardaient encore.

Bien qu'il n'eût jamais vu la femme qui avait appris son veuvage en prenant le thé ce jour-là, il l'apercevait fugitivement à présent, ombre parmi les saints qui entouraient la Vierge, l'enfant et le discret musicien. Les personnages formaient un groupe, mais chacun d'eux donnait l'impression d'être seul. Scène moins compliquée : le télégramme arrivé gît sur le bois de rose, tandis que sonne l'horloge du hall. « Ladysmith[1] », lâche la mère d'Héloïse.

L'église était fraîche dans la chaleur du jour, une odeur d'encaustique provenait de l'endroit où s'affairait le sacristain.

1. Défaite des Anglais dans la première partie de la guerre d'Afrique du Sud les opposant aux Boers.

Le bénitier était presque vide. Dehors, sur les marches, un infirme mendiait.

– Non, laisse-moi faire, je te prie, demanda Héloïse qui fouilla dans son sac et y trouva une pièce qu'elle déposa dans la main tendue.

Ils empruntèrent une ruelle sans soleil et prirent leur temps, réticents à l'idée d'émerger dans la lumière éblouissante de l'après-midi. Elle devait avoir seize ans, le jour du thé, calcula-t-il.

– Pourquoi es-tu si gentil avec moi, Everard ? Pourquoi écoutes-tu si bien ?

– Peut-être parce que je t'aime.

– Si seulement j'avais plus de force !

Il s'abstint de relever qu'elle en avait eu bien assez avant, et ne tenta pas de la rassurer en prétendant que ça reviendrait. Il n'en savait rien. Héloïse ayant évoqué le lointain passé de son enfance, il avait été incapable d'en faire de même à son tour, alors il lui avait conté sa vie de militaire, revenant avec davantage de détails sur ses récits précédents, parlant des hommes qu'il avait brièvement commandés sur ses modestes champs de batailles.

Sur la Riva, ils commandèrent du café. En attendant qu'on le leur servît, il entendit évoquer la maisonnée de la tante-gardienne, le refuge que ç'avait été pour une orpheline sur la fin de ses années d'enfance. « A peine plus que des gamins, précisa Everard en énumérant les noms des hommes sous ses ordres. Je revois souvent leurs visages. »

Il regarda les doigts fuselés d'Héloïse mettre un morceau de sucre dans son café, puis un autre, et encore un. Cela lui fit plaisir, très plaisir – il se demanda pourquoi. Bon, c'était réel, réfléchit-il, et peut-être n'en fallait-il pas davantage pour vous donner du plaisir quand s'interrompait une conversation artificielle. Il avait écrit à Lahardane. Il avait exprimé son souci pour le bien-être des domestiques qui étaient maintenant ses intendants, s'était enquis des frisonnes et de la maison. Plus d'une fois, il avait écrit mais, chaque fois, il avait reculé au moment de poster son message. Il y aurait une réponse, reçue en cachette, et s'ensuivrait une correspondance secrète, l'anéantissement de la confiance qui avait toujours régné dans son couple. Il gardait ses lettres cachées, dans leurs enveloppes timbrées. C'était toute la tromperie dont il était capable.

– Comme tout cela est beau ! s'exclama-t-il.

Près de l'endroit où ils étaient installés, il y avait un débarcadère où les gondoles arrivaient et repartaient. Plus loin sur le canal, un vapeur rentrait lentement de la mer. Un chien aboyait sur le pont d'un bateau de service.

Quand il fit plus frais, ils marchèrent sur les Zattere. Ils prirent un bateau pour aller à La Giudecca. Ce soir-là, il y avait l'*Annunciazione* à l'église de San Giobbe. Puis des valses, au Florian.

Cette nuit-là, à la Pensione Bucintoro, Héloïse resta éveillée auprès de son époux endormi. Que de richesses ! songea-t-elle tandis que lui revenaient les images sacrées vues ce jour-là, et tout ce qui s'était dit. Ce soir, elle ne se sentait pas dépossédée et, dans l'euphorie entretenue par cette journée, elle résolut de trouver le courage d'avouer, le lendemain matin, que ça ne suffisait pas de reconnaître que son généreux mari avait été bon avec elle, que ça ne suffisait pas de déclarer qu'il savait parfaitement l'écouter évoquer son enfance. « Nous jouons aux morts », avait-il protesté un jour avec douceur, et elle avait été incapable d'expliquer pourquoi elle éprouvait toujours le besoin d'oublier. Mais demain matin, elle ferait mieux. Elle entendit sa propre voix qui s'excusait, abordant tous les sujets dont elle ne voulait pas parler. Elle s'aperçut que les phrases lui venaient assez aisément, avant de fermer les yeux. Elle s'assoupit mais, en se réveillant quelques minutes plus tard, elle s'entendit protester qu'elle ne pouvait tenir pareille conversation. Et c'était vrai, elle le savait.

IV

Henry alluma une Woodbine et jeta l'allumette par terre. De l'arche formant l'entrée de la cour, il scruta l'auto qui était arrivée, observant les roues, le spider, les banquettes vertes, la petite mascotte au-dessus du radiateur, le capot en pointe, le numéro de la plaque minéralogique : IF 19. La capote était baissée.

Il avait perçu le bruit d'une voiture, puis le crissement du gravier marin sous ses roues. Il avait cru à une nouvelle visite du chanoine Crosbie, pensé aussi qu'il y avait eu enfin des nouvelles propres à faire déplacer le notaire. Mais la voix qu'il avait entendue appeler, s'excusant, n'était pas celle de ces deux hommes. Lucy était sortie de la maison, comme elle le faisait quand arrivait une auto. « Qui êtes-vous ? » demandait-elle justement. Le conducteur renouvela ses excuses, puis arrêta le moteur au cas où elle n'aurait pu l'entendre.

C'était un jeune homme, sans veston, et quand il sortit de l'auto, Henry constata que son pantalon de flanelle était ceinturé avec une cravate – le tissu à rayures vert, marron et pourpre était tendu et noué. Henry n'avait jamais vu ce jeune homme-là.

– Je ne m'étais pas rendu compte qu'il y avait une maison ici.

– Qui êtes-vous ? s'enquit de nouveau Lucy.

Le nom qui lui fut donné ne disait rien à Henry. Lucy

esquissa un hochement de tête signifiant qu'il ne lui était pas familier non plus.

Appuyé contre le mur de l'arche, le paquet de Woodbine toujours à la main, Henry repensa au temps où la maison avait d'autres visiteurs qu'un notaire et un clergyman – les Morell, des gens de Ringville, d'Enniseala et de Cappoquin, et même d'aussi loin que de Clonmel. Il y avait des fêtes d'été, des paniers de pique-nique qu'on portait à travers champs jusque sur la plage, des enfants qui jouaient dans le verger et au jardin. Lady Roche venait de Monatray, ainsi que le colonel Roche et les trois sœurs Ashe, la vieille Madame Cronin et sa fille d'âge mûr, un peu fofolle, qui avait un jour embrassé le capitaine en guise de salut. Henry n'avait revu aucun d'eux depuis l'hiver 1920 et s'interrogeait à leur propos. Ce jeune homme était-il un de leurs grands enfants, bien qu'il eût déclaré ne pas savoir qu'il y avait une maison au bout de la grande allée ?

– Elle veut l'inviter à prendre le thé, annonça Bridget quelques minutes plus tard dans la remise où Henry faisait sa menuiserie.

Elle venait lui demander d'installer la table en lattis sur l'herbe de la pelouse aux hortensias. Une rougeur était montée aux joues de Bridget et Henry se rappela aussi ce détail du passé : l'excitation suscitée par ce que Bridget appelait « du monde ».

Il brossa les lattes de la table pour enlever la saleté et les toiles d'araignée, avant de les essuyer avec un chiffon. Sur la pelouse, il nettoya l'assise de deux des chaises de fer peint en blanc dont la présence brisait, de loin en loin, la courbe du mur couronné de fleurs d'hortensias bleu foncé. Il aurait fallu s'occuper de la rouille, repeindre les chaises. Un de ces jours, décida Henry, sachant qu'il n'en ferait rien.

– Ça ne ressemblait pas à une allée, raconta Ralph. Le pavillon de gardien était fermé.

Il n'avait pas remarqué le portail d'un vert délavé, dissimulé par les orties et le cerfeuil sauvage en train de faner. Il avait roulé sous un dais de feuillage et, soudain, la grande maison s'était dressée devant lui.

– C'est à Lahardane que vous êtes allé, expliqua Mrs Ryall. Et c'était Lucy Gault.

La jeune fille qui était sortie de la maison n'avait pas dit son nom. Une femme avait mis une nappe sur la table en lattis et, en silence, y avait disposé des tasses et des soucoupes, un pot de lait et une théière, du pain complet, du beurre et un rayon de miel. Son gros plateau de bois avait un bord relevé tout autour, et des poignées de porcelaine blanche. Le thé versé, la femme était revenue voir si tout allait bien, pour réapparaître bientôt avec du pain au lait et aux raisins.

– La IF 19 a bien marché ? s'enquit Mr Ryall, et Ralph répondit que la voiture qu'on lui avait prêtée cet après-midi-là n'avait pas posé de problèmes.

– C'était vraiment très aimable de votre part, répéta-t-il, ayant déjà plusieurs fois formulé ainsi sa reconnaissance.

– Vous avez besoin de congés, loin des garçons.

Mr Ryall avait passé une petite annonce pour recruter un tuteur pour ses deux fils pendant les mois d'été car, selon les bulletins de notes de leur *preparatory-school*, ils étaient à la traîne dans toutes les matières. De sorte que Ralph, un brin désœuvré, n'ayant pas encore décidé ce qu'il comptait faire de sa vie, était venu dans la demeure située au-dessus des bureaux de la Bank of Ireland, car Mr Ryall représentait la banque à Enniseala.

C'était un petit homme à la moustache nette, doté d'une épouse qui contrastait presque en tout point avec lui. Mrs Ryall, qui s'empâtait sans s'en préoccuper, était indulgente envers elle-même et point portée à critiquer les autres, sa générosité de caractère reflétée dans sa rondeur et ses manières. L'indolence de ses fils ne parvenait pas à l'inquiéter. « Les tracas, c'est le rayon de mon mari », avait-elle coutume de déclarer, sous-entendant vaguement que se faire du souci était un plaisir pour lui.

Il était neuf heures et demie du soir, l'obscurité s'épaississait dans la salle à manger bien meublée des Ryall. Une vaste crédence reproduisait les volutes tourmentées d'une haute commode à deux corps superposés, d'un égal grandiose. Les chaises étaient assorties au canapé et aux fauteuils recouverts de simili cuir rosé. Les fleurs du papier peint faisaient écho aux rideaux de damassé qu'on ne tirait pas, des voilages restant en permanence devant les vitres. De jour, des stores bleus à pompons cachaient les carreaux supérieurs de la fenêtre.

Une collation tardive était servie sur une grande table d'acajou car, quelle que fût l'heure, Mrs Ryall ne voulait pas qu'on eût faim. Sous une lampe à pétrole montée en suspension et pas encore allumée, attendaient des *cream crackers*, du fromage de Galtee, du gâteau et des *brandy snaps*. Il y avait une heure qu'on avait envoyé les garçons se coucher, et le fond de leurs tasses de cacao était froid dans les tasses restées sur la table.

– J'imagine qu'on ne vous a pas parlé de ce qui était arrivé à Lahardane, déclara Mrs Ryall.

Blond de cheveux, l'œil bleu, quelque chose d'anguleux dans un visage beau à sa manière, Ralph écoutait tandis que les Ryall s'y mettaient à deux pour lui conter l'histoire. Mr Ryall, précis, s'en tenait aux faits, son épouse fournissait la note émotionnelle.

– Vous vous apercevrez qu'on en parle en ville, ajouta Mr Ryall à la faveur d'une pause dans le récit des événements.

Ce que confirma son épouse en tartinant un cream cracker :

– Il paraît qu'elle est devenue jolie en grandissant.

Quand Lucy Gault souriait, une fossette se creusait et donnait de l'espièglerie à son sourire. Elle avait des taches de rousseur sur l'arête du nez, des yeux d'azur pâli, des cheveux blonds comme les blés. Tout cela avait accompagné Ralph pendant le retour dans l'auto de son employeur, et l'image redevenait très vive tandis qu'il écoutait la suite de l'histoire.

– On est venu me voir au moment où l'on n'arrivait pas à retrouver la trace du capitaine et de Mrs Gault, reprit Mr Ryall. On avait un temps espéré qu'il prendrait contact, mais il n'y avait pas de raison qu'il le fasse et, bien sûr, il ne l'a pas fait. C'est ça le plus triste.

Mr Ryall abaissa la suspension et enleva le globe de verre afin d'allumer la mèche. Mrs Ryall épousseta d'un geste les miettes de cream cracker sur son giron et se leva de table pour tirer les stores.

– Vous diriez qu'elle est jolie ? s'enquit-elle. Belle, peut-être ? Vous diriez que Lucy Gault est belle, Ralph ?

Oui, Ralph le pensait.

Lucy Gault fut belle tout cet été-là. Belle dans sa robe blanche toute simple, le soleil jouant sur les gouttelettes d'argent de ses boucles d'oreilles sans pierres. Ce devait être celles de sa mère, avait supposé Mrs Ryall ; la robe aussi, sans doute. Le tout abandonné lors d'un départ qui avait été précipité, en fin de compte.

Chaque matin et chaque après-midi somnolent, quand les élèves de Ralph n'écoutaient pas ce qu'il essayait de leur apprendre sous la vaste frondaison d'un hêtre au jardin, il était hanté par la jeune fille sortie de la demeure dont il n'avait pas soupçonné l'existence. Vaguement conscient de Kildare qui marmonnait des conjugaisons, et feignant de ne pas voir Jack dessiner des animaux sur la page de garde de son cahier, Ralph n'osait se risquer à parler au cas où, par quelque hasard stupide, il décrirait le regard solennel qui précédait souvent le sourire de Lucy Gault, et cette façon qu'elle avait de rester assise, les mains jointes sur les genoux, avec l'immobilité du marbre. Dans son timide souvenir, elle leur versait le thé, expliquant que les visiteurs venaient rarement par erreur.

– Il y a une rivière, l'Arar, qui coule à travers les territoires des Éduens et des Séquanes pour se jeter dans le Rhône, répétait Ralph dans le jardin de la banque. *Est flumen*, Kildare : il y a une rivière. *Quod influit per fines* : qui coule à travers les territoires. Tu comprends, Kildare ?

La traduction sortait d'un livre, *Les Clés des classiques du professeur Giles*, que Ralph avait consulté au lit, tôt ce matin-là.

– *Aeduorum et Sequanorum* : c'est le passage sur les Éduens et les Séquanes. Comprends-tu, Kildare ?

– Oui, en effet.

– Bon, vois si tu peux trouver le sens de *incredibili lenitate, ita ut non possit judicari oculis in utram partem fluat.*

Jack avait transformé un triangle isocèle en tarentule. Ralph traça un nouveau triangle, inscrivant A, B, C aux angles. Les deux garçons portaient des chapeaux blancs à grands bords mous, car le soleil tapait ce matin-là.

– Alors, Jack, reprit Ralph.

Le mercredi après-midi, demi-journée de fermeture des commerces d'Enniseala, était aussi sa demi-journée de congé. Mr Ryall continuait de lui prêter son automobile, estimant que si le précepteur qu'il avait trouvé pour ses fils se sentait étouffé par les limites de la vie du bourg, il risquerait de suivre l'exemple de celui de l'été précédent et de lever le camp. Ralph était allé à Dungarvan et s'y était promené, s'était rendu à Cappoquin et y avait également arpenté les rues, était allé aussi à Ballycotton, à Castlemartyr et à Lismore. Il n'était pas retourné à la maison près des falaises. On ne l'avait pas invité.

– Alors, que savons-nous de AB et AC, Jack ?

– Ce sont des lettres de l'alphabet.

– Je te parle des lignes que tu as tracées. Des côtés du triangle ?

De l'orteil, Jack remua un bâton qu'avait mâché un des épagneuls des Ryall. Il repoussa le bout de bois d'un léger coup de pied, s'assurant qu'il restait accessible.

– Ce sont de bonnes lignes droites, répondit-il.

– Et que dis-tu des angles A, B, C, Jack ?

– Ce sont de bons…

– Les lignes ont toutes la même longueur. Qu'est-ce que cela nous indique à propos des angles, Jack ?

Jack réfléchit un instant. Puis un autre. Puis encore un autre.

– Ce truc, *lenitate*, ça veut dire « long » ? interrogea Kildare. Une très longue rivière, c'est ça que ça veut dire ?

– *Incredibili lenitate* : avec une incroyable régularité.

– J'ai mal au cerveau, lâcha Jack.

La bonne, Dympna, traversa la pelouse avec le thé et les biscuits pour la pause matinale de Ralph. Les deux garçons se levèrent dès qu'ils l'aperçurent.

– C'est extrêmement intéressant, cette histoire des Éduens et des Séquanes, releva poliment Kildare avant de filer avec son frère.

Le mercredi soir, on demandait toujours à Ralph où il était allé cet après-midi-là et il sentait la déception de ses interlocuteurs quand il mentionnait les villes qu'il avait visitées. Les Ryall, il s'en rendait compte, espéraient qu'il retournerait à Lahardane, bien qu'aucune invitation ne lui fût parvenue. Il percevait la pensée de Mr Ryall – cela aussi pouvait contribuer à lui assurer les services du précepteur de ses fils – et celle de Mrs Ryall songeant, avec davantage de sentiment, que c'était là, enfin, une compagnie pour une jeune esseulée. Mais comment diable pouvait-il simplement débarquer par la grande allée, comment pouvait-il présumer du fait qu'une amitié était née ? Rien de tel ne s'était dit.

Un mercredi pourtant, Ralph roula jusqu'à l'orée de la grande allée, avec le pavillon de gardien inoccupé et le portail caché par la végétation estivale. Il ralentit mais ne vira pas pour emprunter l'allée. Il continua par la route et finit par trouver un accès à la plage où il se baigna et s'étendit au soleil. Il ne vint personne d'autre sur les galets ou sur le sable lisse lavé par les vagues, qui portait la trace estompée de ses pieds nus. Il n'y eut pas de bruissement d'étoffe blanche pour troubler sa solitude, pas de frêle silhouette sur les rochers au loin qui s'étiraient dans la mer, tel un doigt pointé vers les flots. En repartant, il revit la grande allée et le pavillon. Il attendit, mais personne n'apparut, là non plus.

Tous les autres soirs de la semaine, Ralph parcourait la longue grand-rue d'Enniseala, s'arrêtant pour contempler la vitrine des magasins, faisant passer le temps avec la viande suspendue à l'étal de chez MacMenamy, avec les mannequins de couturière de chez Domville, le drapier ; les denrées d'épicerie de chez O'Hagan et de *Home and Colonial*. D'énormes cornues pleines de liquide rouge ou vert étaient l'attraction de *Westbury's Medical Hall*, des meubles encombraient les salles des ventes de P. K. Gatchell – lits, armoires et tables, commodes, chaises, bureaux et tableaux. Les photos d'extraits de films étaient changées trois fois la semaine dans les présentoirs du cinéma.

Ralph lisait l'*Irish Times* et le *Cork Examiner* au bar du Central Hotel. Il marchait, passait devant le phare trapu et la gare, devant les pensions de famille de l'été : le Pacific, l'Atlantic, Chez Miss Meade, Sans Souci. Il déambulait sur la promenade parmi des couples sortant leurs chiens, parmi des religieuses, des prêtres et des Frères chrétiens. Les jeunes filles de l'école des sœurs bavardaient près du kiosque à musique jaune et bleu et laissaient balancer leurs jambes, assises sur le mur de la digue.

Il lui arrivait de pousser jusqu'au camp militaire, sur la route de Cork, et loin au-delà, jusque dans la campagne. Parfois, il explorait les rues moins plaisantes du bas de la ville, où les enfants couraient nu-pieds et les femmes en châle mendiaient, où les hommes jouaient à *pitch-and-toss*[1] au coin des rues. Il suintait une odeur de pauvreté près des masures infestées de parasites. On pouvait se promener au bord de la rivière jusqu'au temple protestant, près de l'endroit où nichaient les cygnes qui donnent son nom à la ville. Un soir, au milieu des tombes du cimetière, Ralph rencontra un homme d'église qui lui tendit la main en déclarant :

– Vous instruisez les garçons de la Bank of Ireland. Je suis le chanoine Crosbie.

Ralph fut surpris d'être ainsi interpellé mais le dissimula en souriant. Il avait déjà entendu les sermons du chanoine Crosbie, car une de ses tâches consistait à accompagner ses élèves au temple, les rares fois où leurs parents ne voulaient pas assister au culte dominical.

1. Jeu d'adresse et de hasard qui se joue avec des pièces de monnaie.

– Je fais mon possible pour les instruire, répondit-il après s'être présenté au chanoine.

– Voyons, je suis sûr que vous le faites très bien, Ralph. Et ai-je raison de penser que vous venez de County Wexford ?

– Oui, en effet.

– J'ai été vicaire à Gorey, il y a de longues années. Quelle région intéressante que le Wexford !

– Oui.

– Fière de ses différences.

Ralph sourit encore, ignorant ce que son interlocuteur entendait par là. Le chanoine Crosbie reprit :

– Il paraît que vous êtes allé à Lahardane.

– Je me suis retrouvé là-bas par hasard ; Mr Ryall est très gentil et me laisse prendre son auto.

– Une crème d'homme. Et marié à la plus gentille épouse qui soit, commenta-t-il, marquant une pause avant d'ajouter : Vous avez rencontré Lucy Gault, paraît-il.

– Oui.

– Eh bien, voilà une excellente chose, Ralph. Rien n'aurait pu me faire plus plaisir que d'apprendre votre visite. Rien n'aurait fait plus plaisir non plus à Mrs Crosbie. Nous nous en sommes réjouis autant l'un que l'autre.

Le regard pétillant du chanoine Crosbie, sa main amicalement posée sur l'épaule du jeune homme, ses hochements de tête enthousiastes firent rougir Ralph ; cette rougeur une fois apparue, s'étendit et s'intensifia. Il y avait un sous-entendu dans ces propos, dans le ton de la voix, dans les suppositions du chanoine – Ralph aurait bien aimé qu'elles fussent vraies, mais ce n'était assurément pas le cas.

– Un compagnon d'été pour Lucy Gault est une merveille pour laquelle on doit rendre grâce.

– Je n'y suis allé qu'une fois.

– Et nous serions tellement ravis d'apprendre que vous y êtes retourné ! Et Lucy aussi – oh oui, je le sais !

– De fait, je n'ai pas été convié à revenir.

– Par ici, Ralph, ça se fait d'arriver à l'improviste, de soulever un heurtoir quand l'envie vous y pousse. Je vous l'accorde, Ralph, on y met davantage les formes, au County Wexford. Je suppose que vous connaissez le Doyen de Ferns ?

– Je crains que non.

– Eh bien, voilà. Non, on prend les choses plus légèrement ici. On trouve normal de ne pas faire de cérémonies. La morgue n'a pas cours parmi nous, en matière de relations, ajouta-t-il avec une soudaine sévérité. Absolument pas.

– En réalité, je ne suis pas…

– Mais bien sûr que non, mon garçon ! Je le sens dans mes tripes. Mrs Crosbie aussi. Votre chemin a-t-il déjà croisé celui de Mr Sullivan ?

– Sullivan ?

– De chez Sullivan et Pedlow ? Notaires et officiers ministériels habilités à recevoir les déclarations sous serment ?

Ralph fit non de la tête.

– Mr Sullivan a cherché le capitaine Gault et son épouse un peu partout dans le monde. Et il a veillé sur la marche des choses en attendant leur retour. Il a veillé sur Lucy. Pendant son temps de loisir, et bien au-delà du devoir professionnel, il s'est préoccupé – préoccupé, Ralph ! – du bien-être et des moyens de subsistance de Lucy, il s'est préoccupé des réparations et des frais d'entretien qu'on a dans cette grande caserne de maison. On ne peut pas faire grand-chose, vu le manque d'argent. Il y a des générations que quelques champs et les bêtes qui y paissent constituent le signe extérieur et visible de l'aisance des Gault. J'ai dit à Mr Sullivan qu'il est un homme bon – je l'ai arrêté dans la rue pour le lui dire. Et voilà la réponse que j'ai tirée de lui : il a maintes fois dîné à Lahardane, y a même souvent couché – du temps du capitaine, et avant –, quand le voyage de retour dans le noir semblait ardu. Ralph, il ne voit dans son humanité rien de plus qu'un paiement en retour de l'hospitalité offerte.

Ralph opina du bonnet. La rougeur avait déserté ses joues. Il eût aimé mettre un terme à la rencontre mais ne savait comment s'y prendre.

– Il est venu aux oreilles de Mr Sullivan, comme aux miennes, que vous vous étiez rendu à Lahardane. La nouvelle a enchanté Mr Sullivan, ainsi que Mrs Crosbie et moi-même. Nous avons rendu grâce. Nous avons sincèrement rendu grâce.

– Ce jour-là, je me suis trompé en prenant l'allée.

– Eh bien, trompez-vous donc encore, Ralph, je vous en conjure, trompez-vous encore ! Je vous en conjure, donnez un brin de compagnie à une jeune fille privée de celle de sa génération. Je vous supplie de ne pas manquer d'accomplir ces choses qui devraient s'accomplir. Je vous en supplie instamment. Ralph, retournez donc dans cette maison solitaire !

Sur cette verbeuse hyperbole, le chanoine Crosbie tendit la main à Ralph et s'en fut.

Enfin arriva un message d'une écriture étrangement parfaite, obéissant à toutes les règles des pleins et des déliés, de la régularité et du style. Une note de Lucy Gault. Les lettres de ce nom tant chéri en secret avaient été formées avec cette même inclinaison qui caractérisait les mots de la missive. Toute la poésie du monde n'aurait su exprimer la puissance contenue dans cette confirmation d'un nom – de cela, Ralph était certain. Toute la poésie du monde n'aurait su refléter la plus petite parcelle de son bonheur, tandis qu'il instruisait ses élèves sous la frondaison du hêtre.

– Ah, aujourd'hui, on va juste lire, s'exclama-t-il, souriant, le matin où il reçut la lettre, leur faisant alors la lecture de *The Diary of a Nobody*, pendant que Kildare somnolait et que Jack dessinait des gargouilles.

Quand arriva le plateau du milieu de matinée et que les garçons eurent filé, la lettre put être relue avec tout le luxe de la lenteur : la sortir d'une poche, la déplier sans hâte, jeux d'ombres et de lumière sur le papier blanc et l'encre bleue. L'enveloppe qui avait été mise de côté fut, elle aussi, examinée. Désormais, le plaidoyer du chanoine Crosbie et les vœux inexprimés des Ryall n'étaient plus en conflit avec la timidité obstinée qui caractérisait la nature de Ralph. Et durant ces premières heures d'un état dans lequel tout était différent, ce lui fut un enchantement suffisant que de contempler quelques phrases brèves et l'écriture d'un nom.

« Avant de repartir pour toujours, venez dire au revoir. Revenez prendre le thé. Si cela vous fait plaisir. Lucy Gault. »

Et rien d'autre. Sauf l'adresse et la date en dessous : « 5 août 1936. »

V

Le jour où la lettre de Lucy Gault parvint dans la demeure sise au-dessus de la Banque d'Irlande, une nouvelle recrue arriva au camp militaire que longeait souvent Ralph, lors de ses promenades vespérales. L'officier de service vit un homme grand, les joues creuses et les yeux noirs, avec un regard d'une intensité qui se remarquait. Il eut l'impression que l'homme était perturbé mais, sachant que ce dernier avait été déclaré médicalement apte, qu'il avait été interrogé dans les règles et jugé digne de l'uniforme, l'officier tamponna les papiers où étaient notés des renseignements tels que le nom, l'âge et la période d'engagement. Il y avait une faute dans le nom dactylographié, signala la nouvelle recrue, et l'officier traça deux lignes pour barrer l'erreur et rectifia, écrivant : « Horahan ».

Plus tard, le nouveau soldat se retrouva seul dans un coin de la cour d'exercice. Il promena un regard circulaire autour de lui, sur les baraquements, les latrines, les hauts murs d'un terrain de handball, les soldats qui traînaient dans un coin. Il s'était enrôlé dans l'armée dans l'espoir que la discipline militaire et la bruyante vie communautaire, les pieds toujours en marche et une saine fatigue, lui seraient plus salutaires dans son affliction que la tâche solitaire du peintre en bâtiment ou le travail d'un porteur de gare. Sa mère, avec qui il avait vécu jusqu'à ce jour-là, avait pleuré quand il lui avait annoncé son intention. Elle s'était faite au changement qui s'était produit en lui quand il était encore employé à la gare. Malgré cela – ou peut-être à cause de cela, songeait-elle souvent –, c'était un bon fils, propre et ordonné dans ses habitudes, de plus en plus au fil des années. Qu'il se fût soudain mis en tête de s'enrôler dans l'armée avait été un choc aussi terrible qu'elle en avait jamais connu. Elle redoutait les risques inhérents à la vie militaire et considérait que son fils était impropre à y être exposé.

Dans la cour, la recrue interrogea des soldats qui se trouvaient là : où était la chapelle du camp ? Les hommes fumaient et prenaient leurs aises, le haut de leurs tuniques déboutonné. Comptant s'amuser aux dépens du nouveau venu, comme c'était l'usage dans le camp lorsqu'un visage était inconnu, ils l'envoyèrent dans la mauvaise direction, de sorte qu'il se retrouva en fin de compte devant un trou creusé dans le sol, à demi rempli des ordures du camp. Des essaims de mouches volaient autour ; un chien bâtard noir et blanc farfouillait parmi les boîtes de conserve et les os. Le nouveau soldat regarda autour de lui. Il était à la périphérie du camp, délimitée par des poteaux et du grillage. Il revint sur ses pas et, sans plus demander d'indications, il trouva seul le chemin de la chapelle, repérant à distance la croix de bois noir sur le toit.

Les lieux étaient vides, les bancs vernis paraissaient d'un jaune criard dans les rais de soleil. Le soldat trempa le bout des doigts dans le bénitier et se signa de la même main, adressant à l'autel ce geste de dévotion. Et puis il trouva ce qu'il cherchait : une Vierge Marie de plâtre devant laquelle brûlait une unique bougie. Là, il s'agenouilla et pria : puisse-t-il être récompensé de son service à la patrie par la paix de l'esprit, et que cessent ces rêves insistants qui l'oppressaient et le tourmentaient la nuit, qui hantaient son souvenir le jour. Il demanda l'intercession de la Vierge en sa faveur, proclamant son obéissance et la suppliant de prendre acte de sa triste situation. Mais le silence régnait dans la chapelle quand il eut fini, comme ç'allait être toujours le cas par la suite, dans les lieux où il prierait.

– Quoi ? demanda un autre soldat ce même jour.

La nouvelle recrue prétendit qu'elle n'avait pas parlé, sachant pourtant qu'elle l'avait fait.

– T'as dit quelque chose, mon vieux.

– Le pantalon, pendant combien de temps il gratte les jambes ?

– C'est pas ce que t'as dit.

Il le savait bien mais maintenant, son propos s'était perdu et demeurerait introuvable, car il ne s'en souvenait plus lui-même. Il n'y avait pas si longtemps, il avait peint les encadrements de fenêtres de la grande bâtisse de l'asile en brique de couleur douce, et les pensionnaires lui étaient devenus familiers. Que sa place fût à leurs côtés, qu'il pût un jour partager leur existence confinée : telle était sa hantise.

VI

Les chiens de la cour aboyèrent quand le bruit de la voiture se fit entendre, au loin. Ils bondirent, interrompant leur sieste sur les pavés chauds, au pied du poirier, mais furent renvoyés à leur place par l'index pointé d'Henry, qui savait qu'on attendait un visiteur cet après-midi-là et n'ignorait pas qui c'était. De l'arcade ouverte dans le mur séparant la cour du devant de la maison, il regarda les chiens obéir à son geste, puis se retourna pour s'adosser contre le flanc de l'arcade. Là-même où il s'était tenu, la fois où était apparue l'auto attendue aujourd'hui.

Henry n'avait pas soufflé mot en apprenant de la bouche de Bridget le retour du garçon venu ce jour-là. Son impassible visage était resté imperturbable, mais l'absence de réaction n'avait pas paru significative à son épouse, puisqu'il préférait souvent s'abstenir de commentaire quand on lui annonçait une nouvelle. Cette retenue, tantôt reflétait le cours des pensées d'Henry, tantôt masquait ce qu'il ne souhaitait pas révéler. Ç'avait été un masque quand on l'avait informé de la visite de Ralph.

Il leva la main gauche en guise de salut, pour répondre à celui de Ralph. De la droite, il remit ses allumettes et son paquet de Woodbine dans sa poche de pantalon. IF 19 : il remarqua le numéro, comme la dernière fois. Une grosse vieille Renault, que c'était.

Quelques dimanches plus tôt, après la messe à Kilauran, Henry avait posé des questions au sujet de la voiture. Il avait interrogé un cantonnier qui lui avait raconté que c'était l'auto de Mr Ryall. Une fois la semaine, celui-ci prenait le volant pour se rendre d'Enniseala à Dungarvan, à la petite succursale de la Bank of Ireland. Le cantonnier ignorait comment il se faisait que ce jeune homme – un inconnu, semblait-il – la conduisît. D'après ce qui était tombé dans l'oreille de Bridget la dernière fois que le jeune homme était là, il était enseignant, apparemment, mais on était loin d'avoir tous les détails de l'histoire.

– Le voilà, annonça Henry à la cuisine, se rendant compte que son épouse était aussi contente que lui ne l'était pas.

– De fait, il instruit les petits Ryall, expliqua Bridget. Elle me l'a raconté ce matin. Il loge à la banque.

– Alors, un de ces jours, il repartira d'où il a débarqué ?

– C'est pour ça qu'elle lui a écrit : pour l'inviter à revenir une fois, avant son départ.

– Il a des manières accommodantes.

– Oh, c'est un jeune homme bien.

– Ça, j'en sais rien.

Bridget était trop avisée pour continuer la discussion et elle se contenta de signaler :

– Elle a encore demandé qu'on serve un rayon de miel avec leur thé.

– Je vais dresser la table dehors.

Le garçon attendait, adossé contre le flanc de l'automobile. Henry traversa les graviers en portant la table en lattis et, comme la fois précédente, il la déplia sur la pelouse aux hortensias et en approcha les deux mêmes chaises peintes en blanc. Passant devant le jeune homme en regagnant la cour, il demanda :

– Vous venez d'Angleterre, monsieur ?

– J'habite près d'Enniscorthy. Je ne suis jamais allé en Angleterre.

– Ma foi, pourquoi vous vous embêteriez à ça ? lâcha Henry, approuvant du chef à contrecœur, avant de désigner l'auto de

Mr Ryall d'un signe de tête : Elle fonce comme vous voulez, hein ?

– Je ne conduis pas vite.

– Elle a juste les pare-chocs un petit peu cabossés, rien de plus. J'ai remarqué ça l'autre jour. Elle est bien entretenue.

– Oui.

– On aimerait que tout soit aussi bien entretenu. Moi-même, je m'occupe de conserver le cabriolet en bon état de marche. J'ai repeint le dog-cart, il y a une paire d'années, mais il est tout de même branlant.

On ouvrit le spider pour lui montrer le siège vert. Le capot fut déverrouillé et replié pour lui laisser inspecter le moteur. Henry hochait la tête, admiratif. Cette auto-là devait valoir un paquet !

– Elle appartient à Mr Ryall.

– Il paraît que vous habitez là-bas. Tenez, voilà la petite mam'selle qui vient vous chercher.

Henry s'éloigna lentement. Il se sentait mieux, maintenant qu'il avait eu cette conversation au sujet de la voiture. Il tendit l'oreille, les échanges étaient bredouillés, nerveux. Le garçon s'excusa d'être en avance ; cela n'avait pas d'importance, lui fut-il répondu.

– J'ai cru que vous étiez peut-être déjà reparti, fit Lucy. Que mon mot avait dû vous manquer.

– Il me reste quelques semaines encore à Enniseala.

– J'ai été contente de recevoir votre lettre.

« Je viendrai mercredi », avait écrit Ralph, se hâtant d'envoyer son message par le courrier du soir. Six jours s'étaient écoulés, pendant lesquels il avait imaginé ce qui se passait à présent. Tandis que César poursuivait la guerre des Gaules et que Jack perdait ses moyens devant la géométrie, Ralph s'était demandé si elle aurait toujours la même façon de sourire et avait décidé d'éviter que ne s'installent des silences. Cette fois, lui confierait-elle ce qu'il avait appris par d'autres, depuis leur dernière rencontre ? Cela l'ennuierait-il de l'entendre parler de lui ? Et des amis qu'ils s'étaient faits en pension ? Du commerce de bois et de la scierie dont il hériterait un jour ? Trouverait-elle quelque intérêt à cela, de même qu'il avait été intéressé par tout ce qui la concernait ?

– J'ai des ruches, annonça-t-elle. Je vous l'avais dit ?

– Non, vous n'en avez pas parlé.

– Je ne vous ai même pas dit mon nom. Mais maintenant vous le savez.

– Oui, en effet.

– Vous avez dû entendre parler des Gault.

– Oh, pas beaucoup.

Ça paraissait naturel de nier qu'on jasait. Pourtant, il aurait aimé confier que, loin d'avoir un effet négatif sur son attachement, l'histoire connue de tous à Enniseala le renforçait. Mais c'était impossible, car elle ignorait son attachement. Il ne pouvait même pas prétendre qu'étant proche encore de l'enfance, il sentait ce qu'avaient été ses émotions de petite fille, lorsqu'on avait trouvé normal qu'elle dût – sans protester – abandonner ce qu'elle aimait. Il l'imagina à cette époque-là, la vit clairement, telle qu'elle avait dû être, et se souvint de son propre sentiment d'impuissance, à la pension où il aurait dû être heureux, l'avait-on assuré : l'oreiller trempé de larmes, la maison à laquelle il avait été arraché lui semblant un paradis qu'il avait trahi, par manque de cette affection qui était son dû. Qu'il était doux le câlin de bonne nuit de sa mère dans le noir étranger ! Si musical, le bruit de la scierie paternelle ; si gai, le feu dans la cheminée de sa chambre à coucher, si moelleux le tapis de l'escalier ! Mais l'enfer qui avait fracassé ses illusions ne s'était pas encore pleinement révélé à lui : étaient évoquées d'un ton sinistre des variantes de l'inconfort, du froid et de la discipline imposée au moyen de la réprobation. Sans compter le porridge brûlé du matin. Et la soupe aux choux qui pue.

Dans le silence qui s'était installé tandis qu'ils restaient debout près de la voiture, Ralph avait envie de dire qu'il connaissait les pièges de l'enfance ; que sa propre expérience était minime, il le savait, au regard de ce que continuait à vivre la jeune fille qu'il croyait aimer. Sa commisération participait de l'amour, aussi tendre que son penchant pour elle.

– Voulez-vous voir les ruches ?

Elle portait une autre robe blanche, avec des manches mi-longues, un col différent aussi. Et un collier de petites perles, ou de ce qui y ressemblait.

– Oui, s'il vous plaît, répondit-il, et ils passèrent ensemble sous l'arcade spacieuse, traversèrent la cour pour gagner le verger.

Un des chiens de berger les suivit, l'autre paressait toujours sous le poirier.

– *Beauty of Bath*, indiqua-t-elle, désignant des pommes pas encore mûres, en grappes sur de vieilles branches tordues. *Kerry Pippins, George Cave*.

Elle désigna une rangée de ruches mais ne voulut pas qu'il s'en approchât davantage.

– C'est charmant, ce verger, constata-t-il.

– Oui, c'est vrai.

Ils poursuivirent au-delà, vers un jardin à l'abandon, flanqué de serres effondrées et de framboisiers retombés à l'état sauvage. Ils émergèrent de l'autre côté de la maison, là où commençait la clôture du champ dans lequel ils se trouvaient.

– Et si on allait se promener ?

C'est alors que Ralph l'appela « Lucy » dans sa tête – la première fois que ça lui arrivait en sa compagnie. « Lucy Gault » : il vit son nom écrit, tel qu'elle l'avait calligraphié. Aucun nom n'eût pu mieux convenir.

– Oui, bien sûr.

Ils marchèrent de champ en champ, puis en longèrent un où poussaient des pommes de terre.

– Il appartient aux O'Reilly, précisa-t-elle.

Elle passa la première pour descendre les falaises et marcher sur les galets jusqu'au sable lisse et mouillé qu'arpentaient les mouettes, possessives. La marée avait laissé des frondes d'algue. Çà et là pointaient des coquillages ensablés. Lucy parla :

– Vous pensez : « Cette fille est infirme ».

– Non, je ne le pensais pas.

– Mais vous l'avez remarqué, naturellement.

– Ça ne se remarque pas beaucoup.

– Tout le monde le remarque.

Elle était encore plus elle-même avec sa claudication. Il savait comment c'était arrivé. A Mrs Ryall qui le questionnait, il avait déclaré que ce n'était pas déplaisant, pas le moins du monde. Il aurait pu le répéter maintenant, mais la timidité l'en empêcha.

– Là, c'est Kilauran, fit-elle en désignant la jetée au loin et les maisons derrière, son doigt tendu si fluet et délicat qu'il éprouva une forte envie de lui prendre la main et de la serrer dans la sienne.

– Je crois que je l'ai visité.

– Je suis allée à l'école à Kilauran. Notre temple est une hutte de tôle ondulée.

– Il me semble l'avoir vue.

– Je ne vais jamais à Enniseala.

– Vous n'aimez pas Enniseala ?

– Je n'ai pas de raison d'y aller.

– Je pensais que je vous y croiserais peut-être dans les rues, mais non…

– Et que faites-vous à Enniseala ? Comment est-ce, là où vous logez ?

Il décrivit la maison, au-dessus des bureaux de la banque. Il lui parla de ses balades dans les rues, quand il avait le loisir de se promener le soir ; lui raconta que, souvent, il s'asseyait pour lire dans le kiosque à musique ou dans le bar désert du Central Hotel, ou alors il flânait sur la promenade.

– Ça vous ennuie que je vous aie invité à revenir prendre le thé ? C'est rasoir ?

– Naturellement que ça ne m'ennuie pas. Et ce n'est pas rasoir, naturellement.

– Pourquoi « naturellement », Ralph ?

C'était la première fois qu'elle l'appelait Ralph. Il avait envie qu'elle recommençât. Avait envie de rester sur cette plage pour toujours, parce qu'ils y étaient seuls.

– Parce que c'est ce que je ressens. Ça ne pourrait pas être rasoir, impossible. C'était délicieux de recevoir votre lettre.

– Il ne vous reste que peu de semaines : combien ?

– Trois, avant que les garçons rentrent en classe.

– Comment sont-ils, les garçons ?

– Oh, ils ne sont pas mal. Moi, je suis un piètre professeur, c'est l'ennui.

– Alors qu'êtes-vous ?

– Rien, en fait.

– Oh, on ne peut pas être « rien ».

– Mon père a une scierie. Je me retrouverai propriétaire de l'affaire à mon tour. Enfin, je suppose.

– Vous ne le voulez pas ?

– Je n'ai pas de vocation par ailleurs. J'ai essayé de vouloir être des tas d'autres choses.

– Qu'avez-vous « essayé de vouloir être » ? Acteur ?

– Oh, juste ciel, je serais incapable de jouer la comédie !

– Pourquoi ?

– Ce n'est pas mon genre.

– Ça pourrait l'être.

– Je ne le crois pas du tout.

– Moi, j'essaierais tout. J'essaierais les planches, j'essaierais d'épouser une riche héritière. Comment s'appellent-ils, ces enfants que vous instruisez ?

– Kildare et Jack.

– Kildare, comme c'est bizarre ! Quel drôle de nom !

– C'est de famille, je crois.

– Il y a eu les comtes de Kildare. Et puis, il y a le comté.

– Une ville, aussi.

– J'ai un oncle Jack, aux Indes. Le frère de mon père. Je ne me souviens pas de lui. Vous savez combien de livres il y a à Lahardane ?

– Non.

– Il y en a quatre mille vingt-sept. Si vieux, pour certains, qu'ils tombent en morceaux. D'autres n'ont jamais été ouverts. Savez-vous combien j'en ai lu ? Pouvez-vous deviner ?

Ralph fit non de la tête.

– Cinq cent douze. Hier soir, j'ai fini de relire *Vanity Fair*.

– Je ne l'ai même pas lu une fois.

– C'est très bien.

– Je le lirai un de ces jours.

– Il m'a fallu des années pour lire tous ces livres. J'ai commencé quand j'ai eu fini ma scolarité.

– Je n'ai pas lu grand-chose, par comparaison.

– Parfois, il y a des méduses échouées par ici. Pauvres petites créatures, mais elles piquent si on les ramasse.

Ils marchèrent parmi les mares d'eau dans les rochers, peuplées d'anémones et de crevettes. Le chien qui les avait suivis fouillait les amas d'algues avec la patte.

– Ça vous paraît étrange que j'aie compté les livres ?

– Non, pas du tout.

Il l'imagina en train de compter, frôlant d'un doigt le dos de chaque livre d'un rayon de bibliothèque, pour recommencer sur le rayon d'en dessous. La dernière fois, on ne l'avait pas invité à entrer dans la maison. Il se demanda si, aujourd'hui, il visiterait les chambres et il espéra que oui.

– Je ne sais pas pourquoi je les ai comptés, reprit-elle, ajoutant quand un silence se prolongeait : Je pense que maintenant, on devrait rentrer. Voulez-vous qu'on reparte se promener ailleurs, après le thé ?

Si seulement elle n'avait pas parlé des livres ! Elle n'en avait pas eu l'intention. Elle avait juste voulu mentionner *Vanity Fair*, peut-être pour attirer l'attention sur le nom de William Makepeace Thackeray, car Makepeace était aussi original que Kildare et elle en aimait le rythme. Ça faisait bizarre de compter quatre mille vingt-sept livres. Et pourtant, il l'avait nié d'un signe de tête très ferme, quand elle lui avait posé la question.

Elle coupa la génoise que Bridget avait confectionnée et se

demanda si elle aurait dû acheter un gâteau roulé Scribbins, comme on en trouvait parfois à Kilauran. La génoise était un peu collante, le couteau ne glissait pas à travers aussi aisément qu'il l'aurait dû. Bridget avait la main lourde en pâtisserie, mais jamais avec le pain.

– Merci, dit-il, prenant la tranche qu'elle avait faite.

– Ce ne sera peut-être pas fameux.

– C'est délicieux.

Elle lui versa le thé, le lait, puis se servit. Que devrait-elle dire quand il y aurait un silence ? Ce matin, elle avait réfléchi à des questions, mais elle lui avait déjà posé celles qui lui étaient revenues à l'esprit.

– Vous êtes content d'être venu à Enniseala, Ralph ?

– Oh oui. Oui, en effet.

– Êtes-vous vraiment un piètre professeur ?

– Bon, je n'ai pas appris grand-chose aux petits Ryall.

– Peut-être ne veulent-ils pas apprendre grand-chose.

– Oui, c'est vrai. Rien du tout.

– Alors, ce n'est pas votre faute.

– J'ai une conscience.

– Moi aussi.

Cette remarque n'était pas intentionnelle non plus. Elle était bien décidée à ne pas parler de sa conscience. C'était sans intérêt pour un inconnu, et elle en dirait trop long.

– Je ne pourrais pas instruire des garçons, ajouta-t-elle.

– Probablement que si. Aussi bien que moi.

– Je me rappelle Mr Ryall. Avec sa moustache.

– Les Ryall ont été gentils avec moi.

– Il y a un homme chez Domville dont j'ai souvenir. Un homme filiforme et très grand, avec un nœud de cravate très serré au col. Je savais son nom mais il m'échappe.

– Je ne suis jamais allé chez Domville.

– Il y a un petit train qui passe au-dessus de votre tête et des boules de bois qui vous rapportent votre monnaie. Vous vous demandez pourquoi je porte des robes blanches ?

– Euh…

– C'est ma couleur préférée. C'était aussi celle de ma mère.

– Le blanc, votre couleur préférée ?

– Oui, c'est vrai.

Elle lui offrit un autre morceau de génoise mais il fit non de la tête. Elle aurait découpé le roulé Scribbins en tranches qu'elle aurait elle-même disposées. Un roulé au chocolat fourré à la vanille, ou simplement à la confiture, si c'était tout ce qu'il y avait.

– Racontez-moi comment c'est, Enniseala.

De quoi entretenir la conversation : le pensionnat des sœurs sur une colline, le cinéma, la longue grand-rue, le petit phare. Ensuite, elle apprit que Ralph aussi était enfant unique. Le comptoir des bois et la scierie de son père lui furent décrits, ainsi que la maison de famille, près d'un pont, non loin de la scierie.

– Et si on retournait dans la vallée ? demanda-t-elle quand ils eurent fini de prendre le thé. Comme la dernière fois ? Ce serait barbant ?

– Non, bien sûr que non, répondit-il, enchaînant : Ça ne se remarque guère que vous boitez. Ce n'est presque rien.

– Voulez-vous revenir mercredi prochain ?

VII

L'orphéon jouait sur la vaste piazza de Citta Alta. Les tables à l'extérieur du seul *ristorante* de la place étaient ombragées par un auvent vert et blanc. *Il Duce* était arrivé, *Il Duce* était en route : la confusion régnait jusqu'à ce que montent les acclamations, de la via Garibaldi et de la piazza della Republica. *Il Duce* était bien là.

– *La Tosca*, releva le capitaine mais la musique d'opéra s'arrêta.

Balayant la piazza d'un ample geste de la main, le chef d'orchestre intima le silence, bien que les lieux fussent presque déserts. Et entama *Il Duce*.

– *Ecco !* murmura un vieux garçon de café lent, comme s'il parlait dans son sommeil. *Bene, bene*, souffla-t-il en versant ce qui restait du Barolo.

Et dans la ville neuve, en bas, le même air résonna – un disque –, amplifié afin que tout le monde sût, partout, qu'enfin *Il Duce* était là.

Héloïse n'avait pas parlé depuis qu'on les avait installés à leur table, sous l'auvent. Elle n'avait rien dit pendant qu'on leur servait les plats du déjeuner qu'ils avaient commandé, ni pendant qu'elle taquinait son assiettée, la laissant pour l'essentiel intouchée. C'est un mauvais jour, songeait le capitaine. Comme toujours ces jours-là, il y avait dans les yeux d'Héloïse le lancinant rappel de ce qui couvait au tréfonds de sa mélancolie. Elle tenta de lui rendre son sourire mais n'y parvint pas. Il ne savait que trop bien ce qu'elle voyait : leur enfant laissant les vagues en faire à leur façon, sans résister, car ainsi en avait-elle décidé, leur fille. Les mauvais jours, il avait l'intuition aiguisée : il savait. La pression de ses doigts se voulait négation des peurs d'Héloïse mais ne suscitait pas de réaction en retour, pas de battement de vie dans la main qu'il avait prise et qu'il tenait encore. Aucun signe que, cette fois, il avait réussi à dissiper la pire des éventualités.

Un chien jaune traversa la piazza, seule créature présente à part les musiciens de l'orphéon, le garçon et les occupants de la table sur le trottoir. Le garçon avait défait un de ses deux boutons de col, sous son nœud papillon noir. Efflanqué et apparemment affamé, le chien répandit le contenu d'une poubelle. Simples musiciens du dimanche jouant paresseusement leurs airs d'opéra, les orphéonistes en uniforme blanc avaient acquis une note d'arrogance dans l'exécution, comme si, déjà, ils défilaient en terres conquises.

– *Va' via! Va' via!* criait le vieux garçon au chien. *Caffè, signore?*

– *Si. Per favore.*

Il l'aimait, plus qu'il n'avait jamais aimé quiconque mais aujourd'hui, comme si souvent déjà par le passé, elle s'attelait seule à l'effort auquel il ne pouvait l'aider. Combien de temps faudrait-il pour que l'Italie ne soit plus un pays où l'on pût trouver refuge ? Elle posa calmement la question.

Il hocha la tête. Des acclamations fusèrent de quelque part et quand elles cessèrent, une voix résonna à travers les haut-parleurs, bruyante et excitée, son message souvent ponctué d'un claquement qui évoquait celui d'un poing sur une paume. *Morte! Sange! Vittoria! Vittorioso!* Les mêmes exhortations étaient répétées, elles aussi semblables à des ponctuations. A l'autre bout de la piazza, le chien se grattait pour se débarrasser de ses puces.

– Oui, l'Italie risque bientôt de ne plus vouloir de nous non plus, reconnut-il, songeant de nouveau qu'il l'aimait tant.

Ils restaient couchés dans les bras l'un de l'autre, ils parlaient, elle lui lisait un passage qui lui plaisait dans un livre, ils étaient compagnons de route dans leurs voyages et pourtant, les jours comme celui-ci, elle n'appartenait qu'à elle-même.

– Je t'en prie, ne me demande pas d'y retourner, murmura-t-elle d'une voix si basse, si dénuée d'expression que les mots étaient à peine distincts.

VIII

Quand Ralph eut passé deux autres mercredis après-midi à Lahardane, qu'on lui eut fait visiter la maison, qu'il fut allé de pièce en pièce, qu'il eut vu les livres de plusieurs bibliothèques, le jeu de bagatelle dans un coin du salon, le billard sur le dernier palier, Lucy suggéra :

– Vous ne voulez pas rester un peu, quand vous en aurez terminé avec les garçons ?

– Rester ici ?

– Ce n'est pas comme s'il n'y avait pas la place.

Son préceptorat s'acheva à la fin de la première semaine de septembre. Un soir, veille du jour où les enfants devaient repartir en pension, Mr Ryall lui solda ses gages et porta les deux valises de Ralph jusqu'à l'auto pendant que le jeune homme faisait ses adieux à Mrs Ryall et aux garçons. Sur le chemin de Lahardane, Mr Ryall nota :

– C'est bien de votre part de vous lier d'amitié avec elle.

– Ce n'est pas vraiment lier amitié, en fait.

– Bon…

A Lahardane, Mr Ryall déclara :

– Lucy, je ne vous avais pas revue depuis que vous étiez une petite fille de huit ou neuf ans.

Elle sourit, sans préciser si elle se rappelait ou non l'occasion et, l'auto repartie, elle ouvrit la marche et monta le grand escalier pour gagner la chambre destinée à Ralph. C'était une pièce carrée et spacieuse, dotée d'une toilette d'acajou dans un coin, d'une armoire et d'une commode, d'une courtepointe blanche sur le lit, de gravures de Glengarrif dans des cadres sombres, aux quatre murs. Les fenêtres donnaient sur la mer, par-dessus les prés où pâturaient les bêtes.

– Il ne se passera rien si vous tirez sur cette sonnette, l'avertit Lucy.

Bridget avait rouvert la salle à manger pour cette visite et l'avait aérée. Elle avait ciré la longue table, l'avait recouverte d'une nappe pliée et rangée depuis des années. Il y avait de l'excitation dans son pas quand elle allait de-ci de-là avec des plateaux et des couverts, les joues rosies, arborant chaque jour un tablier blanc propre et empesé.

– Bridget prend plaisir à se mettre en quatre, releva Lucy, et Ralph répondit qu'il l'avait remarqué.

Il aimait ces repas ensemble. Lorsque la porte de la salle à manger se refermait sur Bridget, il imaginait comment ce serait s'ils étaient mariés. Il aimait tout de Lahardane : la situation, la maison même, les descentes à la plage, tôt le matin ; se faire montrer les arbres sur lesquels étaient gravées les initiales L. G. Il aimait les moments où ils se couchaient dans l'herbe au bord de la rivière et où ils la traversaient à gué. Il aimait ce qu'elle aimait, comme si l'inverse eût été anormal.

– Je vais vous montrer autre chose, annonça-t-elle, et elle l'amena au cottage en ruine, vers le haut de la vallée. Henry vous parlera de Paddy Lindon.

Ralph comprit sans qu'on le lui dît que c'était l'endroit jusqu'où elle avait clopiné, enfant, et il l'imagina là, terrorisée, affamée, seule. Il avait envie de la questionner sur cette période-là mais ne le pouvait, car elle n'y avait jamais fait la moindre allusion, sauf pour mentionner sa claudication. Sur la plage, elle parla du chien sans nom qui avait fini par s'enfuir, mais sans évoquer le rôle qu'il avait joué dans ce qui s'était passé. Quand ils tournèrent les pages de l'album de photos au salon, il distingua à travers une brume sépia un couple debout près d'un landau, parmi les pommiers. Il s'arrêta sur l'un des clichés de l'album et l'examina d'un regard plus soutenu qu'à l'accoutumée, mais Lucy ne fit pas de commentaire.

Un jour, dans les bois, elle déclara de but en blanc : « Il faut qu'on rentre », comme si elle sentait l'envie qu'il avait d'entendre ce qu'elle eût pu dire, et la redoutait. Mais l'envie qui était née ne disparut pas, et Ralph se demanda si ce serait jamais plus qu'une envie. Se demanda aussi s'il la prendrait un jour dans ses bras, s'il caresserait de ses lèvres ses pâles cheveux lisses, son cou, ses joues, ses bras constellés de taches de rousseur, son front, ses yeux clos, ses lèvres. Se demanda si son désir de le faire serait tout ce qui existerait jamais.

– Vous ne devez pas quitter Lahardane avant d'avoir terminé *Vanity Fair*, décréta-t-elle.

– Je ne l'ai pas encore commencé.

– Il faudra qu'on en discute quand vous l'aurez terminé. Et cela prendra du temps aussi.

Parfois, au cours de leurs promenades, les dos de leurs mains se frôlaient un instant, ou leurs paumes mouillées se saisissaient l'une de l'autre pour la traversée du gué. Il y avait un mur de pierre difficile à franchir et, là encore, on était proches.

– Le livre fait six cent quarante-deux pages.

Jamais ils ne se seraient connus, s'il ne s'était pas égaré. Lucy essaya de réfléchir à cela, au fait qu'ils auraient pu ne jamais se rencontrer, qu'elle aurait pu ne pas savoir que Ralph existait. Elle avait l'impression qu'il était arrivé de nulle part ; repartirait-il nulle part en quittant Lahardane, pour ne plus revenir ? Jamais elle ne l'oublierait. Toute sa vie, elle se rappellerait ces mercredis après-midi et le temps qui s'écoulait présentement. Et si elle se prenait à croire, l'âge venu, que Ralph et cet été-là n'avaient été que le fruit de son imagination, peu importerait car, de toute façon, le temps change les souvenirs en chimères.

– Que souhaiteriez-vous le plus au monde, Ralph ?

Il se baissa et ramassa un galet dans le sable pour faire des ricochets sur l'eau. Deux fois, puis trois encore, la pierre frisa la surface de la mer et rebondit. A présent, il était moins timide dans son comportement parce que, supposa-t-elle, il la connaissait mieux ou croyait la connaître mieux. Sa timidité et sa douceur : voilà ce qu'elle aimait chez lui.

– Oh, que chaque jour il n'y ait rien à faire, je suppose.

– C'est une chose que j'ai.

– Eh bien, vous avez de la chance.

– Vous allez me manquer quand vous serez parti. Je doute que vous reveniez jamais.

– Si l'on m'invite…

– Vous avez des choses à faire.

– Quelles choses ?

– Bon, tout, quand on y réfléchit.

Ils se baignèrent, comme ils le faisaient deux fois par jour, puis marchèrent jusqu'à Kilauran. Ils escaladèrent les rochers pour gagner la jetée. Il n'y avait personne là, pas plus que dans la rue du village.

– C'est ici que je suis allée à l'école, expliqua Lucy.

Ils lorgnèrent à travers une fenêtre, puis une autre. Les cartes et les panneaux luisaient toujours au mur, à côté des portraits de rois et de reines appartenant à Mr Aylward : Guillaume le Conquérant, la reine Maeve[1] et l'empereur Constantin. Soit x = 6, était-il écrit au tableau noir.

– Maintenant, je vous ai tout montré, constata Lucy.

Ce jour-là, Ralph l'embrassa. Sur le chemin du retour à Lahardane, il lui prit la main sur les galets, au pied de la falaise, et l'attira maladroitement à lui. Ils ne parlèrent pas.

Ils rentrèrent ensuite par le petit raidillon familier. Dans le champ des O'Reilly, les pommes de terre avaient été récoltées. Seuls restaient çà et là les tiges et le feuillage qui flétrissaient.

– Lucy, je t'aime, déclara alors Ralph. Je suis amoureux de toi.

1. Maeve, reine de Connaught, héroïne d'une épopée irlandaise des VIIe et VIIIe siècles.

Elle ne répondit pas. Elle détourna les yeux, lâchant au bout d'un moment :

– Oui, je sais, fit-elle, ajoutant après un nouveau silence : Ce ne serait pas une bonne chose qu'on s'aime.

– Et pourquoi ?

– Je ne suis pas quelqu'un qu'on peut aimer.

– Oh, mais si, Lucy ! Si seulement tu savais à quel point !

Ils ne s'étaient pas arrêtés et ne le firent pas alors. Lentement, ils continuèrent à marcher et, quand Ralph chercha de nouveau la main de Lucy, elle ne se déroba pas.

– Je t'ai aimée dès la première fois que je suis venu ici. Je t'ai aimée un peu plus à chaque instant, depuis que je te connais. Je n'ai encore jamais aimé personne. Et jamais je n'aimerai quelqu'un d'autre. Je ne pourrais pas.

– Tu ne m'as pas dit si tu avais fini *Vanity Fair*. Nous n'en avons pas discuté. Il faut qu'on en parle avant ton départ.

– Je ne veux plus jamais repartir. Je ne veux plus jamais être sans toi, pour le restant de mes jours.

Quand Lucy hocha la tête, Ralph comprit : ce n'était pas en signe de dénégation de ses propos, pas non plus une façon de mettre en doute la passion présente dans sa voix, dans ses yeux. Elle hochait la tête pour protester devant la folie de son espérance débridée. Rien de tel n'était possible, réitérait-elle par sa muette réaction, réaffirmant ainsi ses paroles antérieures : elle n'était pas quelqu'un qu'on pût aimer.

– Tu es le premier ami que j'aie, Ralph. Je n'ai pas eu d'amitiés, pas comme les autres gens. Du moins, comme les gens dans les romans.

– Je ferais n'importe quoi pour toi.

– Parle-moi un peu plus de l'endroit où tu habites, de la maison et de tout le reste. Pour que je sache, quand tu seras reparti.

– Oh, Lucy, c'est juste banal !

– Raconte quand même.

Ralph s'exécuta, dérouté et malheureux. Il décrivit la maison et, au-delà du pont visible des fenêtres de sa chambre, le *Logan's Bar and Stores* où l'on vendait aussi bien de la quincaillerie que des provisions. Il n'avait jamais imaginé faire autre chose qu'hériter de la scierie et continuer de vivre dans cette maison de deux étages, en bord de route, ramassée et couverte de vigne vierge. Dans un champ proche du pont, il y avait une sorte d'abbaye dont il ne restait pas grand-chose.

– Qu'est-ce qu'il en reste ?

– Juste une tour, ou même une partie. Guère plus.

– Quel dommage !

– Je crois qu'il y a aussi des tombes de moines. Paraît-il.

– Tu y vas parfois, Ralph ?

– Il n'y a pas grand-chose à voir là-bas.

– Pour regarder les tombes.

– Non, je ne fais pas ça.

– Moi, je le ferais.

– Lucy…

– On te connaît, au magasin Logan ?

– Me connaît ?

– On sait qui tu es ?

– On m'a toujours vu dans le coin.

– Parle-moi de ta pension.

– Oh, Lucy…

– S'il te plaît, raconte-moi. S'il te plaît, Ralph.

– J'en ai eu deux.

Et Ralph décrivit la première, où il s'était tant langui d'être à la maison : la bâtisse grise sur une place de Dublin, les sorties à la queue leu leu dans les rues vides, le dimanche ; la soupe aux choux.

– Ça ne pouvait pas être de la soupe aux choux. Ça ne se peut pas.

– On l'appelait comme ça.

– Et, tu en mangeais aussi dans l'autre école ?

– La deuxième pension était mieux. Je n'avais rien contre.

– Et pourquoi pas ?

– Je ne sais pas.

– Parle-moi de cette école-là. Raconte-moi tout.

– Elle était en dehors de Dublin, dans la montagne. On portait des toges. Les lauréats qui remportaient une bourse en avaient de spéciales, plus volumineuses.

– Tu étais un élève lauréat ?

– Oh, non.

– Tu étais bon en quoi ?

– Pas grand-chose. Personne ne se souviendrait encore de moi là-bas.

– Tu participais aux sports ?

– C'était obligatoire.

– En quoi étais-tu fort ?

– Je n'étais pas mauvais en tennis.

– C'est pour ça que tu n'as pas autant détesté cette école-là ?

– Oui, peut-être. Ça t'a ennuyée que je t'embrasse ?

– Maintenant, il faut rentrer. Non, ça ne m'a pas ennuyée.

Le repas devant lequel Henry s'attablait le soir à la cuisine était semblable à son petit déjeuner et ne variait jamais : des œufs au plat, du pain frit, une lanière de bacon. Arrosé de thé qu'Henry buvait fort et sucré, avec du lait.

Ce dîner n'eut rien de différent de l'habitude, le soir du jour où Ralph avait avoué son amour, à part ce qui fut dit au cours du repas. Henry avait remarqué un changement dans le comportement de Ralph – et dans celui de Lucy aussi –, une heure plus tôt, lorsque ceux-ci avaient traversé la cour. Ils étaient décontenancés, affectés par ce qui était manifestement une affaire personnelle, ne parlant guère ni l'un ni l'autre. Henry se demanda s'ils s'étaient disputés mais Bridget, qui avait plus tard perçu cette même ambiance, avait plusieurs fois noté les regards que Ralph adressait à Lucy, attablée en face de lui à la salle à manger, et elle avait pressenti la nature des sentiments du jeune homme : la différence venait de ce que, maintenant, il en avait parlé.

A la cuisine, Bridget avança cette hypothèse, mais se trouva à court d'idées quand elle essaya de deviner ce qu'il adviendrait ensuite. Leur visiteur quitterait Lahardane et les jours d'automne raccourciraient jusqu'à ce que la saison laissât place à l'hiver. Noël passerait, puis les premiers mois de la nouvelle année apporteraient les pires intempéries. Reviendrait-il à Enniseala quand poindrait un nouvel été ? Le reverrait-on ici, à Lahardane ? Ou bien le temps aux desseins capricieux le leur déroberait-il en douce ?

Il y avait souvent des moments à Lahardane où Bridget eût encore volontiers réconforté Lucy, comme elle l'avait fait pour le nourrisson, puis l'enfant. Toujours si près et pourtant pas du tout proche, la solitaire silhouette lisait à la lumière de la lampe ou dans le verger aux pommiers, se baladait seule dans les bois de la vallée et sur le bord de mer, et avait pour amis un robuste notaire et un pasteur avancé en âge. Quand une lettre arrivait à la maison, il y avait encore une attente, encore un espoir, mais seulement dans l'instant qui précédait l'examen de l'enveloppe. L'enveloppe était toujours révélatrice.

– Tu as plutôt raison, confirma Henry, usant d'un hochement de tête approbateur pour mettre chaque mot en place, les impressions de Bridget éveillant chez lui un regard rétrospectif. Et ce n'est peut-être pas une mauvaise chose, en fin de compte, conclut-il après avoir fini son thé et repoussé sa tasse.

Bridget, qui débarrassait la table, ne s'étonna pas de ces propos : elle avait su qu'elle les entendrait à plus ou moins brève échéance. Mais elle ne réagit pas à ce revirement de sentiments de son époux car, que dire, sinon se répéter ? La situation survenue cet été : voilà où tremblotait à présent une lueur d'espoir.

– Elle les a déjà perdus ! Même s'ils revenaient demain.

Économisant une allumette, Henry alluma sa Woodbine à un tison du fourneau. Il ignorait que ses sentiments étaient paternels, conscient seulement de son désir de protéger l'enfant du capitaine, et de la suspicion que lui inspirait – comme à un père – l'affection d'un inconnu. Pourtant, à la faveur du séjour de Ralph dans la maison, Henry s'était mis peu à peu à l'aimer davantage qu'au début. Il en disait donc bien plus long que ses paroles en déclarant que ce n'était pas une mauvaise chose, ce qui était arrivé. Ce n'était pas mal que la fille du capitaine fût soustraite à ces lieux, enfin éloignée des ténèbres qui s'accrochaient à la demeure.

Il plut cette nuit-là, et toute la journée du lendemain. Ils jouèrent au jeu de bagatelle et Lucy commença la conversation qu'elle souhaitait avoir à propos de *Vanity Fair*. Et puis ils refirent une partie de bagatelle. Ralph déclara :

– Je t'aime, Lucy.

Elle ne lui rappela pas qu'il le lui avait déjà dit, et plus d'une fois. Doucement, du bout des doigts, elle lui caressa la main. Lui caressa les cheveux.

– Cher Ralph, souffla-t-elle, il ne faut pas m'aimer.

– Je n'y peux rien.

– Un jour, quand tu te marieras, tu veux bien m'écrire pour me l'annoncer ? Pour que je le sache et que je puisse imaginer cela aussi. Et tu m'écriras à la naissance de chaque enfant ? Et tu me diras le nom de ta femme, avec une petite description ? Pour que je puisse toujours te voir, toi, ta femme et les enfants, dans la maison à côté de la scierie. Tu me le promets, Ralph ?

– C'est toi que je veux épouser.

– Tu m'oublieras. Tu oublieras cet été. Il s'effacera, il deviendra des ombres, les voix seront des murmures que tu ne pourras plus entendre. Maintenant – ce présent dans lequel nous sommes là, assis –, est une réalité qui ne durera pas, qui n'est pas faite pour cela. Cette pièce, tu ne la verras pas plus clairement que je ne vois les visages qu'on me dépeint dans les romans. Tu rêveras de Lahardane, Ralph, une fois de temps en temps ; ou jamais, peut-être. Mais si tu fais ce rêve, moi, je serai déjà un fantôme.

– Lucy…

– Oh, je rêverai de toi, de toutes les fois où tu es venu ici, de ces jours que nous passons présentement, de ce moment même où le jeu de bagatelle est devenu ennuyeux car nous l'avons trop prolongé. Je rêverai que je vais te dire d'ici un instant : « Et si on jouait plutôt au vingt-et-un ? »

– Pourquoi dis-tu que je ne dois pas t'aimer ?

– Parce que m'aimer te rendra malheureux.

– Mais non, ça me rend heureux !

– Et si on jouait au vingt-et-un ? Il va continuer à pleuvoir.

– On pourrait marcher sous la pluie. Au moins dans l'allée.

Les arbres les abritaient un peu. L'air était frais ; un air délicieux, comme le qualifia Lucy. Ils s'attardèrent dans l'allée ; s'attardèrent encore, debout sous le porche du pavillon de gardien.

– Je t'aime aussi, évidemment, si tu t'interroges à ce propos, déclara Lucy.

Bridget alluma un feu au salon, sentant qu'il fallait faire quelque chose de gai. Il pleuvait plus fort à présent, des gouttes ruisselaient sur les carreaux. Vinrent les premières rafales de vent, et la pluie tomba différemment. Le vent était léger quand il se leva, mais dans l'heure qui suivit, il changea l'atmosphère de la journée. Il décrochait les feuilles, les faisait tournoyer avant qu'elles s'immobilisent, trempées. Faisait vibrer la porte d'entrée et les fenêtres. Précipitait des trombes d'eau contre les vitres, dérangeant les gouttes qui s'y étaient accumulées avant de glisser sur le verre avec monotonie. La mer devait être un fameux spectacle, releva Henry.

Au salon, ils firent des toasts sur le feu, poussant leurs tranches de pain dans les braises. Ils lurent, assis sur le tapis devant la cheminée.

– Qui c'est ? demanda Ralph, à propos du seul portrait de la pièce, au-dessus du bureau.

C'était un Gault dont elle ne savait rien, répondit Lucy. Elle remonta le gramophone, mit un disque. John Count McCormack chanta : *Down by the Salley Gardens*.

Ils partirent regarder la mer, le vent si fort à présent qu'ils pouvaient à peine s'entendre. Les vagues se cabraient, tels des chevaux blancs, formes spectrales explosant pour devenir écume, l'une pourchassant l'autre, tandis qu'elles déferlaient. Le furieux fracas de l'océan avalait le vagissement du vent, sonorité littorale sans égale ailleurs.

Lorsqu'ils s'étreignirent à la lisière des flots, chacun goûta le sel sur les lèvres de l'autre. Trempés, les cheveux de Lucy tombaient en mèches désordonnées et emmêlées, ceux de Ralph étaient plaqués contre son crâne. L'excitation de la tempête les tenait sous son empire, autant que leur amour. Goûterait-elle encore un tel bonheur dans son existence ? songeait Lucy.

– Comment pourrions-nous oublier aujourd'hui ? murmura-t-elle sans être entendue.

– Jamais je ne pourrais ne pas t'aimer, chuchota Ralph dont les paroles se perdirent aussi.

Ils se séchèrent devant le feu du salon. Bridget leur apporta un plateau, car il faisait plus chaud là qu'à la salle à manger. Les voyant heureux, elle se rappela que, dans quelques jours, Ralph ne serait plus là. Elle ne pria pas – ce n'était pas un sujet de prière – mais sa volonté projeta l'existence d'un moment dans l'avenir et elle les vit là, souriants, dans une pièce, puis dans une autre ; elle les entendit parler d'amour et les vit ensemble à jamais.

– Regarde, c'est du saumon en boîte ! s'exclama Lucy.

Ça avait dû figurer sur la liste d'Henry pour Mrs McBride : du saumon rose John West, une gâterie car c'était cher. Il y avait aussi les minuscules tomates sucrées qu'Henry cultivait dans la serre qu'il avait ressuscitée quelques années auparavant. Ils firent une salade, avec de la laitue, des petits oignons, des tranches d'œuf dur.

– Et si on prenait du vin ? suggéra Lucy. Du blanc ? Je crois que je n'ai jamais bu de vin, à part le rouge suret du temple.

Elle sortit et revint un moment plus tard avec une bouteille et deux verres. Il restait nombre de bouteilles intouchées sur les étagères du cellier, expliqua-t-elle, du rouge et du blanc.

– Regarde dans les tiroirs : il doit y avoir un tire-bouchon. Il y en a un quelque part. Oh, comme tout cela est plaisant !

Ils tirèrent deux chaises vers une table qu'ils avaient approchée du feu. Ralph versa le vin, et à cet instant-là il eut envie de ne jamais quitter cette maison où il était venu. Il eut envie de ne pas emmener Lucy ailleurs mais de rester ici avec elle, puisqu'elle appartenait à ces lieux et qu'il éprouvait ce soir le même sentiment. L'aiguille du gramophone continua de gratter jusqu'à la fin du *Londonderry Air*.

Deux pêcheurs de Kilauran disparurent en mer cette nuit-là, après avoir été surpris par la tempête subite, alors qu'ils remontaient leurs filets et ramaient déjà pour rentrer. Le village était en deuil, plein d'une mélancolie qui affecta Lucy quand elle y arriva avec Ralph, la veille du départ. Des lamentations s'élevaient d'un cottage autour duquel les gens s'étaient réunis. Un violoneux était venu pour jouer une ode funèbre si on le souhaitait.

– Comment ai-je pu m'enfuir de chez eux ? lâcha Lucy, marchant sur la plage avec Ralph pour regagner Lahardane avec les mèches de lampe et le journal qu'ils avaient achetés. Je les ai fait souffrir, comme ces femmes souffrent maintenant. J'aspire à leur pardon. Ça ne va pas s'effacer tout seul !

Ces révélations furent soudaines et Ralph ne fit pas de commentaire, tandis qu'ils poursuivaient leur chemin.

– J'étais amoureuse aussi, à l'époque – amoureuse des arbres, des mares d'eau parmi les rochers, des traces de pas sur le sable. Étais-je possédée, Ralph ? Je l'ai toujours pensé.

– Bien sûr que non !

– Comme la pauvre Mrs Rochester[1] ! Pour qui personne n'avait de commisération !

– Tu étais une enfant.

– Un enfant peut être possédé. Est-ce que je les haïssais

1. Dans *Jane Eyre* de Charlotte Brontë, Mrs Rochester est la pauvre épouse folle de Mr Rochester, l'employeur de Jane, qui lui en a caché l'existence en lui promettant le mariage.

quand je les ai fait souffrir ? Est-ce pourquoi j'ai eu honte si vite ?

– Je t'en prie, veux-tu m'épouser, Lucy ?

Lentement, elle fit non de la tête.

– Mon père a tiré sur un homme et ne l'a pas tué. Ma mère a eu peur. Je n'ai pas compris. Tu veux que je te le raconte, Ralph ?

Il écouta, entendit ce qu'il savait déjà et revit ce qu'il avait vu tant de fois : les silhouettes sur les galets et sur le sable, la lampe apportée de la maison, l'obscurité qui laisse place au jour.

– J'ai trouvé un brin de courage, constata Lucy.

– Tu es courageuse, Lucy.

– Cher Ralph, comment pourrais-je t'épouser ?

Ses lèvres se tendirent vers celles du garçon et les effleurèrent. La mer avait le calme d'une mare, les vagues se brisaient doucement. Le ciel était d'un bleu plus profond que pendant tout le chaud été. Des amoncellements de nuages blancs y flottaient, presque immobiles.

– Ce que tu as fait m'est égal. Je te le jure, Lucy.

– Je dois vivre avec cela jusqu'à leur retour.

– Non, non, bien sûr que non !

– Tu dois retourner à l'existence qui te satisfait. Ne pas être un visiteur dans la mienne. Car tu ne pourrais être que cela, Ralph, bien que je t'aime. Nous aimer, c'est voler ce qui ne nous appartient pas, ce qui ne nous revient pas. Ralph chéri, il faut qu'on se contente de souvenirs.

– Nous n'y sommes pas obligés et j'en suis incapable. Je ne peux pas me contenter de souvenirs.

– Oh, ce n'est pas mal, les souvenirs, tu sais.

– Ce n'est rien !

Une pointe d'amertume perçait dans sa voix. Ils marchèrent en silence, puis il reprit :

– Je ne t'enlèverais pas à Lahardane, si tu ne voulais pas le quitter.

Elle semblait ne pas entendre. De la pointe de son soulier,

elle dessinait sur le sable. Elle releva les yeux quand elle eut écrit leurs noms.

– Que penses-tu, Ralph, et que tu ne dis pas ? Pourquoi ne reviennent-ils pas ?

Ralph commença de répondre mais, se sentant à peine entendu, il renonça. Lentement, ils reprirent leur marche, puis Lucy continua :

– Je ne les haïssais pas, mais comment peuvent-ils le savoir, alors qu'ils ignorent tant d'autres choses qu'ils pourraient facilement savoir ? Un jour – aujourd'hui, demain, dans un an –, ils trouveront la force de faire le voyage, et jamais il ne sera trop tard pour cela.

– Oh, Lucy, il y a longtemps qu'ils t'ont pardonné et, maintenant, ils ne voudraient que ton bonheur. Bien sûr qu'ils t'ont pardonné !

– Les souvenirs peuvent être tout, si l'on décide qu'il en sera ainsi. Mais tu as raison : tu ne dois pas faire ça. C'est plutôt pour moi, je le ferai. J'aurai une vie toute du souvenir de notre amour. Je fermerai les yeux et je sentirai encore tes lèvres sur les miennes, je reverrai ton visage souriant, aussi clairement que je vois les vagues, chaque jour. Quels amis nous avons été, Ralph ! Comme nous avons souhaité que cet été ne finisse jamais ! Un autre été serait différent – nous le savons tous les deux.

– Je ne le sais pas. Je ne le crois pas un instant.

– Si seulement il pouvait durer toujours, arrêté dans le temps, cet été que nous avons connu ! Mais ne soyons pas gloutons. Avant, j'avais peur de leur retour. Il m'arrivait de penser que je ne voulais pas qu'ils rentrent, car à quoi leur aurait servi mon terrible et douloureux regret ? Ils avaient trop à pardonner : comment aurais-je pu espérer leur pardon ? Pourtant, ce serait si merveilleux qu'ils reviennent maintenant, qu'on escalade la falaise et qu'on les trouve là, stupéfiés par ce que leur a raconté Bridget ! Et toi et moi, nous ne nous contenterions pas de souvenirs.

Ralph partit deux jours plus tard et Henry l'emmena à la gare d'Enniseala dans le cabriolet. Lucy aurait pu les accompagner, aurait pu rester sur le quai à agiter la main tandis que le train emportait Ralph. Mais elle ne le voulait pas, expliqua-t-elle, et ce fut de la porte du hall, puis du bout de l'allée qu'elle lui adressa ses signes d'adieu.

TROISIÈME PARTIE

I

La prière continua d'être la consolation de l'homme qui était devenu soldat. Il avait espéré que les rigueurs, la sévérité et la nature communautaire de la vie militaire mettraient de l'ordre dans sa confusion, mais cette attente avait été déçue. Il avait pensé partager son tourment avec sa mère sur son lit de mort, car elle ne l'aurait dit à personne, vu les circonstances. Mais chaque fois qu'il avait essayé, il avait été pris de panique, craignant des oreilles indiscrètes dont la présence était impossible, il le savait.

Maintenant, c'était un habitué du camp. Sa figure émaciée et l'intensité du regard qu'il détournait étaient familières à tous ceux qui allaient et venaient autour de lui. Certains étaient partis dans d'autres camps avec la description de ce grand échalas, présence silencieuse. Ils avaient évoqué son étrangeté, ses stations régulières et solitaires devant la statue de la chapelle. Il ne s'était pas fait d'amis, mais il était consciencieux, persévérant et fiable dans l'accomplissement de ses tâches, et connu pour ces qualités par les officiers qui le commandaient. Il avait creusé des latrines, asphalté des routes, accompli adéquatement les devoirs de la cuisine, appliqué les instructions d'entretien du matériel, et il était toujours le premier à se proposer quand on cherchait un volontaire. Mais nul ne savait qu'il supportait son tourment avec force d'âme.

Ainsi passèrent d'autres années de l'existence de Horahan. Quand circulèrent des rumeurs de guerre en Europe, il perçut de l'anxiété et de l'incertitude au camp, mais ce sentiment ne l'alarma pas. On parlait d'invasion. En préparation de ce qui risquait de se produire dans les années à venir, apparurent des sacs de sable et d'autres équipements défensifs. Il arrivait que les heures d'entraînement se prolongent.

Horahan s'accommoda de ce régime organisé à la hâte et dont il ne connaissait guère la raison ; il obéissait à tout ce qu'on lui demandait, sans discuter. Pourtant, le hantait tout au long du jour la vision d'un enterrement qui se répétait chaque nuit, dans son sommeil. Le corbillard traversait les rues de la ville qu'il connaissait et, quand il avait fini de creuser la tombe, la glaise se refermait sur lui. Il gisait à côté du cercueil mais, lorsque l'enfant qui était dedans appelait, il était incapable de parvenir jusqu'à elle.

En ville, il s'enquit de la maison détruite par les flammes dans son rêve. On lui répéta qu'elle n'avait jamais été incendiée, que la jeune morte de ses songes avait été laissée seule par ses parents, victime d'une erreur. Cependant, revenaient toujours l'enterrement, le corbillard tiré à travers les rues familières, l'écho éveillé par les sabots des chevaux. Et toujours il se réveillait en nage. Souvent, la nuit, il quittait son lit exigu pour traverser l'obscurité en catimini, les pieds nus. A la chapelle, n'osant allumer une bougie, il s'agenouillait devant la Vierge qu'il ne distinguait pas et la suppliait de lui accorder la grâce d'un signe, d'un murmure, pour l'assurer qu'on ne l'avait pas abandonné.

II

Le capitaine Gault et son épouse quittèrent l'Italie. Des présages peu dignes de foi les avaient retenus plus longtemps que le capitaine ne l'avait escompté : embrassant son peuple avec la chaleur de ses promesses et de son ardeur de bâtisseur, Benito Mussolini s'était déclaré en faveur de la paix. Mais, à la réflexion, il avait trouvé plus avantageux de se proclamer favorable à la guerre.

Ils passèrent la frontière suisse, refaisant en sens inverse le chemin par lequel ils étaient arrivés dix-sept ans plus tôt. Ils partaient pleins de regret, emportant avec eux autant d'affaires qu'ils le pouvaient. Ils s'installèrent dans la modeste ville de Bellinzona où l'on parlait la langue qui leur était devenue familière.

III

« Nous pensons souvent à vous, écrivait Mrs Ryall, et nous nous demandons comment vous allez. Combien de fois me suis-je dit : “Aujourd’hui, je vais écrire à Ralph”, et je ne l’ai pas fait, une fois de plus ! Mais il y a toujours quelque chose – la maison est sens dessus dessous quand les enfants sont là ; et quand ils ne le sont pas, il y a les confitures à faire, des gâteries à préparer pour qu’ils en emportent en repartant. En grandissant, ils deviennent plus raisonnables que vous n’en avez le souvenir. Kildare est maintenant plutôt grand et mince, un vrai jeune homme ! Jack veut être horticulteur, mais j’ai idée que c’est juste le nom qui lui plaît ! Ils parlent de vous souvent, tous les deux, et nous vous sommes reconnaissants des mois que vous avez passés ici. Lucy Gault – vous vous souvenez d’elle, j’en suis sûre – est toujours à Lahardane. Il n’y a pas eu de changement là-bas. Ici, nous allons tous bien. »

« C’était aimable de votre part de m’écrire, répondit Ralph, et je suis content d’apprendre que les garçons se stabilisent. Je n’oublie pas votre bonté à mon égard et repense souvent à ces longues et chaudes matinées au jardin. Je vous prie de me rappeler au bon souvenir de Mr Ryall et des garçons, la prochaine fois qu’ils seront à la maison. Peut-être nos chemins se croiseront-ils encore un jour. C'est une bonne nouvelle de savoir que vous allez tous bien. »

Il ne pouvait pas s'imaginer les Ryall autrement, ne pouvait les imaginer malheureux, abattus. Ils devaient naturellement savoir qu'il n'était pas retourné à Lahardane.

« J'ai trouvé un autre livre, écrivait Lucy. *Florence Macarthy*, de lady Morgan. Je ne pensais pas qu'il serait bon, mais il est bien meilleur que je ne l'aurais cru.

« Hier, il y avait des cormorans sur les rochers. J'ai songé à toi tout particulièrement à ce moment-là, parce que nous les avions regardés ensemble, un après-midi – t'en souviens-tu ? Il semble si loin, notre été, alors qu'à d'autres moments, on dirait que c'était il y a si peu de temps ! »

Souvent, Lucy relisait, pour la énième fois, la première de toutes les lettres de Ralph depuis qu'il était parti.

« ... J'additionne des chiffres et je m'y perds. Par les carreaux d'un bureau, je regarde en bas, vers l'activité et le brouhaha et, dans ma mélancolie, j'en ressens tout le dérisoire. Qu'importe que les machines et leurs bruits continuent ou s'arrêtent ? Qu'importe que l'orme ne soit bon qu'à faire des cercueils ou que le chêne se gondole en séchant ? Les courroies de transmission sont tendues sur les roues, les pignons s'engrènent. J'observe un tronc d'arbre qu'on met en place, des planches qu'on soulève et qu'on emporte après les avoir sciées. Le soleil accroche la poussière qui flotte dans l'air, les hommes sont réduits au silence par le vrombissement des moteurs. Tu t'inscris, en blanc, dans l'embrasure de la large porte. Tu me fais un signe, je te le renvoie. Mais quel piètre réconfort que celui des fantômes de la rêverie ! »

Toujours, elle effleurait la lettre de ses lèvres, avant de la ranger avec les suivantes, liées avec une ficelle. Ce n'était pas difficile de voir la scène qu'il décrivait, d'entendre le bruit des machines, de sentir la sciure de bois fraîche.

« J'ai été une source d'embarras pour toi, lut-elle aussi. J'ai perturbé ta veille. Je me le reproche des heures entières, et puis plus du tout. Sais-tu à quel point je t'aime, Lucy ? Est-il possible que tu le devines ? »

Un jour, ils ne s'écriraient plus, supposait Lucy, car maintenant, tout n'était plus que répétition. « Ralph, il faut que tu vives ta vie », lui écrivit-elle.

En arrachant la semelle usée d'un brodequin, Henry constata qu'elle ne se détachait pas nettement, retenue par quelques pointes à tête perdue qu'il délogea à la pince. Jadis, bien avant le temps d'Henry à Lahardane, un Gault s'était adonné à la cordonnerie. Tous les outils, les tranchets et la forme, se trouvaient encore dans la remise qui servait déjà d'atelier à l'époque. A côté des cuirs toujours suspendus là, il y avait sur une étagère des boîtes en fer contenant des pointes, des fers, du fil de cordonnier.

Henry avait déjà réparé par deux fois les chaussures qu'il ressemelait présentement. Il avait acquis seul le tour de main de ce travail, commençant par deviner à quoi servait chaque tranchet, puis constatant que le métier lui venait naturellement, à force de patience. Tout en découpant une nouvelle semelle, il se surprit à songer, comme souvent : qu'en serait-il maintenant si cette maison isolée avait été oubliée lors de la vengeance de 1921, si une menace nocturne n'avait pas engendré tant de peur et de détresse ? Un autre homme que le capitaine, différent de nature et de tempérament, aurait pu ne pas écouter les prémonitions inquiètes de son épouse et les écarter comme autant de craintes injustifiées et stupides. Que trois jeunes blancs-becs, à peine conscients de leurs actes dans leur excitation, aient eu un tel pouvoir, voilà qui semblait toujours extraordinaire à Henry.

Il rogna le bord du cuir jusqu'à ce que la semelle allât parfaitement sur la chaussure, puis il découpa la seconde. Un jour, il avait fabriqué pour Lucy une paire de souliers qui n'étaient pas confortables mais elle n'avait rien dit. « Voyons, jette donc ces vieilleries ! », avait-il suggéré en remarquant qu'elle était gênée pour marcher, mais elle n'avait pas voulu. Quand il avait été contre le mariage avec ce garçon, contre cette amitié, il n'avait pas compris une chose que Bridget savait déjà, elle qui était plus rapide que lui dans ces affaires-là : « C'est plutôt la solitude qui devrait t'inquiéter », avait souligné Bridget.

Et c'était ce qui les inquiétait tous deux à présent. Restaient les échanges de lettres, mais elle venait moins souvent à présent, la bicyclette du facteur qui dévalait les derniers mètres de la grande allée en roue libre, éparpillant le gravier devant la maison, et même parfois pas du tout pendant des mois. Un jour que le vélo n'était plus repassé pendant un hiver entier ou presque, Henry aperçut une silhouette lointaine sur la plage et se demanda qui c'était. Il la revit bien plus tard, à un autre moment de l'année. Ça pouvait être n'importe qui – Henry n'était pas homme à tirer des conclusions hâtives –, mais Bridget ne fut pas de cet avis quand il lui en parla. Henry eut beau ouvrir l'œil, le visiteur solitaire ne se manifesta plus. Et puis un jour arriva qui sembla, aux yeux d'Henry au moins, mettre un terme à tout ce qui avait commencé des années auparavant, quand la Renault de Mr Ryall avait fait une première apparition hésitante entre les deux nobles rangées d'arbres de la grande allée. « Elle dit qu'il compte s'engager », rapporta Bridget quand la guerre éclata en Europe ; c'était un vent mauvais qui n'apportait rien de bon, ajouta-t-elle, provoquant confusion et surprise chez Henry. Ne se pouvait-il pas que la séparation et le danger clarifient la situation ? suggéra-t-elle. Lorsqu'un homme rentre de guerre sain et sauf, n'arrive-t-il pas souvent qu'on porte un regard différent sur l'existence ?

Henry posa la seconde semelle à l'aide de son marteau et lima le cuir à la cambrure. Au départ, il avait sans le dire écarté ces prédictions – Bridget prenait souvent ses désirs pour des réalités –, mais il n'y avait pas de doute : les choses pouvaient encore tourner de la sorte. Le jeune homme rentrerait et, à la faveur du soulagement qu'il apporterait, la question serait formulée : à quoi bon attendre plus longtemps ce qui n'allait plus se produire ? Cette fois, ce serait Lucy qui dirait de fermer la maison, comme son père l'avait fait. Les planches qu'Henry avait retirées des fenêtres avaient été remisées et n'en avaient pas souffert. Un de ces jours, il réparerait les ardoises du toit du pavillon de gardien, afin que Bridget et lui puissent retrouver la place qui était la leur. Il ouvrirait les portes et les fenêtres pour chasser l'humidité qui avait commencé de s'installer, et pour donner un coup de peinture là où il le fallait. Il retournerait le lopin de terre, derrière le pavillon. Le moment venu, il bouclerait les malles qu'on n'avait jamais envoyé chercher et Bridget trouverait des draps neufs pour recouvrir les meubles. Quelle que soit la façon dont ça se passerait, voilà ce que souhaiterait Lucy, une fois la date du mariage fixée, supposa Henry, avant que son époux l'emmenât dans le County Wexford. Comme disait Bridget, on a quelque chose en soi qui sait ce qui doit advenir.

Henry fonça la teinte du cuir aux endroits où il était visible, et en fit de même pour la nouvelle tige qu'il cousit sur l'un des brodequins. Il naîtrait des enfants, avait ajouté Bridget, et on les amènerait de temps en temps voir la vieille maison, s'arrêtant en chemin au pavillon de gardien. Un par un, Henry rangea sur le râtelier, au-dessus de l'établi, les outils qu'il avait utilisés. Il tendit la main en bas, pour attraper ses chiffons à reluire accrochés à un clou au mur, et étala de la cire sur le cuir en prenant son temps, car il en avait à revendre.

La guerre que Ralph était parti faire affectait la neutralité choisie par l'Irlande. Les mesures de prévention d'une invasion déjà adoptées au camp militaire voisin d'Enniseala s'étendirent au pays entier, tandis que les armées avançaient en Europe et que des villes lointaines étaient bombardées. On imposa le black-out nocturne, on distribua des masques à gaz, on apprit aux gens le maniement de la pompe à incendie à pédale. La guerre, familièrement dénommée « l'Urgence », entraîna une pénurie d'essence et de pétrole pour les lampes qui assuraient encore l'éclairage de Lahardane et de maisons semblables ; pénurie de thé, de café et de cacao, de vêtements *made in England*. On démarra des cultures qu'on n'avait encore jamais faites, plantant des champs de betteraves sucrières et de tomates. On brûla davantage de bois et de tourbe. Le pain devint moins blanc.

Chaque jour, Lucy allait à pied à Kilauran pour acheter l'*Irish Times* et apprendre ce qui se passait. Dans les rares lettres qu'elle recevait maintenant de Ralph, il y avait des passages barbouillés de noir, ou si amputés par la censure militaire que les mots avaient disparu sur les deux faces du papier. Pour obtenir les nouvelles disponibles ou autorisées, elle s'en remettait aux annonces qui traduisaient la mort en chiffres : le décompte des Spitfires qui n'étaient pas rentrés, les victimes de l'évacuation et de la retraite. Il y avait aussi des pertes qui n'étaient pas mentionnées ni calculées, elle le savait. Tous les dimanches soir, à la radio qu'elle avait achetée pour le salon, on jouait les hymnes nationaux des Alliés et un nouveau s'y ajoutait de temps en temps. Cela au moins, c'était gai.

Mais brève était la gaieté. Pour Lucy sur la plage ou dans les bois, le visage de Ralph était tel que la mort l'avait figé, les membres raidis, gisant dans une position anormale, bras en croix, jambes écartées. Quelqu'un avait refermé ses paupières sur ses yeux sans regard et s'en était allé. Une boue épaisse maculait l'uniforme qu'elle n'avait jamais vu.

Ces images la hantaient jusqu'à ce qu'une autre lettre vînt les contredire – encore un bref sursis avant que ses peurs la reprennent. Ce fut alors que, après une douzaine de répits trop temporaires, l'idée intuitive de Bridget prit forme dans la décision de Lucy. Si Ralph revenait, elle irait le retrouver dès qu'elle apprendrait la nouvelle.

IV

– *Signore ! Signore !* lança le concierge vers le haut de la cage d'escalier. *Il dottore…*

Le capitaine répondit et les pas du médecin résonnèrent sur les marches.

– *Buongiorno, signore.*

– *Buongiorno, dottore Lucca.*

Le capitaine fit du café en attendant. Dehors, il gelait toujours. L'hiver le plus froid qu'on eût connu à Bellinzona depuis une génération, disait-on. Il regarda par la fenêtre les gens qui allaient au travail, au dépôt des autobus postaux, à la fabrique d'horlogerie pour continuer à faire tourner les machines, afin d'éviter qu'elles ne se dérèglent en restant inutilisées : on n'avait pas vendu beaucoup de pendules d'ornement pendant la période d'isolement de la Suisse, au cours des années de guerre. Le boulanger qui avait une jambe plus courte que l'autre rentrait de sa nuit de labeur, martelant le sol d'un pas lourd et claudicant, serré dans son pardessus. Les hommes de la voirie enfonçaient leurs pelles dans la neige.

– Si elle n'a pas envie de vivre, elle ne survivra pas, annonça le médecin en italien.

Il le répéta en anglais, avec moins d'assurance. Le capitaine avait compris, les deux fois. C'était ce que disait toujours le docteur Lucca. L'examen avait duré moins de cinq minutes et le capitaine se demanda si, cette fois, le stéthoscope était même sorti de la sacoche du médecin.

– Ma femme a la grippe, déclara-t-il, parlant italien lui aussi.

– *Si, signore, si.*

Ils burent une tasse de café ensemble, debout. La grippe était épidémique en ce moment, expliqua le médecin : il n'y avait guère de maison du quartier qui n'en eût pas un cas. La dissémination d'une épidémie était compréhensible, dans les circonstances actuelles, il fallait s'y attendre. La mélancolie de la signora était une affaire plus urgente et plus grave.

– C'est la vérité, signore. Avec la maladie aussi, faire une complication…

– Je sais.

Le médecin lui serra la main avant de partir. C'était un praticien humain qui réclamait de faibles honoraires pour ses services et qui voulait seulement que ses patients se remettent de leurs maux et goûtent le bonheur d'une bonne santé. Il ne se lassait jamais de leur rappeler que la vie est courte, même quand elle s'attarde un brin.

– *Grazie, dottore. Grazie.*

– *Arrivederci, signore.*

Il laissa l'ordonnance qu'il prescrivait à tout le monde. De quoi abaisser la température et calmer le mal de tête. Il conseilla au capitaine de garder son épouse bien au chaud.

La désespérance dans le regard du dottore Lucca resta présente pour Everard Gault après le départ du médecin. Le capitaine prépara un pichet de thé léger et en emporta une tasse dans la chambre à coucher. Au cours des nombreuses années écoulées depuis le début de leur exil, ils s'étaient habitués, Héloïse et lui, à faire le thé dans un pichet, car on ne leur avait pas fourni de théière en Italie et en Suisse, et ils n'en avaient jamais acheté.

– Laisse-le tiédir une minute, dit Héloïse lorsqu'il la pressa de prendre la tasse.

C'était une tasse à motifs de feuilles et de fleurs bleues, l'une des deux qu'ils avaient apportées de Montemarmoreo et qui avaient toujours évoqué pour le capitaine les hortensias de Lahardane. Au début, il avait souvent regretté ce rappel du souvenir et avait envisagé de mettre ces tasses et ces soucoupes de côté, de les repousser au fond d'un placard. Mais trouvant absurde de céder à une faiblesse, il avait résisté à cette envie.

– Tu crois que la Santa Cecilia de Montemarmoreo a survécu à la guerre ? murmura Héloïse pendant qu'ils attendaient que le thé refroidît.

Souvent, elle se posait la question, à voix haute. A l'église Santa Cecilia se trouvait la seule statue de la sainte qu'honorât la ville. Avait-elle été perdue dans les décombres, détruite dans la violence, comme la sainte elle-même ?

– Je n'aurais même jamais connu l'existence de Santa Cecilia, si je n'étais pas venue en Italie.

– Oui, c'est un fait, constata-t-il et souriant, il tendit la tasse et la porta aux lèvres d'Héloïse mais rien ne fut bu.

– Je ne me serais pas trouvée devant le Christ ressuscité de Piero della Francesca, souffla-t-elle, la voix affaiblie au point de n'être qu'un murmure à peine audible. Ou les Annonciations de Fra Angelico. Ou les moines terrifiés de Carpaccio.

Le capitaine, qui souvent n'avait pas souvenir de choses que son épouse se rappelait si facilement, lui tenait la main, assis à son chevet, où il s'attardait encore un peu. Ç'avait été les merveilles de sa vie, reprit-elle au bout d'un moment, puis elle s'endormit, tombant soudain dans la somnolence.

Le capitaine remonta les couvertures pour la tenir bien au chaud et l'installa sur ses oreillers. Ces attentions ne la réveillèrent pas, pas plus que ne disparut l'esquisse de sourire qui lui avait effleuré les lèvres à l'évocation des moines de Carpaccio. Rêvait-elle d'eux ? se demanda-t-il en emportant le thé qu'elle n'avait pas bu.

Il referma doucement la porte derrière lui en quittant la pièce, s'attarda un moment pour épier des bruits éventuels et s'éloigna quand il eut constaté qu'il n'y en avait pas. Cela changeait si peu de choses à son amour pour elle que chaque jour, depuis si longtemps, elle abritât dans le tréfonds de son cœur la hantise qu'elle n'avait pu s'empêcher d'entretenir : ainsi songeait le capitaine Gault – une pensée familière –, en enfilant son pardessus et ses gants pour aller faire sa promenade habituelle de l'après-midi. Depuis près d'un mois qu'elle était tombée malade, il partait marcher en solitaire. Les connaissances qu'il croisait lui demandaient des nouvelles de son épouse, l'assurant qu'elle se remettrait vite, puisque ç'avait été le cas des autres grippés de la localité.

L'air n'avait pas encore dégelé et resta glacial, tandis que l'après-midi avançait. Le capitaine se rappela le jour de leur mariage ; le rire d'Héloïse se moquant de la désapprobation de sa tante ; un inconnu le cherchant pour lui dire qu'il avait bien de la chance. Jamais il n'en avait douté, jamais – de tout le temps écoulé depuis lors. Leurs existences unies ce jour-là par des mots, selon les conventions, étaient à présent imbriquées, impossible à séparer. Il ne tarda pas à faire demi-tour car il ne pouvait la laisser longtemps, bien qu'elle le suppliât toujours de prendre son temps. Le givre scintillait à la lumière du réverbère qui s'allumait. Il but un brandy au café voisin de l'église et s'en sentit mieux.

– Ma chérie, murmura-t-il à son retour, en entrant dans la chambre de la malade, mais il sut avant même de s'approcher d'elle qu'elle ne répondrait pas.

Le capitaine pleura toute cette nuit-là : si seulement il pouvait être avec elle, où qu'elle fût ! Ses épaules se soulevaient, il sanglotait bruyamment parfois et, entre deux accès de chagrin, il revenait contempler ces traits si chers depuis si longtemps. Il avait été fidèle à son couple, sans jamais souhaiter autre chose. Héloïse avait si souvent répété qu'elle était heureuse, il se le rappela, même pendant ces dernières années passées ensemble ici, à Bellinzona, et avant cela à Montemarmoreo et lors de leurs excursions en Italie, dans de grandes cités et des villes affairées. Elle s'était voulue aussi heureuse qu'elle avait pu l'être, et peu importait comment elle y était parvenue. En faisant son deuil d'elle, les bons moments et les plaisirs revenaient au capitaine, le rire d'Héloïse et le sien, leur découverte l'un de l'autre quand ils étaient jeunes mariés, quand l'amour était intouché par les ombres. Restait maintenant un blanc aussi vide que la neige dans les rues.

– Comme tu étais forte ! chuchota le capitaine, se penchant de nouveau vers le passé, le moment où il avait dû quitter l'armée.

Il l'avait su à l'époque, mais le comprenait différemment cette nuit-là, avec quelle discrétion, quelle douceur et quelle abnégation elle avait fourni la force nécessaire pour deux. Elle n'avait pas exigé de reconnaissance de ses actes – elle l'eût refusée, la trouvant absurde. Et pourtant, voilà ce qu'elle laissait derrière elle, cette vérité d'un temps si lointain, plus éclatante encore que tout le reste.

Il resta au chevet du lit jusqu'à ce que le lendemain fût déjà bien avancé et que le jour blafard de l'hiver fût revenu se poser sur les montagnes et la ville. Et puis il organisa les funérailles.

Une fois le cercueil descendu en terre, des paroles furent prononcées avec douceur, en anglais. Héloïse Gault fut inhumée parmi de sévères tombes suisses, certaines décorées de lys artificiels sous des dômes de verre, d'autres d'une photographie du défunt sur du granite poli. Un jour, parmi ces sépultures, figurerait aussi le rappel de la mort d'une étrangère.

Ceux qui avaient le sentiment d'avoir un peu connu l'Anglaise, de l'avoir aimée à distance, assistèrent à l'office, à l'église ; quelques-uns allèrent aussi au cimetière. « *Bella, bella !* », murmura une femme à l'adresse du veuf, sans avoir besoin de s'expliquer : son épouse avait été belle même en prenant de l'âge, même quand l'usante douleur avait troublé son regard. En ne mentionnant que la beauté, cette femme donnait davantage de réconfort qu'elle ne le savait.

« Car vous étiez, je crois, la seule proche parente qui restait à Héloïse. La grippe, accompagnée de complications, a été de trop pour une personne qui n'était plus jeune. Tout s'est passé paisiblement. »

De fait, la tante d'Héloïse était elle-même déjà décédée. La lettre du capitaine fut reçue par sa compagne de longue date, héritière de sa propriété et de ses biens. Pour Miss Chambré, l'existence d'une nièce était sans importance. Elle relut le message avant de déchirer l'unique feuille de papier en petits carrés qu'elle jeta au feu.

V

Un gris matin de décembre, quand arriva une lettre de Ralph portant un timbre irlandais, Lucy apprit que, pendant la guerre, il avait entre autres été caserné dans le Cheshire et dans le Northamptonshire. Il contait avec modestie ce que les censeurs de l'armée avaient supprimé : il s'était battu en Afrique, avait été présent lors de la capture des garnisons à Corfou. Sa demande instante, qu'il n'avait cessé de répéter, où qu'il se trouvât, était renouvelée, à présent qu'il écrivait de County Wexford.

La promesse que Lucy s'était faite, et qui avait craintivement tenu si longtemps, s'effondra pourtant. Ralph était sain et sauf : elle en eut des larmes de gratitude quand elle vit son écriture sur l'enveloppe, avec le timbre irlandais rassurant. Cependant, pas sur le coup mais peu à peu, au fil des jours, ses bonnes intentions furent emportées par une mer de soulagement sans bornes. Partout, la guerre avait répandu le changement : dans toute l'Europe, dans le monde entier, plus rien n'était pareil. Et si la cassure survenue dans la vie de ses parents avait fait son temps ? Et si six années de guerre et la paix revenue suffisaient à les ramener dans une Irlande qui avait elle aussi connu le changement, qui était elle-même paisible depuis une génération ? Elle entendait leurs voix, telles qu'elle se les rappelait. Elle voyait les valises achetées à Enniseala, le cuir brillant à présent éraflé et fort abîmé, les vêtements pliés, déjà mis dans les bagages. « Mon cœur n'est pas de pierre, écrivit-elle à Ralph, le suppliant de comprendre. Ah, que je suis heureuse que tu ne sois plus en danger ! Je t'imagine dans tous ces endroits dont tu m'as parlé et, enfin, de retour chez toi. » Mais plus tard, sa missive une fois postée, elle songea que sa lettre sonnait faux et que c'était excessif, cette référence à son cœur. Elle prit de nouveau la plume pour déclarer qu'elle avait été sous le coup de l'émotion.

– Ah, mais tu ne pouvais pas savoir, répondit Henry pour consoler sa femme quand l'intuition de Bridget fut prise en défaut parce que Lucy avait failli à la promesse qu'elle s'était faite.

Elle aurait pu parler à Lucy, aurait pu lui communiquer son propre optimisme déplacé au sujet des bienfaisantes retombées de la guerre, aurait pu évoquer l'affection de Ralph, la chaleur de la compagnie qu'ils avaient partagée, la correspondance qui avait entretenu une amitié. Mais, craignant de faire plus de mal que de bien, elle s'était tue.

Quand arriva la dernière lettre de Ralph, Lucy ignorait que c'était l'ultime. Mais, n'en recevant pas d'autre, elle retourna celle-ci dans sa tête et y découvrit une tonalité qui lui avait précédemment échappé, une imprécision dans les propos et les déclarations, comme si l'expression avait été réticente à s'affirmer. Comme si, derrière la banalité des faits relatés, s'écrivait aussi la désespérance, la vanité de l'espoir enfin acceptée. Une seule ligne d'elle eût changé ce qui aurait pu l'être si aisément. Elle éprouvait en elle-même le sentiment d'avoir trahi en n'honorant pas un amour qu'avaient intensifié ses craintes pour la sûreté de Ralph : voilà une confession qu'elle lui devait et qu'elle aurait pu ajouter à cette simple ligne. La place de cet aveu était là, en toute justice. Pourtant, perdre foi en l'espoir que pouvaient permettre la guerre et sa fin, cela aussi lui paraissait une trahison. Son insistance auprès de Ralph, pour qu'il ne gâchât pas sa vie à cause d'une existence gauchie – la sienne –, lui fut aussi pénible qu'auparavant. Confier son sentiment qu'elle devait s'en remettre à une péripétie du destin – et qu'il ne s'agissait que du destin : ce n'était guère une explication qu'elle pût offrir, et elle s'en abstint.

Une nouvelle génération d'estivants apercevait de temps en temps une femme solitaire sur la plage ou parmi les rochers, et apprenait avec pitié l'histoire qui se racontait encore. A la différence de leurs prédécesseurs, ils ne condamnaient pas l'enfant rebelle dont la nature capricieuse avait tout déclenché. L'enfant rebelle appartenait à l'immédiateté de l'événement ; la vision que des inconnus avaient de faits passés était influencée par leur observation d'une vie de solitude. Lucy elle-même se rendait compte que cette opinion était aussi transitoire que celle engendrée jadis par la colère et le dégoût. L'histoire n'avait pas encore tourné au mythe et ne se coulerait pas dans le moule de la permanence avant que sa propre existence ne fût terminée et n'apparût à la froide lumière du temps. Cela ne l'intéressait pas grandement qu'on parlât d'elle.

Elle se mit à la broderie au petit point et découvrit, en commençant à apprendre seule les points, qu'elle avait un talent naturel pour cela. Les fils de soie et le canevas de lin qu'ils servaient à orner arrivaient par la poste de chez Ancrin's, une boutique de Dublin spécialisée dans les ouvrages de dame. Elle avait retrouvé, oublié entre les pages de l'*Irish Dragon*, un de leurs catalogues qu'avait fait venir sa mère. Entre les deux longues fenêtres du palier du premier était accrochée une broderie encadrée, une dinde sur un tissu gris pâle que sa mère avait réalisée, elle en avait le très vague souvenir. « Ça lui faisait mal aux yeux. Elle a abandonné la broderie après la dinde », avait expliqué Bridget.

Ancrin's envoyait des canevas sur lesquels étaient tracés des dessins, mais Lucy préférait ignorer ces suggestions. La première broderie à laquelle elle s'essaya représentait le poirier de la cour ; la seconde, le gué que son père et elle avaient aménagé à l'endroit où la rivière était peu profonde ; la suivante, les œillets marins qui foisonnaient sur les falaises. Plus tard, elle le savait, s'y ajouterait le cottage de Paddy Lindon qui n'était plus qu'une ruine.

– Ah, ça, par exemple ! s'exclama Mr Sullivan avec une sincère admiration, le jour où il découvrit ces ouvrages pour la première fois. Ma parole, ma parole !

Depuis peu à la retraite et retiré de son étude, il avait repris ses visites à Lahardane, à présent qu'on trouvait de l'essence. Le chanoine Crosbie, lui, était encore actif dans les affaires de l'église, bien qu'approchant les quatre-vingt-dix ans, mais il ne se déplaçait plus et correspondait.

Mr Sullivan se rappelait lui aussi Héloïse Gault en train de broder les plumes de la dinde, la tête écarlate, la gorge glouglougloutante. Il garda néanmoins ce souvenir pour lui car ce moment-là appartenait à Lucy, avec ses travaux étalés pour lui sur la table de la salle à manger : la broderie du poirier, à présent achevée, le gué à peine esquissé. Mr Sullivan aurait peut-être enfin commencé à voir en Lucy plus qu'une enfant, si quelque chose était sorti de son amitié avec Ralph, dont il avait fait la connaissance dans les rues d'Enniseala, sensiblement de la même manière que le chanoine Crosbie. Mais avec ses yeux de personne extérieure, il voyait en Lahardane et la petite maisonnée qui s'y était constituée une entité pétrifiée, arrêtée dans la tragédie qui était survenue. Lucy était figée elle aussi, tel un détail de l'une de ses compositions brodées.

– Nous devons les faire encadrer, déclara-t-il en enlevant les lunettes de lecture à l'aide desquelles il avait examiné les points compliqués.

– C'est juste un passe-temps.

– Oh, mais elles sont très belles !

– Bah, c'est déjà quelque chose.

– La situation est plus facile, tu sais, maintenant que l'Urgence est terminée, Dieu merci. On retrouve des marchandises dans les boutiques. Si jamais tu as envie d'aller à Enniseala en voiture, Lucy, tu n'as qu'à le dire.

Les bottes en caoutchouc qu'elle enfilait pour aller marcher sous la pluie venaient du magasin général de Kilauran. Une fois de temps en temps, elle recevait des chaussures qu'on lui envoyait d'Enniseala, à l'essai. Quand les robes blanches laissées par sa mère étaient devenues trop usées, le tailleur de Kilauran avait commencé à lui en confectionner d'autres, assez semblables. Le coiffeur qui passait au village lui coupait les cheveux.

– Je me débrouille assez bien à Kilauran, répondit-elle.

Aux yeux d'Aloysius Sullivan, elle ressemblait étrangement à sa mère, et pas seulement parce qu'elle portait ses robes. Il était souvent frappé par ses intonations qui rappelaient tant Héloïse Gault que c'en était renversant : à croire que dans ses jeunes années, Lucy avait absorbé – et jamais oublié – tout ce que sa mère pouvait avoir d'anglais, sa façon de souligner certaines syllabes, le choix des formules.

« Bah, c'est sans doute le fruit de mon imagination », se disait souvent Mr Sullivan, rentrant de ses visites dans son auto. Pourtant, dès qu'il fermait les yeux en l'écoutant, c'était pareil : il croyait entendre l'épouse du capitaine.

– Je vous en prie, prenez-la ! proposa-t-elle quand, de nouveau, il admira les broderies, et il choisit celle du poirier de la cour.

Il la fit encadrer et, plus tard, quand une autre fut prête, il l'emporta à Enniseala pour qu'on la mît aussi dans un cadre, et la rapporta lors de sa visite suivante.

Le jeudi dix mars 1949, il lut dans l'*Irish Times* – et Lucy aussi –, que Ralph allait se marier.

QUATRIÈME PARTIE

I

Ne tenant pas en place à Bellinzona, le capitaine voyageait. Il n'était pas retourné habiter Montemarmoreo, ainsi qu'Héloïse et lui avaient projeté de le faire après-guerre, sachant que cela l'attristerait. Pour la même raison d'ailleurs, il n'avait pas revisité les villes de leurs nombreux voyages italiens. A la fin de sa première année de vie solitaire, il partit pour la France, se défaisant des affaires du ménage avant de quitter Bellinzona, puisqu'il n'avait pas l'intention d'y revenir car, là aussi, il était talonné par la nostalgie.

Il arriva à Bandol par temps de mistral et prit une chambre sur le front de mer.

Le printemps et l'été passés, il repartit et visita Valence, Clermont-Ferrand, Orléans et Nancy. Il se trouva dans des paysages qu'il reconnaissait à moitié, traversant des villes et des villages dont le nom lui paraissait familier. Il avait, pendant l'avant-dernière guerre, mené ses hommes dans Maricourt. Lui revint le souvenir d'une nuit où ils avaient débouché d'un taillis voisin d'une ligne de chemin de fer. Souvenir d'une ferme trouvée déserte ; de pain à la cuisine, pas encore rassis ; de lait dans une casserole, sur le fourneau. Ils avaient dormi là dans les granges et dans la maison même, se remettant en marche à l'aube.

Enfant, Everard Gault avait imaginé la guerre ; il s'en était inventé les tribulations et les aventures, avait été attiré par le formalisme et les traditions de la vie militaire, inspiré par les récits de croisades. Une inspiration qu'avaient renforcée les retours réitérés de son père à Lahardane, toujours à l'improviste : une présence réapparaissait au salon et au jardin, avec l'éclat de ses bottes, son large ceinturon de cuir, le tissu rêche de la tunique à la si forte odeur de tabac, sa voix profonde et parlant bas. L'honneur associé à la profession de son père, à sa personne et aux héros des livres d'histoire avait toujours séduit Everard. Plus tard dans l'existence, il ne savait pas s'il pouvait lui-même prétendre à cette qualité – et ne le sut jamais –, ou si d'autres le considéraient comme un homme honorable. Ce n'était pas un mot qu'avait utilisé sa femme et il ne l'avait pas interrogée à ce sujet-là, n'ayant jamais avoué que cette vertu l'avait influencé dans le choix de sa profession ou qu'il attachait du prix à sa possession. Il y avait trop de choses qu'ils ne s'étaient pas dites, estimait à présent le capitaine. Parce que l'amour nourrit l'instinct – avec les raccourcis et les économies de l'instinct –, on avait négligé trop de choses. Tout cela occupait ses pensées tandis qu'il revisitait les lieux de sa guerre. Alors qu'il foulait un sol nourri du sang des hommes qu'il avait commandés et dont les visages surgissaient dans sa mémoire, et qu'il se demandait pourquoi son errance l'avait ramené sur ces vieux champs de bataille, ce fut une réponse de son épouse qui lui vint (comme pour compenser le trop peu de paroles d'avant) : dans sa soixante-neuvième année, il établissait son statut de survivant. Il confirma l'idée d'un hochement de tête, la sentant vraie : être un survivant, c'était déjà quelque chose, peut-être davantage qu'on ne le croyait. Il avait été un bien moindre soldat que son père ; il était sûr d'avoir eu peur plus souvent, sûr d'avoir eu moins de courage. C'était une ironie que la mort, pour son père, n'eût pas été marquée par la bravoure au champ de bataille, qu'elle lui fût tombée dessus en catimini, par le truchement de la maladie – le genre de mort à domicile qui est le propre des femmes et des enfants. Everard – vingt ans à l'époque – était resté planté avec son frère au cimetière de Kilauran pendant que les trois cercueils étaient mis en terre.

C'était son frère qui, des années plus tard, avait amené Héloïse, sa fiancée, à Lahardane. « S'il te plaît, écris-lui pour le mettre au courant », avait-elle supplié quand ils venaient de décider de quitter l'Irlande et Everard l'avait promis. Mais pendant cette période indécise, il avait remis à plus tard, et avait encore retardé le moment d'écrire, ensuite, à Montemarmoreo, craignant qu'une lettre ne suscitât – en Inde comme en Irlande – une réponse qu'il serait obligé de cacher. Désormais, tout était différent, bien sûr.

Le lendemain, il repartit et se rendit à Paris. Il traversait la place de la Concorde quand une femme l'accosta en lui demandant l'heure. Son français étant incertain, il lui présenta le cadran de la montre qu'il avait tirée de son gilet. Avec un sourire, elle admira l'oignon, puis le gilet, et se mit insensiblement à converser avec lui, en anglais. Elle était déjà allée à Folkestone et à Londres, elle avait vécu un temps à Gerrards Cross. Elle était *couturière**.

– Madame Vacelles, fit-elle en tendant une main soignée.

Ils allèrent ensuite dans un café où Mme Vacelles but de l'absinthe.

– *Vous êtes triste**, murmura-t-elle, son sourire facile momentanément en veilleuse. Vous souffrez, *monsieur**.

C'était une constatation, même si le ton suggérait la question, mais il fit non de la tête, ne voulant pas partager son deuil avec une inconnue. Il parla plutôt de la guerre à laquelle il avait participé, de l'expérience qu'il avait eue du pays de son interlocutrice à cette époque-là, et Madame Vacelles se récria, taquine : il n'était pas assez vieux pour avoir combattu tant de temps auparavant, non ! D'un geste amical, elle lui saisit le bras, comme si elle était sûre de trouver sous sa main un muscle de jeune homme.

Le capitaine accompagna Madame Vacelles chez elle, dans les étages élevés d'un immeuble au coin d'une rue, au-dessus d'une boulangerie. Mais quand vint le moment qu'attendait la couturière, il s'excusa et fit non de la tête. Il était déçu de devoir repartir. Et si précipitamment. La pesanteur de la solitude n'était pas facile à surmonter et l'heure passée en compagnie de Madame Vacelles n'avait pas été désagréable.

– *Cochon*!* lui cria-t-elle en se penchant dangereusement par-dessus la rampe tandis qu'il descendait.

Ce soir-là, le capitaine écrivit à son frère. Sa lettre était fournie en détails ; l'aspect irlandais de la situation était sans doute déjà connu, son frère devait être au courant, évidemment.

« Je me demande si l'Irlande est maintenant un pays que nous reconnaîtrions, toi et moi. Y es-tu revenu, et en sais-tu davantage que moi à ce propos et sur Lahardane ? "L'Irlande des ruines", ai-je entendu dire qu'on l'appelait. Encore des ruines, et toujours davantage. »

Il évoqua un peu ce qu'il avait ressenti, ainsi qu'Héloïse, après les incidents de la fameuse nuit. Il parla des années d'Italie et de Suisse, des privations de la guerre, de la mort d'Héloïse. Il n'y avait pas eu le moindre ressentiment lorsque Héloïse avait cessé de partager les sentiments de son frère, seulement de la déception. On n'avait incriminé personne, il n'en était resté aucune amertume. « Eh bien, je me demande comment tu vas », écrivait le capitaine en conclusion de sa longue missive.

Il n'y avait nulle part où envoyer sa lettre, pas d'adresse de régiment qui pût en assurer la bonne réception. Le capitaine la garda donc dans ses bagages, décidé à se renseigner, quand l'occasion s'en présenterait, sur le sort du régiment de son frère après l'indépendance de l'Inde. Un mois plus tard, il entreprit le long voyage de Vienne, sans autre raison que l'espoir qu'il avait toujours nourri d'en contempler un jour la grandeur. Mais il découvrit une cité brisée, aux grands édifices dressés parmi les ruines, tels des spectres, et une vie nocturne tape-à-l'œil, qui animait la miteuse réalité et la corruption. Il ne resta pas longtemps.

La guerre avait sucé le sang de l'Europe au point de la priver de cœur, on en voyait partout la preuve exténuée. Il y avait eu trop de morts, trop de trahisons, un trop grand prix payé pour la défaite de la convoitise. Songeant à l'Irlande vidée de son énergie par des siècles de mécontentement, lui revint le sentiment éprouvé au début de son exil : celui d'un châtiment infligé à cause de péchés passés, auxquels sa famille avait dû contribuer. Avait-ce été de la convoitise que les Gault eussent trop longtemps maintenu leur position ? Pendant qu'on votait les lois pénales, il y avait eu des soirées à Lahardane, des prières dites à l'église pour le roi et l'empire, mais les aspirations des dépossédés étaient restées ignorées. S'étaient-elles enfin réalisées ? L'Irlande s'était-elle reconstruite en son absence, comme faisait maintenant l'Europe ?

A Bruges, il logea dans une pension de famille, à côté du Groeningemuseum. Héloïse avait séjourné dans cette ville, en avait décrit les maisons de brique et de pierre grise, les statues dorées à la feuille, les vitrines de chocolats, les cafés et les *jaunting cars*[1]. Elle avait évoqué un salon de thé qui n'existait plus, une pelouse de couvent avec une pancarte priant les visiteurs de ne pas photographier les religieuses. « Ah ! J'ai adoré cette petite ville ! » Sa voix, comme si souvent, traversait les rêveries du capitaine, et quand il contempla l'*Adoration de l'Agneau* à Gand, il imagina Héloïse, aussi impressionnée qu'il l'était lui-même.

– Vous êtes anglais ? lui demanda-t-on à la pension et il hésita un moment, ne sachant plus sur l'instant ce qu'il était au juste.

Il hocha le chef :

– Non, je suis irlandais.

– Ah, l'Irlande ! Que l'Irlande est belle !

L'enthousiaste était une Anglaise, plus jeune que lui d'une vingtaine d'années peut-être, pas du tout le genre de la femme qui l'avait abordé à Paris. Il se demanda si les vieux messieurs voyageant seuls font naturellement l'objet de telles attentions

1. Sorte de cabriolet muni de deux banquettes disposées latéralement, une de chaque côté, et dos à dos. Très populaire en Irlande, le *jaunting car* y demeure une attraction touristique très prisée.

et, tout en s'en réjouissant, il se montra plus méfiant que l'autre fois, sur la place de la Concorde. Il avait remarqué cette femme à la salle à manger, assise avec une autre – sa mère, avait-il supposé –, une déduction qui devait se révéler exacte.

– Oui, c'est beau.

– Je ne suis allée qu'une fois en Irlande, mais je n'ai pas oublié.

– Il y a près de trente ans que je n'y suis pas retourné.

La femme acquiesça de la tête, pas curieuse. Elle était blonde, d'une joliesse un brin fanée mais séduisante. Elle ne portait pas d'alliance.

– J'espère que je ne vous ai pas offensé en vous prenant pour un Anglais, s'excusa-t-elle.

– Mon épouse était anglaise.

Il sourit pour masquer le poids de son deuil, car les murmures de sympathie, pour gentils qu'ils fussent, étaient dérisoires, en dépit de l'intention. Voyager ne lui avait pas remonté le moral comme il l'avait espéré, et il commençait à douter qu'il pût jamais se libérer du chagrin qui le possédait. A douter que, somme toute, il fût destiné à y parvenir un jour.

La moins exigeante des épouses de son vivant, Héloïse morte exigeait beaucoup plus de lui qu'il ne le pouvait parfois supporter.

– Mon pays a mal traité l'Irlande. Je l'ai toujours pensé, déclara la femme.

– Eh bien, c'est fini, maintenant.

– Oui, c'est fini.

Il y avait eu une perte aussi dans la vie de cette femme, un mariage que lui avait volé la guerre. Il perçut ce terrain d'entente – elle aussi, il le sentit –, mais ils ne s'y égarèrent pas. Oisifs, ils passèrent un après-midi à converser, parlant de Bruges et des villes qui lui ressemblent, puis de nouveau de l'Irlande, et de l'Angleterre. Ils furent compagnons d'une demi-journée, les échanges demeurant impersonnels, chacun gardant les secrets qu'il souhaitait. Avant qu'il eût eu l'occasion de faire connaissance de la mère, les deux femmes étaient déjà parties.

Quelques semaines plus tard, le capitaine s'en alla à son tour. Il fit la traversée de Calais à Douvres, parcourut le Kent au rythme cliquetant du chemin de fer et gagna Londres. Là, il prit des renseignements sur le régiment en Inde et on l'informa que son frère était mort au combat, des années plus tôt. L'impression d'être seul, d'être plus que jamais un survivant, envahit alors le capitaine. Il ne trouva guère de quoi se dérider dans la terne capitale d'après-guerre, où la victoire avait plutôt des allures de grincheuse soumission. La morosité était partout, dans chaque visage, dans chaque geste. Seuls étaient gais les truands au coin des rues et la multitude de putes plaisamment parfumées.

II

C'était une belle matinée, le brillant soleil de mars chauffait les bras et le visage de Lucy. L'herbe était si rase sur la berge de la rivière qu'on eût cru que des moutons y avaient brouté, alors qu'il n'en venait jamais par ici. C'était un mystère : elle ne semblait jamais pousser, cette herbe qui restait verte pendant les longues vagues de chaleur, si élastique que c'était un plaisir de la fouler. Couchée dessus, Lucy contemplait le ciel ; ses pieds avaient envoyé balader les chaussures, et le livre qu'elle lisait était posé à côté d'elle, face contre terre. Elle ne pensait pas à ce livre, pas plus qu'aux bancs réservés à la cathédrale, à Mrs Proudie ou Mr Harding, ou au soleil sur le beffroi[1]… « M'écriras-tu pour me l'annoncer ? », avait-elle suggéré, mais ç'avait été trop demander, elle s'en rendait compte à présent. Ralph n'avait pas écrit, évidemment, pour raconter comment était la femme qu'il épousait. Il avait oublié, il s'était senti gêné. Non que cela eût de l'importance, et peut-être était-ce mieux ainsi. Dans sa rêverie, Lucy voyait un joli visage capable et pressentait des manières qui allaient avec. Une fenêtre de la maison couverte de lierre, près de la scierie, était ouverte ; le lierre était taillé – l'ordre comptait au nombre de ses qualités. Quand les scies se taisaient, mari et femme se promenaient

1. Personnages d'un roman d'Anthony Trollope, *Barchester Tower.*

dans l'air vespéral embaumé, de l'autre côté du pont, près de *Logan's Bar and Stores*. « Comme c'est paisible, ici ! » relevait l'heureuse épouse de Ralph.

Lucy se dressa sur son séant et tendit le bras pour saisir le livre, à côté d'elle. La couverture rouge était tachée à l'endroit où la pluie l'avait un jour marquée. Aloysius Sullivan avait acheté trois lots de livres dans une vente aux enchères, un an plus tôt, et les avait apportés à Lahardane en cadeau, sachant tout le plaisir qu'elle trouvait à lire des romans. « A Mr Beale », était-il écrit à l'encre foncée sur la page de garde, et Lucy se prit à imaginer qui cela avait pu être. « Monkstown Lodge, 1858. » De tous les gens qu'elle avait connus, seul le chanoine Crosbie avait dû être de ce monde en 1858. Passant les noms et les visages en revue, elle ne put songer à personne d'autre. Avec affection, elle se remémora le vieil homme d'église qui s'était tellement inquiété d'elle. Ralph avait raconté que le chanoine l'avait abordé au cimetière et lui avait parlé d'elle. Le chanoine Crosbie était arrivé à sa quatre-vingt-dixième année.

« De sa vie, Mr Harding ne s'était jamais trouvé talonné d'aussi près. » Enfin ramenée à son roman, elle se replongea dans sa lecture et s'y absorba. Pendant dix minutes, elle ne se posa plus de questions sur Ralph, sur son mariage et sur sa femme.

Une auto l'amena. Il n'adressa pas la parole au chauffeur pendant le trajet de la gare. Il avait demandé à être conduit à Kilauran. Il ferait le reste du chemin à pied, il en avait envie. Le chauffeur parla deux fois au cours des quarante-cinq minutes que dura le voyage, redevenant silencieux ensuite.

A Kilauran, le souvenir revint facilement au capitaine. Il y avait eu dans le temps une femme qui cherchait des coquillages dans les mares des rochers, au pied de la jetée, et il se demanda si celle qu'il voyait s'activer là maintenant pouvait être sa fille. Cela paraissait vraisemblable, car il y avait une certaine ressemblance, vu de loin – ou du moins se l'imaginait-il. Jadis, les pêcheurs passaient presque tous les jours ramasser les flotteurs de verre vert échappés de leurs filets mais, aujourd'hui, il n'y avait personne.

Il marcha le long de la mer. La falaise était familière, avec ses bords dentelés vers le haut, son argile crevassée. Seules les touffes de plantes sauvages semblaient différentes. Le sable lisse mouillé devint poudreux quand le capitaine obliqua pour gagner les galets. Le chemin facile pour escalader la falaise était toujours le même.

Une ou deux fois, il s'était dit que la maison avait dû être détruite par le feu, que les hommes étaient revenus, que cette fois, ils avaient réussi et qu'il ne resterait que les murs. Quand les Gouvernet avaient quitté Aglish, ils avaient vendu leur propriété à un fermier qui la voulait pour récupérer le plomb du toit ; il avait enlevé les ardoises et évidé les murs pour retirer les cheminées dans les pièces, abandonnant le reste aux intempéries. Le feu avait détruit Iyre Manor jusqu'aux fondations et les Swift avaient séjourné à Lahardane pendant qu'ils réfléchissaient à ce qu'ils allaient faire. Il avait été question que les vestiges de Ringville deviennent un séminaire.

Le capitaine s'arrêta, se rappelant une procession à travers champs, là où il venait d'arriver : son père tenant cérémonieusement le panier de pique-nique devant lui, sa mère munie de plaids et d'une nappe, sa sœur chargée de tous les costumes de bain, des draps de bain et des serviettes ; son frère et lui ne se voyant confier que leurs pelles en bois. Nellie était accourue à leur poursuite, voix perçante sous le grand soleil, son tablier et la jupe de sa robe noire battant l'air, les rubans de sa coiffe flottant derrière elle.

Un instant, Everard Gault eut l'impression d'être redevenu un enfant. Il crut voir le soleil briller sur un carreau, sachant pourtant que c'était impossible, puisque les vitres étaient derrière des planches. Reprenant sa marche, il compta les bêtes qu'il avait données à Henry : il y en avait le double de ce qu'il avait laissé. Une vache curieuse déplaça lentement sa masse vers lui, tendit la tête et le renifla. Les autres la suivirent d'un pas traînant. Il y avait des soucis plantés dans le champ des O'Reilly, derrière les pâtures.

Le soleil se refléta encore une fois sur le verre. Le capitaine poursuivit son chemin et aperçut un rideau qui voletait. « Vous avez oublié votre ombrelle ! avait crié Nellie ce jour-là, agitant l'objet en question au-dessus de sa tête. Madame, vous avez oublié votre ombrelle ! »

Il avait un jour appris dans le *Corriere della Sera* qu'une maladie du bétail sévissait en Irlande, et il s'était inquiété de cette menace pour ses vaches. « On a toujours eu notre petit troupeau à Lahardane », avait déclaré son père, exhibant fièrement ses bêtes à un visiteur. Le capitaine voyait maintenant la maison de plus près : pas une seule fenêtre n'était condamnée par des planches.

Plongé dans la stupéfaction la plus totale, il franchit le portillon de fer peint en blanc ménagé dans la clôture qui séparait les champs du parterre de gravier, devant la maison. Il s'immobilisa de nouveau, son regard un instant arrêté par le bleu profond des hortensias. Et puis, lentement, il se dirigea vers la porte ouverte.

Dans la cour, Henry descendait les bidons de la remorque et les roulait sur le pavé. A la laiterie, il fit couler de l'eau et remplit chaque bidon à ras bord avant de remettre le tuyau à sa place, suspendu aux crochets. Des gestes qu'il aurait pu accomplir en dormant, avait-il coutume de raconter à Lucy quand elle était enfant, la faisant rire quand elle imaginait la scène. « Lucy, Lucy, donne-moi ta réponse », chantait-il, suscitant encore les rires de la petite.

Bridget l'appela. Il répondit : il était à la laiterie. Elle devait le savoir, ayant vu que le pick-up et la remorque n'étaient pas encore garés. Il se demanda pourquoi elle ne s'en rendait pas compte, pourquoi elle se contentait de l'appeler.

– Arrête donc ! cria-t-elle et il comprit à son ton de voix. Arrête et viens !

Les chiens réveillés par le tintement des bidons se recouchèrent au pied du poirier. Quelques semaines encore, et il n'aurait plus à faire le trajet jusqu'à la société laitière : le camion de ramassage passerait en haut de la grande allée. Depuis près d'un an, il avait achevé la plate-forme nécessaire.

– Henry ! Tu veux bien rentrer ! cria Bridget qui n'apparut pas à la porte de derrière.

Arrivant dans le passage aux chiens, Henry perçut une voix d'homme qui parlait, mais si bas qu'il ne pouvait guère entendre que des marmonnements. Quand il entra au salon, Bridget murmurait : « Gloire à Dieu ! » Elle était assise à la table, aussi rouge que lorsqu'elle piquait des fards, jeune fille. Elle portait constamment le bout de ses doigts à ses lèvres, les enlevait, les remettait, murmurant sans cesse « Gloire à Dieu ! ».

Henry devina qui était l'homme avant de le reconnaître. Plus tard, il se demanda comment il s'était débrouillé pour ne pas se trouver à court de mots, comment il avait pu lâcher tout de go :

– Bridget, tu lui as dit ?

– Elle me l'a dit, Henry, avait répondu le capitaine.

Il était là depuis un moment. Le thé avait été servi. Celui de Bridget était intouché ; celui du capitaine, terminé. Henry alla prendre la théière sur la cuisinière et remplit la tasse du capitaine.

Lucy revint par la plage, marchant au bord de l'eau, comme avait fait son père, arrivant, lui, de la direction opposée. La trace de ses pas resta sur le sable, à la différence de ceux du capitaine, car à présent la marée descendait.

Elle vira vers les falaises, une chaussure dans chaque main, s'attardant sur le sable mouillé, avant de s'asseoir à l'endroit où il devenait sec et doux. « On aurait probablement pu dire que la grande caractéristique familiale des Stanhope était le manque de cœur. Pourtant, cette absence de sentiment s'accompagnait, chez la plupart de ses membres, d'une telle dose de bonhomie qu'elle se remarquait à peine. »

L'espace d'un instant, elle ne se rappela pas grand-chose des

Stanhope, puis s'en souvint parfaitement. C'était aussi stupide que d'oublier que Mr Harding était le cantor, ou Mr Slope le chapelain de l'évêque Proudie. Elle se remit à lire mais aucun sens ne se dégagea des phrases d'un long paragraphe. « Comme j'ai de la chance ! » s'écriait l'épouse de Ralph, tandis qu'ils faisaient demi-tour pour rentrer de leur promenade vespérale.

Dans chaque pièce où entrait le capitaine, il commençait par regarder par la fenêtre. Il aperçut sa fille dans les pâturages et crut, dans un moment de confusion, voir sa femme.

Il ne put s'empêcher de le repenser quand elle arriva dans le hall et qu'il porta le regard sur elle, du haut de l'endroit où l'escalier décrivait une courbe.

Il y avait dans sa démarche une hésitation presque imperceptible et il comprit qu'elle boitait. Elle avait les traits de sa mère.

– Qui êtes-vous ? demanda-t-elle avec, aussi, la voix de sa mère.

Debout dans l'escalier, mal assuré, Everard Gault tendit une main vers la rampe et descendit lentement. Ce qu'il avait appris à la cuisine et cette rencontre avec sa fille, si peu de temps après, l'avaient affaibli.

– Tu ne me reconnais pas ?

– Non.

– Regarde-moi, Lucy, fit le capitaine en arrivant en bas de l'escalier.

– Que voulez-vous ? Pourquoi devrais-je vous connaître ?

Ils se contemplèrent. Les joues de Lucy devinrent aussi blanches que sa robe, et il sut qu'à présent elle le reconnaissait. Elle ne souffla mot et il resta immobile, ne s'approcha pas d'elle. Au début, lorsque Bridget avait entendu le capitaine parcourir la maison, Bridget s'était signée, implorant une protection contre l'inconnu. Elle avait répété le geste à la salle à manger, en voyant un étranger planté près de la desserte, et l'avait encore renouvelé à la cuisine, demandant conseil.

– J'ai commencé par douter que c'était lui, expliqua-t-elle. Il n'a plus que la peau et les os, mais ce n'était pas pour ça.

– Oh, mais c'est bien lui !

– Le pauvre homme a été choqué jusqu'au tréfonds quand je lui ai dit ce qui était arrivé.

– Elle va l'être aussi, elle.

– Qu'est-ce qui va se passer, Henry ?

Il hocha la tête. Il l'écouta raconter comment il se faisait que le capitaine était seul.

Il avait envie de prendre sa fille dans ses bras mais ne le fit pas, sentant quelque chose en elle qui l'en empêchait.

– Pourquoi maintenant ?

Un murmure qu'il perçut – des paroles qui ne lui étaient pas destinées. Et puis, comme si elle les regrettait, Lucy l'appela papa.

III

Au village de Kilauran et dans la ville d'Enniseala, les gens cherchaient à apercevoir le capitaine Gault. On le guettait avec autant d'impatience qu'on attend l'entrée en scène d'un personnage important dans une pièce de théâtre. Lui qui avait cru parcourir les pièces de sa maison plongée dans l'obscurité et repartir, racontait-on en faisant jouer son imagination, il avait trouvé là sa fille – en vie. A Lahardane même, et à la différence de partout ailleurs, les événements survenus depuis la nuit où il avait tiré d'une fenêtre du haut n'avaient pas pris la forme d'un récit. On ne les avait pas ordonnés bien nettement dans le but de les rapporter, ils étaient restés en mémoire au petit bonheur la chance, tels qu'ils s'étaient produits. De même, et contrairement à ce qu'on pensait ailleurs, le chamboulement occasionné par le retour du capitaine et la nouvelle de son veuvage ne furent pas interprétés comme l'aboutissement d'un enchaînement de circonstances. A Lahardane dominaient l'effet brut du choc et, à un niveau plus quotidien, l'odeur des petits cigares que fumait le capitaine et du whiskey des bouteilles qu'il ouvrait. Sa voix était devenue plus profonde avec les ans, Bridget et Henry l'avaient relevé. Son pas dans l'escalier n'était pas tout à fait celui d'un inconnu mais presque ; ses chemises suspendues à sécher dans le verger avaient quelque chose d'étranger.

Le capitaine même restait affecté par la confusion, et par l'incrédulité, parfois. Était-ce là quelque rêve qui se prolongeait – sa fille vivante, le fait qu'il y eût, semblait-il, davantage de véracité dans ces lieux, tels qu'il les avait imaginés, que dans ce qu'il voyait là présentement ? Quand il était en compagnie de sa fille, il avait l'instinct de lui prendre la main, pour chercher l'enfant qu'elle avait été, comme si en la touchant il retrouverait ce qu'il avait perdu. Mais cet instinct était chaque fois étouffé.

– Lahardane t'appartient, affirmait-il avec une insistance maladroite, n'importe quel propos lui semblant mieux que rien. Je ne suis qu'un visiteur.

Lucy réagissait avec force protestations qui n'étaient guère que des mots. Le pardon pour une bêtise d'enfant : c'était la moindre des choses qu'il pût offrir – pas seulement son pardon, celui de sa mère aussi. Sa fille eût été absoute de sa modeste transgression dans l'heure qui en avait suivi la perpétration : des affirmations rassurantes sur ce point étaient bien tombées des lèvres du capitaine, sincère. Mais que par impatience, on eût ignoré les angoisses d'une enfant, voilà une cruauté qui demeurait.

Le capitaine se rendait compte qu'il ne pouvait en dire assez, en dépit de toutes ses paroles de contrition et de regret. Les années de rumination du passé avaient sécrété leur réalité propre qui, depuis longtemps déjà, possédait sa fille, l'enveloppant à la manière d'un brouillard glaçant. Du moins était-ce son impression.

Ils s'asseyaient chacun à un bout de la longue table dans la salle à manger, lieu de la plupart de leurs conversations, quoiqu'il arrivât tout aussi souvent que pas un mot ne fût échangé. Repas après repas, le capitaine regardait l'index mince de sa fille dessiner sur l'acajou lisse et brillant des figures qu'il n'arrivait pas à identifier grâce aux seuls mouvements des doigts. Quand la politesse l'exigeait, elle évoquait parfois ce qu'elle avait fait ce jour-là ou, s'il était encore tôt, ses projets pour la journée. Il y avait le miel à récolter, les fleurs qu'elle cultivait.

Ralph finit par apprendre la nouvelle.

Son mariage remontait à plus d'un an, mais eût-il daté de la veille que ça n'aurait rien changé. Pas tout à fait semblable à son portrait imaginaire, la femme de Ralph était grande aux yeux bruns, les cheveux foncés tirés en arrière, et d'une sveltesse naturelle qui lui revenait maintenant, après la naissance de son premier enfant. Hasard des choses, elle était capable et ordonnée, comme Lucy se l'était représentée. Les vrilles envahissantes avaient bel et bien été taillées pour dégager les fenêtres de la maison couverte de lierre, devenue celle de Ralph lors de ses noces, ses parents s'étant installés dans le pavillon de plain-pied qu'ils avaient fait bâtir quand ils s'étaient aperçus que leur demeure serait un jour trop lourde pour la mère de Ralph, souffrante.

Ralph apprit le retour du capitaine Gault un lundi, en milieu de matinée. Un camionneur qui venait souvent chercher une charge de bois à la scierie était issu d'une famille de Kilauran – Ralph l'avait découvert des années auparavant – et était en relation avec ses sœurs là-bas. Ils parlaient ensemble du village et des environs, et Ralph avait souvent évoqué la maison des falaises, sans pour autant mentionner le lien intime qui l'y attachait. Il avait toujours ressenti un besoin de secret pour ce qui touchait à Lucy Gault. Pendant ses six ans d'armée, il était resté sur la réserve, ne révélant pas une fois ce qui pourtant semblait déjà inévitable : que jamais Lucy Gault et lui ne se marieraient. Il n'avait pas non plus parlé d'elle ou de son séjour à Lahardane à la femme qu'il avait épousée à sa place – une circonstance qui n'indiquait nullement une absence d'amour dans ce mariage, ou que Ralph se fût contenté d'un lot de consolation. Il avait simplement battu en retraite devant l'impossible.

– Non, ça ne se peut pas ! releva-t-il avec calme quand le routier lui annonça la nouvelle.

– Oh, m'est avis que c'est pourtant vrai, monsieur.

L'homme en était sûr. Il y avait dans sa voix une certitude

qui donna envie à Ralph de fermer les yeux et de se détourner, qui le poignarda quelque part – au cœur, imagina-t-il. Pourtant son cœur battait, il le sentait, battait plus fort que jamais auparavant. Une sécheresse avait envahi sa bouche, comme si un fruit amer l'avait assoiffée. Le camionneur dut crier quand une autre scie s'ébranla et ajouta son bruit au grondement que produisait le lent débitage de planches de hêtre.

– Il y a déjà un moment, monsieur.

Ils sortirent.

– Mrs Gault aussi ?

– Mrs Gault est morte, paraît-il.

Ralph donna à l'homme la facture préparée à son intention. Il le guida lorsque ce dernier fit marche arrière pour sortir son camion de la cour de la scierie et reprendre la route. Continuant à simuler le calme, il lui adressa des signes d'adieu et partit pour être seul.

Mr Sullivan avait été sidéré par la nouvelle du retour. Everard Gault était à ses yeux un homme simple à qui il était arrivé une chose compliquée, et voilà que survenaient d'autres complications encore. Aloysius Sullivan ne savait pas s'il fallait se réjouir ou s'inquiéter.

– Eh bien, vous constaterez un ou deux changements à Enniseala, Everard, déclara-t-il dans le second bar du Central Hotel, quand les deux hommes se retrouvèrent finalement.

Il estimait sage d'entretenir une conversation superficielle, tels qu'étaient jadis les échanges de propos avec Everard Gault, il se le rappelait.

– Auriez-vous deviné qu'on fabriquerait des manteaux imperméables à Enniseala ?

– C'est le cas ?

– Oh certes, certes. Il n'y a plus grand-chose qui est resté pareil à Enniseala.

Le capitaine avait pu le constater de visu. Certaines pensions de famille dont il avait souvenir n'étaient plus là, les magasins de la grand-rue n'étaient plus les mêmes. La gare de chemin de fer était délabrée, les portes de chez Gatchell, la salle des ventes, étaient fermées et ne rouvriraient pas, disait-on. Les boutiques familières ne l'étaient plus quand il y pénétrait, les visages de ceux qui l'accueillaient étaient nouveaux pour lui.

– Il fallait s'y attendre, évidemment, déclara-t-il au Central Hotel. Partout, une Irlande différente.

– Plus ou moins.

– Je dois vous faire mes excuses pour ne pas avoir suggéré plus tôt qu'on se voie, vous et moi. Il m'a fallu un peu de temps pour retomber sur mes pieds.

– C'est compréhensible.

Ils étaient les seuls consommateurs du petit bar où nul ne venait servir à boire si on n'appelait pas. Le capitaine se leva et se dirigea vers le bar en bois avec leurs deux verres.

– La même chose, demanda-t-il quand apparut un jeune maigrichon.

Ils buvaient du John Jameson.

– Nous ne serions pas partis, vous savez, confia le capitaine quand il revint à leur table. Si nous avions fouillé les bois et qu'on l'ait trouvée, nous ne serions pas partis.

– Mieux vaut ne pas s'appesantir là-dessus, Everard.

– Oh, je sais, je sais, fit-il, prenant son verre et, après un silence, il avoua ce qu'il avait peur de raconter chez lui, à la salle à manger : Héloïse croyait que son enfant s'était supprimée.

La conversation s'était insinuée sous la zone sûre de surface qui avait la préférence du notaire. Il ne tenta pas d'enrayer le mouvement, sachant qu'il ne le pourrait plus à présent.

Le capitaine reprit :

– Mais, elle qui mettait tant de grâce en toute chose, elle l'a fait autant qu'il était possible, en tâchant de vivre avec une telle idée.

– Héloïse ne pouvait pas être autrement.

– Les signes extérieurs de sa beauté étaient toujours là.

Aloysius Sullivan confirma d'un hochement de tête. Il se rappelait sa première rencontre avec Héloïse Gault, signala-t-il, mais le capitaine enchaîna comme si le notaire avait parlé d'autre chose ou n'avait rien dit.

– Elle aimait les Annonciations. Elle s'interrogeait sur la nature du doute de saint Thomas. Elle se demandait si l'ange de Tobie avait pris la forme d'un oiseau, et comment saint Siméon, le stylite, se débrouillait sur sa colonne. Nous avons contemplé des foules de tableaux.

– Je suis navré, Everard.

Le notaire se souvenait des yeux tranquilles de la jeune fille qu'il avait découverte, s'en souvenait quand on évoquait la femme qu'elle était devenue. C'était un être qui, de toute sa vie, n'avait jamais voulu faire de mal à quiconque, il l'avait souvent songé. Aloysius Sullivan, qui n'avait jamais regretté de n'avoir pas connu les maintes intimités du mariage, eut un instant de regret.

– Vous avez été un bon époux, Everard.

– Bien inadéquat. Nous avons quitté Lahardane quand nous n'avons plus pu supporter les jours que nous y coulions. J'aurais dû résister à cette hâte brouillonne.

– Et j'aurais dû me mettre à votre recherche en personne. On pourrait continuer à l'infini…

– Lucy a-t-elle besoin de savoir ce que je vous ai confié ?

– Ce serait plus gentil pour elle qu'elle ne le sache pas.

– Je crois qu'il ne faut pas qu'elle l'apprenne.

– Et moi, j'en suis certain.

Les deux hommes burent. Les langues se délièrent, la conversation s'épandit en désordre et devint plus facile pour tous les deux. Leur pas un brin désordonné aussi sur la promenade, un peu plus tard, ils redevinrent les amis qu'ils avaient jadis été. Au cours de la balade, le notaire – qui était l'aîné de onze ans mais toujours tel qu'Everard Gault se le rappelait – évoqua des connaissances communes, son clerc et la gouvernante qui était chez lui depuis si longtemps. Mais il ne s'étendit pas davantage sur sa vie privée : comme avant, ses propos donnaient toujours l'impression qu'il ne partageait ce domaine-là avec personne. Le capitaine parla de ses voyages.

– Héloïse avait une photographie qui avait dû être prise par ici, coupa-t-il, interrompant un autre propos. Un cliché sépia passé, un peu déchiré et froissé. Je doute qu'elle savait qu'il se trouvait encore parmi ses affaires.

Il désigna l'endroit où la promenade avait été consolidée, après avoir été endommagée par de hautes vagues. Sur la photo de sa mère, Lucy se tenait parmi les poteaux des vieux épis qui zigzaguaient vers la mer – certains étaient toujours là, pourrissant sur place. Les épis devaient être remplacés, expliqua Aloysius Sullivan, et peut-être le seraient-ils en effet, un de ces jours.

Ils s'étaient arrêtés près d'un banc mais ne s'y assirent pas. Le capitaine écoutait ce qu'on lui racontait à propos des épis, le regard posé au-delà de la mer, sur les taches d'ajonc qui parsemaient la côte lointaine. Un silence s'installa quand on eut épuisé les nouvelles locales et avant qu'il reprît :

– Vous avez veillé à ce qu'elle ait de l'argent. Pendant toutes ces années.

– Elle n'a guère fait de dépenses.

– Lucy ne me parle pas.

Il évoqua le moment de leur rencontre, la résistance à une étreinte, les silences à la salle à manger, le doigt de Lucy esquissant des dessins sur la table, sa propre euphorie si souvent fracassée.

Mr Sullivan hésita. Ce n'était pas à lui de s'épancher, pourtant l'affection qu'il portait au père et à la fille demandait qu'il le fît maintenant.

– Lucy aurait pu se marier, fit-il, marquant une pause avant d'ajouter : Mais elle a estimé ne pas avoir le droit d'aimer avant de se sentir pardonnée. Elle n'a jamais douté – à la différence de nous tous – que vous reviendriez un jour. Et elle avait raison.

– C'était il y a un certain temps ? Qu'elle aurait pu se marier ?

– Oui, confirma-t-il, reprenant après un nouveau silence : Lui s'est marié depuis.

Ils continuèrent à marcher du même pas lent, et Aloysius Sullivan déclara :

– C'est bon de vous voir de retour, Everard !

– Voilà qui ressemble bien au reste de notre tragédie familiale, que mon retour ait été trop tardif !

IV

Les deux hommes sur la promenade étaient observés de loin.

Le militaire que des illusions avaient perturbé n'était plus soldat : son temps terminé, on lui avait expliqué qu'il pourrait se rengager pour une autre période, mais il avait décliné l'offre. Horahan n'avait pas de ressentiment envers l'armée, bien que celle-ci eût failli à ses devoirs envers lui, et il s'était acquitté de ses dernières tâches militaires avec autant de soin et de persévérance que d'habitude, cirant ses brodequins, astiquant les boucles du ceinturon et des chaussures, ainsi que les boutons de sa tunique. Son dernier jour de caserne arrivé, il avait roulé le matelas en boule sur les ressorts du lit étroit. Un complet noir attendait, suspendu dans son vestiaire.

Il l'avait à présent sur le dos. Momentanément sans emploi, il habitait une chambre qu'il louait dans une maison, non loin de celle où il avait vécu, enfant, et que sa mère avait habitée jusqu'à sa mort. Ayant eu vent du retour du capitaine Gault, il l'avait guetté dans les rues de la ville. Ce jour-là, il l'avait suivi et, tout en continuant à observer les deux silhouettes sur la promenade, des larmes lui étaient montées aux yeux. Des larmes n'exprimant ni le chagrin ni la consternation, qui se répandaient sur ses joues creuses et ruisselaient jusque dans son col de chemise. Il savait, il n'avait plus de doute : enfin le signe de

Notre-Dame ! Grâce à sa sainte intervention, le capitaine Gault était rentré pour mettre un terme à la torture.

Trois Frères chrétiens qui passaient par là remarquèrent le visage extatique de l'ex-soldat. En s'éloignant, ils l'entendirent pousser un cri : ils se retournèrent et le virent à genoux. Ils le regardèrent jusqu'à ce qu'il se fût relevé, qu'il fût monté à vélo et reparti.

V

– Ils vivaient d'aumône, répondit Ralph interrogé à propos des moines reposant dans les tombes sur lesquelles ils marchaient présentement. Les Augustiniens ont toujours été mendiants par ici.

Y avait-il une note d'impatience dans sa voix quand il répondit ? Un signe, qu'il avait omis de faire passer pour de la fatigue après le travail du jour ? Il sourit à son épouse – une excuse dont elle ne saurait jamais que c'en avait été une. L'air était doux, sans un souffle de brise. Quelque part roucoula un pigeon qui n'avait pas encore fini sa journée.

Ils parlèrent des moines, se demandant s'ils s'étaient tous également consacrés à la bonté simple, s'ils avaient tous été également motivés par ce qui donnait un sens à leurs vies cloîtrées. Une foi telle que la leur rend-elle les gens semblables entre eux ? s'enquit-elle. L'avaient-ils tous été, comme leur habit semblait l'indiquer ?

– Penses-tu !

Il y avait peut-être encore eu de l'impatience dans sa voix, une trace d'injuste irritation, et de nouveau il eut honte. Il ajouta avec plus de douceur :

– C'est un morceau de leur église qui reste là. La partie qu'ils habitaient devait couvrir tout ce champ-là et au-delà

– les cellules, le réfectoire, le jardin qu'ils devaient cultiver, leurs bassins à poissons.

Une pierre isolée se dressait, droite, dans un coin du champ ; l'usage en était inconnu. A sa base, les sculptures abîmées n'avaient pas été identifiées. Ç'avait pu être la traverse d'une croix brisée – la cassure dentelée aurait été arrondie, des incisions ajoutées en guise de décoration – mais on ne le savait pas avec certitude.

– Et maintenant, on rentre ? suggéra Ralph.

Leur enfant dormait. Un cri de sa part leur serait parvenu par la fenêtre ouverte, munie de barreaux par sécurité. Dans le calme vespéral, ils tendirent l'oreille un instant.

– Oui, peut-être devrait-on rentrer.

Quand elle avait hésité pour l'épouser, il l'en avait instamment priée. Il l'avait écoutée exprimer ses doutes, les apaisant d'un rire vrai et affectueux. Ce n'était pas l'humilité qui l'avait retenue, ni le manque de confiance dans son aptitude à la vie qui l'attendait, plutôt une circonspection qui ne semblait pas hors de propos, elle en avait le sentiment sans bien savoir pourquoi. Tout cela revenait maintenant à la mémoire de Ralph, comme si le temps avait attendu pour en livrer le sens.

– Dommage qu'elles aient été laissées à l'abandon, fit-elle, se retournant pour regarder les ruines dont personne ne s'était occupé.

Les vaches qui paissaient parmi les vieilles pierres cherchaient de l'ombre lorsque le soleil tapait et piétinaient les touffes d'orties. Ralph trouva la remarque étrange alors que, naturellement, elle ne l'était pas.

– Oui, c'est dommage.

Ils enjambèrent le portillon pour regagner la route car c'était plus facile que de se débattre avec ses gonds rouillés. Des bicyclettes étaient garées contre le mur bleu pâle et luisant de chez Logan, dont la boutique restait ouverte le soir, aussi longtemps qu'il y avait des clients au bar.

Ils parlèrent de la journée, des nouvelles qu'on avait entendues à la scierie. Il lui avait avoué au début de leur rencontre qu'à une époque, il n'avait pu se voir en marchand de bois pour le restant de ses jours. Elle avait souvent reparlé de cela et il déclara, comme si elle venait juste de le faire :

– C'est ce que je suis.

Interloquée, elle fronça les sourcils, puis sourit quand il s'expliqua. Ils sourirent ensemble à ce moment-là.

– Je ne veux rien d'autre, ajouta Ralph.

La phrase fut lâchée facilement; il n'eut pas besoin de détourner les yeux, il put même lui prendre la main. Elle avait dans ses yeux brun profond tout l'amour qui rendait leur vie commune agréable.

– Comme tu es gentil ! murmura-t-elle.

Ils traversèrent le pont étroit; il y avait là le pavillon des parents de Ralph et, dans l'air, une odeur de tabac. Massif, le cheveu gris, la pipe fermement coincée au centre de la bouche, le père de Ralph arrosait tranquillement ses plates-bandes. Il leur adressa un signe qu'ils lui rendirent. « C'est juste que ça pourrait vous intéresser », avait signalé le camionneur.

Et depuis, ce qui n'avait jamais semblé une tromperie lui en donnait maintenant le sentiment. Avoir gardé son secret en le camouflant derrière des propos vagues un jour, fort lointain déjà, où quelqu'un avait posé trop de questions sur le fameux été à Enniseala, ce n'avait été rien de plus que le désir de protéger un bien précieux. Mais c'était davantage à présent. Le passé et le présent étaient en quelque sorte devenus une seule et même chose.

Que pensait Lucy à cet instant précis ? Que pensait-elle en s'éveillant chaque matin, quand s'éclaircit une aube nouvelle ? Songeait-elle qu'il avait appris la nouvelle ? Qu'il saurait que faire, qu'il trouverait un moyen ?

L'enfant reposait, paisible. Aucun rêve ne l'avait effrayée, aucun son n'avait fracassé sa paix vide. Elle avait la joue un peu rougie, là où elle l'avait appuyée contre ses doigts repliés.

Le capitaine s'aperçut qu'il avait perdu une partie de sa prestance militaire depuis la mort de sa femme : il s'était laissé aller avec une négligence de vieil homme, il traînait les pieds lorsqu'il était fatigué. Il compensa alors ces relâchements par le soin qu'il apporta à sa mise et à son apparence, par égard pour sa fille. Il se faisait régulièrement couper les cheveux à Enniseala, se taillait les ongles, nouait sa cravate avec application. Chaque matin, sans faillir, il cirait ses souliers qui étaient aussi ressemelés avant que ce fût une nécessité absolue.

Mais la conversation demeurait plus facile avec Bridget ou Henry qu'avec sa fille. Il évoqua pour eux le souvenir de ses errances sans but, au début de son deuil, quand il allait à la dérive, de train en train ; une fois de temps en temps, seulement, ses mouvements avaient été dictés par un sentiment ou une préférence à demi oubliés. Il se rappelait aussi avoir pensé, un jour qu'il traînassait sur un banc dans un parc, aux gardiens qu'il avait laissés en Irlande. Fumant un de ses minces cigarillos, il s'était surpris à songer qu'ils avaient dû vieillir autant que lui, qu'ils avaient dû s'inquiéter à l'idée que le troupeau ne pourrait peut-être pas assurer leur subsistance, et se soucier de ce qui leur arriverait en pareil cas. Il s'était demandé – mais cela, il le leur tut – s'ils étaient toujours en vie.

– On pourrait retaper le pavillon de gardien, proposa-t-il à Bridget, si vous avez envie d'y retourner.

– Oh non, monsieur, oh non ! A moins que vous préfériez.

– Ce n'est pas à moi de préférer telle ou telle chose, Bridget. C'est moi qui suis en dette envers vous.

– Oh non, monsieur, non !

– Vous avez élevé ma fille.

– Nous avons fait ce qu'aurait fait n'importe qui. Nous avons fait de notre mieux. On aimerait autant rester dans la maison, monsieur, si c'est égal. Si ce n'est pas trop de prétention, monsieur.

– Bien sûr que non.

Ce fut Bridget qui lui conta comment la claudication de sa

fille s'était atténuée au fil des ans ; comment un stoïcisme s'était développé chez Lucy, enfant, à l'époque où lui manquait le poids des années ; comment l'espoir avait été préservé, comment l'amour avait volé en éclats. Maniant le sécateur pour éliminer les ronces du verger ou bouchant les perforations du plomb sur le toit avec des points de Seccotine, le capitaine songeait que cela inspire l'humilité d'apprendre ainsi des choses sur le compte de son propre enfant, d'être ainsi éclairé sur son caractère, tel qu'il s'est formé. Ç'eût été surprenant qu'ils ne soient pas des étrangers l'un pour l'autre, il l'acceptait. Il essaya de l'imaginer à quatorze ans, à dix-sept, puis à vingt ans, mais ses souvenirs d'elle, bébé dans ses bras, ou quand il était en souci pour l'enfant trop solitaire, resurgissaient avec trop de force. Maintenant, elle vivait en recluse dans cette vieille maison lugubre, et il s'inquiétait qu'elle n'allât jamais à Enniseala, qu'elle n'en eût jamais – adulte – parcouru la longue grand-rue, qu'elle se souvînt à peine des cygnes sur les eaux de l'estuaire, de la promenade, du kiosque à musique, du petit phare trapu qu'elle avait connus dans ses jeunes années. N'avait-elle pas envie de faire des courses dans de meilleures boutiques qu'au bazar de Kilauran ? Comment s'arrangeait-elle pour les soins dentaires ?

Posant la question dans la salle à manger, il apprit qu'un dentiste venait de temps à autre de Dungarvan, que le Dr Birsthistle donnait des consultations hebdomadaires à Kilauran, comme son prédécesseur, le Dr Carney ; que le dimanche, un jeune vicaire au visage animé venait d'Enniseala dans la petite baraque en tôle ondulée de l'Église d'Irlande. Mais ce fut Bridget qui évoqua pour lui le souvenir de jours où, durant sa longue absence, il s'était passé des choses sortant de l'ordinaire : le matin glacé où la pompe de la cour avait gelé ; un dimanche où les nièces de Bridget étaient venues la voir pour lui montrer leurs robes de première communion ; l'après-midi ensoleillé où le chanoine Crosbie avait annoncé que la France était tombée – il avait fait beau à Bellinzona aussi, il se le rappela sans effort.

– J'ai encore ça, annonça-t-il dans la salle à manger et quand Bridget vint pour débarrasser les assiettes et les plats de légumes, la table était jonchée de cartes postales de villes et de paysages d'Italie.

Poliment, Lucy avait hoché la tête devant chaque carte, avant de les ranger en une petite pile, comme le rapporta Bridget à la cuisine.

L'électricité fut installée à Lahardane car le capitaine avait le sentiment que, par égard pour sa fille, il fallait avoir cet agrément. Il acheta un aspirateur Electrolux à un représentant de commerce qui les avait démarchés et, une autre fois, revint à la maison avec une cocotte-minute. Bridget apprécia l'Electrolux mais remisa la cocotte qu'elle jugeait dangereuse.

Le capitaine acheta une automobile au garage de Danny Condon à Kilauran. C'était une Morris Twelve d'avant-guerre, vert et noir, avec l'arrière galbé typique de l'époque. Abandonnée par son propriétaire en 1921, cette voiture dotée de pneus en caoutchouc pleins, qui faisait déjà figure d'antiquité à ce moment-là, avait à peine servi. Garée depuis dans une remise de la cour, des rouges-gorges y avaient niché entre les plis de la capote, leur fiente marquant les parements de laiton de taches sombres, la poussière ternissant le brillant de la carrosserie. Danny Condon l'avait reconnu et il avait accordé une petite réduction sur le prix de la Morris.

L'achat de l'auto était une autre tentative du capitaine pour sauver sa fille de son isolement. Il lui apprit à conduire dans la grande allée et lorsqu'ils se rendaient au cinéma d'Enniseala. « Et aujourd'hui, les courses ? » suggérait-il, et ils partaient pour Lismore ou Clonmel. Il lui fit fréquenter l'Opéra de Cork, l'emmenant d'abord dîner au Victoria Hotel où, un jour, une vieille dame se leva et chanta d'une voix tremblante les dernières lignes d'un air de *Tannhaüser*. Les dîneurs applaudirent et le capitaine repensa à l'après-midi passé à la Citta Alta, aux airs de la *Tosca* avant que fût ordonné de jouer de la musique militaire. Il évoqua cet après-midi-là et on l'écouta poliment.

Pour Ralph, c'était toujours plus facile à la scierie. Le côté pratique des choses lui apportait un soulagement ; l'émotion était amenuisée par le bourdonnement des scies, le crissement des rabots, les hommes attentifs et précautionneux, l'odeur de sueur, de résine et de poussière. Il était responsable des opérations et devait agir en conséquence. Mais quand il grimpait à l'échelle pour rejoindre le bureau qui dominait les machines et les ouvriers, laissant derrière lui le bruit qui s'estompait davantage, une fois la porte refermée, trop facilement ses pensées s'échappaient. L'attention apportée aux commandes, aux factures et aux colonnes des livres de compte, le souci causé par les signes d'usure d'une courroie de transmission ou une scie émoussée, le décompte des gages hebdomadaires – autant de tâches qui supportaient des interruptions involontaires. Et il revenait à lui plusieurs minutes plus tard, comme au sortir du sommeil, fixant avec stupeur ce qu'il avait en main ou ce qui était ouvert devant lui.

Souvent, son père venait au bureau pour partager les travaux du jour. Son père ne faisait pas de commentaire sur ces moments de distraction, sur sa façon soudaine d'arpenter le sol en planches du bureau pour tenter de déguiser ces absences, le dos tourné pendant trop longtemps. La rouerie, ce n'était pas le genre de Ralph, son père le répétait souvent. Les hommes aussi le reconnaissaient volontiers quand les scies se taisaient à midi et qu'ils s'asseyaient avec leurs sandwiches, dehors au soleil s'il faisait chaud. On le disait aussi au Logan's Bar – les buveurs du soir, les femmes qui venaient faire leurs emplettes à l'épicerie, ceux qui avaient connu Ralph toute sa vie. Pas un instant on ne doutait de lui, pas non plus dans la maison où il avait amené son épouse ; pas un instant non plus dans le pavillon bâti pour sa mère et son père.

Pourtant, c'était le début de ce qui devint une habitude. « Je vais aller à pied chez Donovan », lançait-il en rentrant chez lui le soir, et il partait marcher çà ou là pour se soulager des rigueurs de la journée – telles étaient les apparences, il le savait –, des soucis laissés en suspens quand les choses n'avaient pas bien marché, quand une pièce de machine restait indisponible ou qu'une fois de plus la livraison promise n'avait pas été faite. Chaque jour était teinté par des mensonges qui n'en étaient pas tout à fait – infime tromperie, à peine esquissée, le bruit creux du faux-semblant. Ce qu'il avait toujours méprisé.

– Les génisses de Cassidy étaient-elles sorties ? demandait son épouse quand il rentrait de sa promenade vespérale, ou bien : Ils ont déjà commencé à goudronner, à Rossmore ?

Et il répondait, bien qu'il n'eût rien remarqué. Il ne pouvait pas supporter de la blesser, pourtant le contentement qu'elle manifestait lui semblait contre-nature. Pourquoi ne souffrait-elle pas, alors qu'il y avait là tant de souffrance ?

– Tu avais coutume de m'en dire plus long…

D'un sourire, elle évacuait ce qu'on eût pu prendre par erreur pour une plainte et il racontait que les gitans étaient de retour à Healy's Cross. Ou que Mrs Pierce avait précocement taillé son fuchsia. Ou que la rivière débordait à Doonan.

Elle tenait son intérieur avec méticulosité et il aimait cette qualité en elle, le soin qu'elle y apportait, n'étant pas femme à bâcler le travail. Il aimait la cuisine qu'elle lui faisait, il aimait la propreté de la maison, sa façon de consoler si facilement leur enfant. S'il lui avait confié ce qu'il avait refoulé, elle l'aurait écouté à sa manière attentive et sérieuse, sans l'interrompre. « De fait, il n'y a pas qu'à toi que je n'ai rien dit, je ne l'ai raconté à personne », aurait-il pu conclure à la fin de son aveu. Mais maintenant, il était trop tard pour les aveux et c'eût été trop cruel qu'elle dût voir une jeune fille en robe blanche, l'auto de Mr Ryall, le thé servi. Trop cruel qu'elle dût être là sur le rivage, quand les hautes vagues projetaient des éclaboussures d'écume sur la pluie.

– Je crois que je devrais acheter le coteau de Malley, déclara-t-il un soir.

– Les champs ?

– Si on peut les appeler comme ça. Un terrain vague, plutôt.

– Mais pourquoi voudrais-tu d'un terrain vague ?

– Je le déblaierais pour y planter des frênes. Et des érables, peut-être.

Un investissement, expliqua-t-il. Un centre d'intérêt, s'abstint-il d'ajouter. De quoi l'aider à rester là où était sa place. Une mise de fonds dans l'avenir, qui donnerait forme au futur avant qu'il advînt.

– Malley veut bien vendre ?

– Je doute qu'il ait jamais pensé que quelqu'un voudrait de ces quelques hectares.

Il faisait presque nuit dans la pièce où ils étaient assis et il détecta encore une trahison dans son manque d'envie de lumière. Ce fut elle qui alluma. Elle était là avec son visage heureux, ses cheveux sombres qui se défaisaient, comme souvent à cette heure-là de la journée. Il la regarda baisser les stores avant de venir s'asseoir à côté de lui.

VI

– Tu devrais t'habiller mieux, lady.

Sa mère s'était fait faire un manteau à Mantoue, s'était fait monter un collier de perles dans une échoppe du Ponte Vecchio. D'une élégance toujours sans défaut, elle avait acquis des manières italiennes et adopté les modes du pays. Elle avait adoré les chérubins de Bellini ; elle était gentille avec les garçons de café et les femmes de chambre, et parlait italien avec une facilité naturelle. Sa mère était reconnue par les mendiants dans la rue, sa générosité célèbre à Montemarmoreo.

A la salle à manger, Lucy écoutait, opinant du bonnet de temps à autre.

– J'ai toujours porté ses robes, expliqua-t-elle.

– Ah oui, bien sûr.

– Maintenant, elles sont toutes usées jusqu'à la corde.

– Et si on t'en achetait quelques neuves ?

Elle fit non de la tête. Ses vêtements correspondaient à ce qu'elle souhaitait porter. Elle détourna le regard et le posa sur l'absence de feu dans l'âtre et, plus haut, sur le noir manteau de cheminée, les rayures bleues familières du papier peint. Elle promenait dans son assiette la nourriture qu'elle ne voulait pas manger. Quelle terrible folie l'avait possédée ? Avoir passé tant d'années à attendre si obstinément ce qui n'était rien d'autre que les propos décousus d'un vieillard ?

– Il y avait un balcon, et les passants dans la rue, en bas, levaient la tête pour crier « *Buon appetito!* » quand on mettait la nappe pour déjeuner.

Le papillon du magicien disparaissait, revenait. Il y avait les processions de la Santa Cecilia. « Tout ça », résuma-t-il.

Elle posa son couteau à côté de la fourchette. Les images qu'elle aurait elle-même pu faire surgir étaient trop fragiles pour alimenter la conversation à table, par-dessus les plats et les assiettes; trop précieuses pour être offertes comme des futilités. Elle avait assumé ce qui avait dû l'être; elle y était parvenue mais ne le pouvait plus à présent. Elle ne pouvait pas avoir de chagrin : sa mère n'était plus en vie et ce n'était rien de plus qu'un fait à ses yeux.

– Les grottes Michelstown ? suggéra son père.

– Je n'y suis jamais allée.

– On y va ?

– Si tu veux.

Quelques jours plus tard, le capitaine entra dans sa soixante et onzième année mais n'en souffla mot, malgré le désir qu'il en avait. Il aurait voulu partager avec sa fille ce qui passe parfois pour une étape importante de l'existence, mais l'envie s'évanouit au fil des heures de la journée. Il n'arrivait pas à la réconforter et cette incapacité importait plus que les paliers de l'âge.

Il souffrait pour elle. Il comprenait ce trait de caractère chez elle, qui l'avait empêchée d'entraîner une autre personne dans son état de trouble : en cela elle était remarquable, sans pourtant le savoir. L'eût-elle su qu'elle n'en aurait d'ailleurs pas tiré de consolation.

Le soir, après le dîner, ils s'installaient ensemble au salon, Lucy assurant une présence conforme à ses devoirs. Elle lisait. Il fumait un seul cigarillo et buvait un petit whiskey. C'était pareil tous les soirs.

Mais un jour qu'elle se sentait agitée, Lucy posa son livre et resta un moment à ne rien faire, puis elle sortit son tiroir à broderie de la table voisine du canapé et le mit par terre. Elle s'agenouilla à côté pour trier les écheveaux de fil de soie, les aiguilles, les croquis sur de vieux morceaux de papier, les bouts de crayon, les pièces de lin, le taille-crayon et les gommes. Sous l'œil de son père, elle déplia un vaste rectangle de lin sur lequel elle avait tracé un de ses dessins. Elle l'étala sur le tapis devant l'âtre, assez près d'où il était assis. Les mouettes étaient tout juste reconnaissables, à peine des points sur le sable ; des lignes brisées esquissaient une courbe indiquant les galets, au pied des falaises. Deux silhouettes se dressaient près de la pointe rocheuse qui mordait sur la mer. La broderie avait été abandonnée. Les larmes vinrent aux yeux de Lucy pendant que son père la regardait ranger le désordre du tiroir ; d'autres esquisses qui se trouvaient là furent examinées, roulées ensemble et remisées, la première fut conservée.

– Lady, murmura-t-il, mais elle n'entendit pas.

Le capitaine resta éveillé dans son lit cette nuit-là, songeant qu'Héloïse aurait bien mieux géré tout cela, qu'elle aurait fait preuve de sagesse dans ses propos à sa fille, dans sa façon de les tenir. Son sens pratique y aurait pourvu. C'était elle qui avait tapissé leur chambre quand elle était arrivée à Lahardane, elle qui avait affirmé qu'on pouvait empêcher la cheminée de fumer dans la salle du petit déjeuner et qui avait eu raison, elle qui donnait leurs soirées d'été et qui dressait un arbre de Noël dans le hall pour les enfants de Kilauran.

Il alluma sa lampe de chevet pour considérer les roses fanées du papier peint, puis éteignit. Il se leva dans le noir et s'étendit de tout son long sur le canapé, sous les fenêtres, comme parfois quand il ne parvenait pas à dormir. Il aurait pu traverser le palier à pas de loup – cela lui était arrivé une ou deux fois – pour contempler la douce chevelure blonde éparse sur l'oreiller, les yeux doucement clos. Mais ce soir il ne le fit pas.

Il s'assoupit assez facilement pour finir, et puis dans une église italienne, une sacristaine fit la lecture du soir. Dans le coin ombragé de la piazza, des hommes jouaient aux cartes. « L'amour est avide quand il est affamé, lui rappela Héloïse, tandis qu'ils marchaient sur le dallage malcommode. Tu ne t'en souviens pas, Everard ? L'amour est au-delà de toute raison quand il est affamé. »

Elle aurait préféré être n'importe où ailleurs qu'ici, songea Lucy, qui regretta d'avoir accepté d'aller explorer les grottes de Michelstown.

Son père et elle étaient les uniques visiteurs, en cette matinée humide. Le chemin éclairé par leur guide, ils gravissaient tant bien que mal des rochers glissants dominés par des stalactites, pendant qu'on leur énumérait les noms des différentes cavernes : House of Commons, House of Lords, Kingston Gallery, O'Leary's. Ils attendirent que sortent des fissures de la roche les araignées caractéristiques de ces lieux, puis ils marchèrent dans la ville qui avait donné son nom aux grottes. Ses principaux attraits étaient sa vaste grand-place et l'élégance néo-classique d'un refuge pour protestants impécunieux. Il ne restait rien de Michelstown Castle, naguère une noble demeure qui avait été incendiée et pillée l'été après qu'on eut apporté des bidons d'essence à Lahardane.

– Une famille excentrique, ces pauvres fous de Kingston, déclara son père.

Ils prirent la route du retour sous une pluie qui tournait à la brume. Des hommes qui nettoyaient un fossé les saluèrent au passage. Ils ne rencontrèrent personne d'autre avant de s'arrêter à Fermoy, ville familière à son père depuis ses années d'armée. Elle se rappela Ralph lui demandant : « Tu connais Fermoy ? » Bien sûr que non. Lui, il y était allé dans l'auto de Mr Ryall, un mercredi après-midi, avant d'être jamais venu à Lahardane. Il s'était rendu dans la moitié des villes de County Cork avant de la connaître, avait-il raconté, et elle s'imaginait avec lui, avec lui aujourd'hui.

– Jolie ville ancienne, releva son père.

Ensemble, ils marchèrent sur un trottoir vide, tandis que la brume continuait à tomber. La fumée des feux de tourbe pesait dans l'air. Quelqu'un conduisait un troupeau de vaches dans la rue.

– Et si on essayait de prendre un café ici ? proposa son père.

Une horloge tictaquait doucement dans le salon tranquille d'un hôtel. Une serveuse en noir et blanc se tenait près d'une fenêtre dont le voilage était légèrement soulevé. Ils enlevèrent leurs manteaux, les empilant avec leurs écharpes sur un canapé vide. Ils s'assirent dans des fauteuils et commandèrent du café quand la serveuse s'approcha.

– Et quelque chose – des biscuits, peut-être ? suggéra le père de Lucy.

– Je vais vous apporter des biscuits, monsieur.

L'horloge sonna midi. La serveuse revint avec une verseuse de café, un pot de lait et une assiette de biscuits au glaçage rose. Un couple âgé entra, la femme au bras de son compagnon. Ils s'installèrent près de la fenêtre où s'était trouvée la serveuse.

– Il nous faut encore des clous, se rappela l'homme quand ils furent assis, et de la poudre Keating's contre les insectes.

Lucy rompit un biscuit. Le café avait le goût de bouilli ; le glaçage sucré était le bienvenu. Le mariage, ce n'était plus pour toujours. Un mariage pouvait être annulé, comme c'était si souvent le cas à l'heure présente. En Irlande aussi, on pouvait l'annuler.

– Ce guide n'y connaissait pas grand-chose, releva son père.

– Non, pas grand-chose.

La serveuse apporta du thé au couple qui venait d'arriver. C'était jour de foire à Fermoy, expliqua-t-elle, et la vieille dame répondit qu'ils savaient, on ne pouvait pas… non… l'état des rues. « Oh oui, c'est épouvantable », confirma la serveuse. A six heures du matin le bétail commençait d'arriver : elle les avait regardés passer, plus tôt, ce matin. Elle venait elle-même de Glanworth, précisa-t-elle avant de repartir. Elle voyait souvent les bêtes menées sur les routes toute la nuit, pour aller à la foire de Fermoy.

– Nous sommes de vieux habitués, lança la vieille dame à la cantonade dans le salon.

Lucy essaya de sourire. Son père répondit qu'il avait connu cet hôtel dans le temps.

– Tout est « dans le temps » maintenant, nota la vieille dame.

Les petites cuillères tintaient sur les soucoupes. L'horloge fit entendre son tic-tac à la faveur d'un silence. Le vieux monsieur qui chuchotait se mit à parler haut, sa compagne lui ayant indiqué qu'elle ne l'entendait pas. Il avait honte qu'ils aient des puces chez eux, avoua-t-il. Qu'elles viennent de la volaille ou pas, il avait honte.

– Lady.

Son père avait déjà tenté d'attirer son attention un peu plus tôt, elle s'en était rendu compte.

– Excuse-moi, répondit-elle.

– Au début, j'ai écrit des lettres que je n'ai pas postées.

Elle ne comprit pas, elle ne savait pas de quelles lettres il voulait parler. Elle hocha la tête.

Ç'avait été naturel de s'interroger, vu les circonstances, expliqua son père ; il avait timbré chaque enveloppe, raconta-t-il, et il avait ensuite conservé les lettres par-devers lui. Des années plus tard, il les avait laissées choir dans le feu, une par une, regardant le papier noirci se recroqueviller avant de se désintégrer.

– Tout ça, fit-il, enchaînant sur la mère de Lucy qui ne voulait plus jamais de nouvelles d'Irlande, sur le fait que l'amour qu'il avait eu pour elle l'avait amené à la protéger trop assidûment et à lui enlever une merveille plus grande encore que celle qu'elle avait admirée sur les tableaux.

Il ne réclamait pas de commisération, il exposait carrément les faits, comme s'il s'excusait d'une défaillance chez lui.

Elle hochait la tête. Dans les romans, les gens s'enfuient. Et les romans sont un reflet de la réalité, de la désespérance du monde et de son bonheur aussi – de l'un autant que de l'autre. Pourquoi les erreurs et les bêtises ne peuvent-elles être rectifiées pendant qu'il en est encore temps – dans la réalité aussi ? Les plaidoyers, la certitude que c'était ce qui comptait le plus, tout cela si souvent répété, l'ardente attente, les supplications : parlé ou écrit, mot pour mot, tout devint un torrent dans la tête de Lucy, tandis que son père se taisait et elle aussi. Elle entendit le vieux monsieur se lamenter : les gens qui sortaient de chez eux remarquaient qu'ils avaient des puces dans leurs vêtements. On ne pouvait pas garder tête haute.

– La culpabilité que ressentait ta mère a été un peu trop pour elle, je ne peux pas te le taire, confia son père.

– Je suis contente que tu me l'aies dit.

Le vieux monsieur se leva. « La pluie a cessé », constata-t-il, et ils rassemblèrent leurs affaires. Des pièces de monnaie furent laissées sur la table avant que, lentement, le vieux couple s'en allât, chacun se raccrochant à l'autre. Le capitaine et sa fille demeurèrent assis en silence.

La pelleteuse traversait et retraversait le coteau de Malley d'un bout à l'autre, poussant sur les pierres pour les déloger et, quand un bloc était assez dégagé, elle le soulevait pour l'ajouter au tas de cailloux. Pour lutter contre les lapins, il faudrait refaire chaque pouce de la clôture et enterrer la partie inférieure du grillage sur une vingtaine de centimètres. Ralph avait commandé ses plants la veille. Les frênes et les érables changeraient le paysage, visibles des kilomètres à la ronde quand ils auraient forci et pris de l'ampleur.

D'où il se tenait, à la lisière du champ en pente raide, il distingua un lapin, puis un autre, détalant pour se cacher parmi des buissons touffus. « Tant de fois tu as voulu revenir à Lahardane, tant de fois je me suis montrée stupide. » Il se rappelait déjà parfaitement l'emplacement de chaque mot, l'endroit où s'arrêtait chaque ligne sur l'unique feuille de papier qui n'était sienne que depuis un jour. « Quel mal pourrait-il y avoir ? »

Quel mal, en effet ? S'asseoir sur la pelouse, devant la table en lattis ; marcher une fois encore sur la plage, faire connaissance de son père et repartir en auto ? Le moteur de la pelleteuse crachota avant de regagner en puissance. Les lapins, imperturbables, couraient en tous sens.

Un autre mercredi après-midi : c'en serait un, par hasard. Ils le remarqueraient et en feraient la réflexion. Il y aurait le soleil qui perce à travers les branches des marronniers, la porte blanche du hall entrouverte. Il y aurait le silence dans la cour pavée, les freux aussi immobiles que des pierres sur les hautes cheminées. Il y aurait son rire et son sourire, il y aurait sa voix. Il n'aurait pas envie de repartir. N'en aurait pas envie pour le restant de ses jours.

Le chauffeur de la pelleteuse s'extirpa de son engin et traversa le coteau pour expliquer qu'il reviendrait tirer les lapins. Les prendrait dans les phares de son tracteur et se mettrait à les descendre un par un – on pouvait en attraper cent en une nuit. Sinon, faudrait une vie entière pour s'en débarrasser.

Ralph opina du chef.

– Merci, dit-il – et l'homme alluma une cigarette, voulant parler lapins, faire une pause. Venez quand vous voudrez, ajouta Ralph.

– La semaine suivante, promit l'homme qui regagna son engin d'un pas tranquille.

« Ne serait-ce que quelques minutes, juste pour jeter un œil. » Quel mal pourrait-il y avoir ? « Lemybrien, pourrait-il annoncer. Il y a eu un abattage de vieux chênes à Lemybrien. Je ferais peut-être mieux d'y faire un saut pour voir ce qu'il y a, pourrait-il lâcher d'un ton désinvolte au petit déjeuner, tandis qu'ils boiraient leur dernière tasse de thé, la vaisselle encore sur la table. Pendant qu'ici on tourne encore au ralenti. Je ne voudrais pas rater pareil bois. » Alors, on lui préparerait des sandwiches pour le voyage, et il attendrait. On lui remplirait aussi une thermos. Clonroche, Ballyane, puis traverser Lemybrien sans se presser parce que ça semblerait mal de se hâter. Il n'aurait pas d'appétit pour les sandwiches quand il s'arrêterait ; il se demanderait qu'en faire et les jetterait par terre pour les oiseaux, avant de continuer sa route. La main du père de Lucy se tendrait vers lui quand il arriverait dans son auto. Elle ne serait pas là tout de suite, elle sortirait de la maison. Il ferma les yeux mais rien de tout cela ne disparut et, quand les images s'évanouirent, ce fut contre son gré.

Les lapins folâtraient toujours, joueurs. La pelleteuse continuait son va-et-vient. Une pierre de plus vint s'ajouter au tas de cailloux.

– Oh, mon Dieu !

L'invocation sortit de la bouche de Ralph dans un grincement de dents. Il sentit la chaleur des larmes dans ses yeux.

– Oh, mon Dieu, où est ta pitié maintenant ?

VII

Henry aperçut le visiteur et se demanda qui c'était. De sa place parmi les arbres dominant la pelouse aux hortensias, où il faisait du petit bois et des fagots avec des branchettes, il distinguait une silhouette à la porte du hall, qui ne lui semblait guère plus qu'une ombre. Sous le regard d'Henry, celle-ci franchit la porte ouverte et pénétra dans la maison.

Plus tard cet après-midi-là, quand Lucy apporta des champignons à la cuisine, Bridget annonça :

– Il y a un homme qui est là.

Lucy avait cueilli des champignons dans le verger. Elle vida sur le côté de l'évier le contenu de sa cagette en piteux état.

– Qui est-ce ?

Pétrissant sa pâte à pain, Bridget hocha la tête. On n'avait pas sonné, releva-t-elle.

– Ton père m'a appelée du hall pour que j'apporte du thé quand j'en aurais de prêt. L'inconnu – quel qu'il soit – était peut-être entré franco, ajouta-t-elle. Ton père a demandé si tu étais là.

– Moi ?

– Il a demandé si tu étais dans le coin.

Les visites n'étaient pas fréquentes. Il y avait plus d'un an que Mr Sullivan avait cessé de conduire. Le représentant passé un matin, pour faire la démonstration de l'aspirateur que le capitaine avait ensuite acheté, avait été le premier inconnu depuis des mois. Quand venait l'homme des O'Reilly, Mrs O'Reilly avec une bouteille pour la Noël, ou l'employé de l'ESB pour les relevés de compteur, ils ne se présentaient pas à la porte de devant. Quelquefois, pas souvent, le facteur n'arrivait que tard dans la journée, mais on ne l'aurait pas convié au salon pour prendre le thé.

– J'ai la bouilloire sur le feu, précisa Bridget, essuyant ses mains enfarinées sur son tablier.

– J'apporterai le thé moi-même.

Elle ne se sentait pas capable d'en dire davantage. Bridget avait-elle entendu une voix ? Des bribes de conversation lui étaient-elles parvenues du salon avant que la porte fût close ? Lucy ne le lui demanda pas. Des frissons d'excitation, frais et plaisants, lui parcouraient le corps, lui picotaient doucement la peau. Qui d'autre serait entré franco ?

Henry porta ses fagots de brindilles dans la remise qui servait jadis de réserve à grain, du temps où l'on élevait davantage de poules et de dindes. Il dénoua la ficelle dont il s'était servi pour lier ses fagots et l'ôta. Il rangea les brindilles à côté de celles qu'il avait déjà entassées là.

– Qui c'est donc qui est là ? s'enquit-il à la cuisine, enlevant des fragments de brindilles accrochés aux manches de son chandail.

– Je ne sais pas, répondit Bridget sans s'interrompre dans sa tâche : remplir deux moules avec la pâte qu'elle avait préparée.

Elle ouvrit la porte du four. Le plateau du thé destiné au salon était prêt. La bouilloire se mit à chanter sur le fourneau.

– Fameux champignons, ceux-là ! commenta Henry en en prenant un sur le côté de l'évier.

Lucy se brossait les cheveux dans sa chambre et ne se pressait pas. Ses yeux la regardaient dans le miroir de sa coiffeuse, si brillants et si vifs qu'ils semblaient presque ceux d'une autre. Ses lèvres étaient entrouvertes sur une esquisse de sourire ; ses cheveux tombaient librement, la brosse à dos d'ivoire encore levée vers eux. Deux têtes se tourneraient vers elle dès qu'elle entrerait avec le plateau : « Eh bien, enfin, nous avons fait connaissance ! » Elle entendrait les mots, pas la voix qui les dirait, mais ce serait celle de son père.

Ça ne pouvait pas tout gâcher de jeter un œil par la fenêtre, de voir la voiture qui était arrivée. Non que sa simple vue pût lui apprendre quoi que ce fût : ce ne pouvait pas être la vieille auto au spider, évidemment. Mais quand elle regarda dehors, il n'y avait pas de voiture.

Elle se changea, troqua sa jupe et son pull-over contre une robe. Aurait-il pris le train pour aller à Enniseala ? Ou à Dungarvan – le voyage devait être plus court ? Elle essaya de se rappeler s'il y avait une gare de chemin de fer à Dungarvan. Plus probablement, il avait dû prendre un car jusqu'à Waterford et, de là, un autre jusqu'au carrefour de Creally. Il avait dû faire le reste à pied ; plus d'une heure, ça avait dû prendre, mais plus rapide en fin de compte que le train, même s'il y en avait un.

Elle noua la ceinture de sa robe et dénicha un collier. Réinstallée devant sa glace, elle essuya le rouge à lèvres qu'elle avait mis et le remplaça par un autre, d'une couleur différente. Serait-il intimidé par son père ? Son père l'apprécierait-il ? Personne ne pouvait ne pas apprécier Ralph ; sa présence causerait des ennuis mais son père voudrait qu'elle trouvât le bonheur.

Elle se tapota les joues avec de la poudre. Tout à l'heure, elle avait eu les joues rouges, mais c'était fini. Elle se demanda si Bridget avait deviné ce qui lui avait traversé l'esprit, si elle avait remarqué ces instants de confusion. Se demanda s'il avait changé et comment.

Doucement, elle referma la porte derrière elle et descendit. Ils la regardèrent, surpris, quand elle entra dans la cuisine. Bridget venait de ranger sur l'étagère la grande jatte brune dans laquelle elle mélangeait les ingrédients de son pain. Henry était debout, le dos au fourneau.

– Tu as déjà versé l'eau sur le thé ? demanda-t-elle à Bridget qui répondit que non.

– Je vais le faire.

Ça allait les choquer, qu'il fût venu à la maison. Et c'était plus choquant encore, qu'elle s'habillât pour lui, pour un homme marié. Elle n'avait pas pensé à ça, à ce qu'ils éprouveraient, eux qui avaient des vies simples, sans complications.

Elle fit le thé. Bridget avait beurré du pain et rajouté de la confiture dans un gâteau fourré qu'elle avait acheté à Kilauran – il n'en restait que la moitié. Il y avait une bicyclette devant la porte d'entrée, annonça Henry, et Lucy s'imagina le chauffeur la descendant du toit du bus au carrefour de Creally, les mains de Ralph se tendant pour la saisir. Il avait dû venir à vélo, bien sûr ! Bien sûr que oui, puisqu'il connaissait la longueur du trajet depuis le carrefour.

– C'est parfait, Bridget, fit-elle en prenant le plateau.

Portant le plateau, elle sortit de la cuisine, traversa le couloir menant au hall. La porte d'entrée était toujours ouverte. Son père avait la manie de la laisser ainsi, même par temps froid. Elle aperçut la roue arrière de la bicyclette en posant le plateau sur la longue table du hall, si encombrée depuis le retour de son père. C'était là qu'il mettait le chapeau blanc qu'il coiffait, les jours de soleil ; là qu'il jetait la cravate qu'il enlevait en partant travailler au verger. Les factures s'y accumulaient, à côté de leurs enveloppes brunes déchirées. De la monnaie et des clés y étaient éparpillées.

Devant le miroir accroché dans la niche, au bas de l'escalier, elle ajusta le col de sa robe et remit une mèche de cheveux à sa place. Puis elle ouvrit la porte du salon, le plateau du thé en équilibre sur son bras libre.

– J'ai vu le vélo là, moi je descendais du bois, raconta Henry dans la cuisine. Le sergent Foley, je me suis dit.

– Qu'est-ce qu'il veut, Foley ?

– Ce n'était pas du tout son vélo. J'ai regardé de près, ce n'était pas le sien.

Henry décrivit la bicyclette : le métal d'un noir mat, les garde-boue formant une crête sur le dessus, un amortisseur de selle qui était un gros ressort dépassant sur le devant. Bridget n'écoutait pas. Il avait cru que c'était celle du sergent, répéta Henry, parce qu'elle avait l'allure d'un vélo de membre de la Guard.

– Et puis, je me suis dit que c'était peut-être celle du jeune O'Reilly. Jusqu'au moment où je suis allé regarder par la fenêtre.

Bridget, qui lavait sa planche à pétrir, s'interrompit.

– Ça peut tout de même pas être qui elle pense, non ?

Lentement, Henry fit non de la tête.

– Je vais te le dire, qui c'est.

– Entre, lady, entre donc ! invita son père.

L'homme dans le fauteuil près de la table du jeu de bagatelle ne tourna pas le regard vers elle. Il avait l'air nerveux ; la tête penchée, il se frottait les articulations d'une main avec les doigts de l'autre main. Son costume était en serge noire, avec à la boutonnière un insigne du mouvement de tempérance Pioneer. Il portait une cravate au nœud serré sous un col miteux. Des pinces de cycliste serraient encore les revers de son pantalon de serge sombre.

– Le thé.

Elle s'arracha le mot des entrailles et nota que l'homme avait levé la tête pour la regarder. Il avait des yeux vides, sans expression. Son visage creusé lui donnait une allure singulière. Il tendit les mains pour enlever ses pinces à vélo.

– Ah, le thé, répéta son père et les tasses tintèrent quand elles furent posées sur les soucoupes. Ou préférez-vous un verre de whiskey, Mr Horahan ?

Il ne pouvait pas boire de whiskey, répondit-il, ne semblant pas remarquer qu'on avait apporté du thé.

Le père de Lucy déclara que l'épaule de l'homme allait bien, expliquant qu'il avait posé la question et appris que ça n'avait jamais été une gêne. Il n'avait pas reconnu leur visiteur quand il l'avait trouvé dans le hall, continua son père, mais il s'était rappelé le nom dès qu'il l'avait entendu. « Mr Horahan », précisa-t-il, ajoutant qu'il venait de dire à ce monsieur que le passé était enterré depuis belle lurette.

Elle ne comprenait pas. Elle ne savait pas qui était ce personnage. Elle ne comprenait pas de quoi il était question. Elle n'avait jamais vu cet homme-là.

– Une eau minérale, si vous en avez, demanda-t-il, effleurant l'insigne à sa boutonnière.

C'est alors qu'elle fit volte-face et sortit. Elle entendit son père qui l'appelait. Il ouvrit la porte qu'elle avait refermée. Il l'appela encore dans le hall, l'assurant que tout allait bien. Mais elle était déjà dehors, courant sur le parterre de gravier.

– Mais au nom du Ciel, répéta Bridget, affolée, qu'est-ce qu'il veut ? Pourquoi être venu ici ?

Elle tendit la main pour attraper son rosaire sur l'étagère au-dessus de la cheminée. Debout, elle ferma les yeux et s'appuya contre le mur, le visage aussi blanc que la farine qui constellait encore le tissu noir de sa robe.

Assis sur une chaise tirée à l'écart de la table, Henry regardait les doigts tourner les grains du chapelet, les lèvres supplier en silence. C'est alors que la clochette du salon s'agita au bout de son ressort en spirale, exigeant leur attention. Bridget ouvrit les yeux. Elle ne pouvait pas entrer dans cette pièce-là, déclara-t-elle, et Henry y alla à sa place. C'était la première fois qu'une cloche autre que celle de la porte d'entrée résonnait dans la maison depuis que le capitaine et son épouse étaient partis, vingt-neuf ans plus tôt. Un fait qu'enregistra la conscience de Bridget, s'insinuant à travers sa perplexité et sa sensibilité scandalisée.

– Il est de la Croix bleue, annonça Henry à son retour. Il veut de la limonade.

Il farfouilla dans un des placards encastrés, à la recherche de poudre à limonade.

– Elle est vieille, signala Bridget quand il trouva un flacon où il en restait un peu.

– Ça fera l'affaire.

Henry versa ce qui restait dans un verre qu'il remplit d'eau froide au robinet. Il en aurait fallu de la chaude, objecta Bridget, pour dissoudre les cristaux.

– Mais Sainte Mère de Dieu ! s'écria-t-elle soudain, à quoi pensons-nous donc pour servir de la limonade à cet homme-là ?

– Je crains que vous n'ayez contrarié ma fille, déclara le capitaine au salon. A vrai dire, je ne savais pas encore qui vous étiez quand je vous ai trouvé dans le hall et que je vous ai fait entrer.

– Je n'ai pas de travail en ce moment, monsieur. Je venais de finir au Camp, monsieur, le jour où vous étiez sur la promenade avec Mr Sullivan.

– Vous étiez militaire ?

– Je n'avais pas de travail le jour où je vous ai vu, monsieur. J'ai trouvé de l'emploi depuis, chez Ned Whelan. Il m'a pris chez lui, rapport à ce qu'au Camp je devais avoir eu de l'expérience pour faire des routes.

Henry arriva avec la limonade mais le capitaine eut l'impression qu'elle n'était finalement pas nécessaire. La loquacité de l'homme qui s'était baladé dans le hall cessa brusquement. Il se recroquevilla dans son fauteuil à l'approche d'Henry. Celui-ci, ne sachant que faire, posa le verre de limonade par terre.

– Nous sommes à la cuisine, si vous sonnez encore, expliqua-t-il avant de sortir.

Il avait enlevé son chapeau. Il lança un regard appréhensif derrière lui avant de refermer la porte.

– Qui est cet homme, monsieur ?

– Henry travaille chez nous.

– Je fais attention, monsieur, avec les inconnus.

– Mr Horahan, pourquoi êtes-vous venu ?

– Ned Whelan m'a laissé partir il y a deux jours, monsieur. Je vous le dis, au cas où vous ne sauriez pas, monsieur. Ce qu'il en est pour moi, monsieur.

Le capitaine but la tasse de thé qu'il s'était versée. Puis se déclara perplexe.

Son visiteur était le bienvenu, ajouta-t-il. Le passé était enterré, répéta-t-il. Il ne souhaitait pas du tout se montrer inhospitalier. Tout de même, il était perplexe.

– Le temps a arrangé les choses entre nous, Mr Horahan. Mais ç'aurait quand même été mieux que vous ne reveniez pas.

L'idée lui vint, tout en parlant, que le bonhomme était venu en quête de travail, puisqu'il avait annoncé qu'il était sans emploi. C'était extraordinaire qu'il l'eût fait, qu'ayant jadis tenté d'incendier la maison, il dût s'y présenter maintenant avec un tel but en tête. Ça paraissait impossible mais le capitaine précisa néanmoins :

– Je crains de ne rien avoir à vous proposer ici. Si vous songiez à du travail.

Il n'y eut pas de réaction, pas plus pour le contredire qu'autre chose. Aucun mot ne fut proféré pendant plusieurs minutes, puis le visiteur reprit :

– Les trois qu'on était, on fumait des mégots du côté du kiosque à musique, et moi, j'ai dit : « Pourquoi qu'on leur ferait pas la peau ? » C'est moi que je l'ai dit et alors, nous voilà-t-y pas allant demander à Mr Fehilly de nous donner des conseils.

– Tout ça remonte à très loin…

– « Collez donc une dose de que'que chose aux clébards, qu'y nous dit. Le premier truc à faire, c'est de coller une dose aux clebs. » Mr Fehilly, il a ce qui faut, en réserve. Il va nous procurer des vélos, qu'y dit. « Repérez les lieux, qu'y nous fait. N'y mettez pas les pieds avant la nuit. » Mr Fehilly, il est devenu infirme pour l'Irlande, monsieur. Il a des os cassés dans le dos. Et deux doigts qui manquent. « Attendez qu'on voie ce qu'on a en rayon, côté essence », qu'y nous dit ; et les bidons étaient à l'arrière, dans un drain asséché. « Couvrez tout ce qui pourrait rester » : il nous répète cette instruction. Il a un vieil imperméable pour camoufler les bidons quand ils seront attachés à la barre des vélos. « N'allez nulle part d'autre en route, et attention si vous vous arrêtez pour fumer. » L'a fallu répéter toute l'affaire jusqu'à ce qu'on la débite sans se tromper : casser un carreau, attraper le loquet, relever la fenêtre à guillotine, asperger de jus à l'intérieur. Asperger les rideaux. Asperger les coussins qu'y aurait là, pour que les plumes, elles prennent feu. Sonner la cloche, réveiller la maisonnée. Attendre qu'une lampe s'allume en haut avant de frotter l'allumette. Rapporter la boîte d'allumettes. Ne pas laisser la boîte d'allumettes par terre.

– Buvez votre limonade, Mr Horahan, tranquillement. Mieux vaut oublier tout ça.

Le capitaine se releva.

– Ces choses-là ne doivent pas vous être connues, monsieur, déclara son visiteur.

– Euh, si, mais c'est quand même mieux de les oublier.

– Il y avait un Frère qui nous disait toujours que la grande maison, c'était l'ennemi. Vous avez entendu parler des Whiteboys [1], monsieur ?

– Oh, certes.

– Il y avait aussi les Ribbonboys. Et les écoles en plein air. Ce Frère-là, il nous expliquait tout ça. Comment un Whiteboy, il se choisissait un nom – Tabasseur, Joue-du-couteau, Intrépide, Brûle-meule, n'importe quoi, ce qu'il voulait. Comment un nom se transmettait quand un gars, il en avait plus besoin. J'ai passé pas mal d'années au Camp, monsieur.

– Je vois.

– Je me suis engagé dans l'armée, rapport à mon état, à cause des rêves que je faisais.

1. A l'origine, mouvement agrarien illégal, actif en Irlande aux XVIIIe et XIXe siècles, dont les membres portaient des chemises blanches, d'où leur nom. Par la suite, le terme en est venu à désigner les rebelles et illégaux de tout poil.

– Ah bon.

– Je me suis jamais vraiment senti tranquille au Camp. Je me suis jamais senti tranquille depuis, monsieur, même si y a eu une période de calme à un moment. Le seul désordre qu'il y avait à la gare, c'était quand le train de Cork était en retard, avec les excursionnistes du mois d'août dedans. Mr Hoyne, il avait ses dessins tout prêts sur le sable, mais les couleurs étaient effacées par la mer avant que les enfants d'août les voient. Ce même mois-là, les Pierrots avaient une corbeille d'osier avec un couvercle dessus, monté sur des charnières ; je l'emportais sur le quai avec le chariot et ils me donnaient quelques pièces. Et puis une autre fois, c'était la *Boys' Brigade* qui défilait sur le quai de la gare ; moi, je restais là à les regarder et ça ne gênait personne. Juste une demi-douzaine de garçons, qu'il y avait, avec leurs petites casquettes de tambours. J'ai jamais revu une casquette pareille depuis, monsieur. Elle aurait complètement disparu ?

– Peut-être que oui.

– A la gare, j'allais très bien au début, monsieur. Je sortais avec une jeune fille et on allait se promener là où qu'y a les cygnes. Il y avait un petit chien blanc qui sortait en courant du kiosque où on achète des cigarettes, il se jetait sur ses chevilles en claquant des mâchoires et elle le grondait comme si c'était un enfant. « Attends un peu que tu voies ça ! », que j'y ai dit et j'y ai montré mon épaule. Je jouais les gros bras, comme on fait avec une fille qu'on a dans la peau. Oh, je l'avais drôlement, elle ! « Où tu t'es fait ça », qu'elle me sort, et quand j'y raconte, elle me dit qu'elle savait pas que j'étais un de ces gars qui jouent à ces jeux-là. La vérité là-dessus, c'est qu'on la voyait à peine, la vieille cicatrice, mais toujours est-il qu'après ça, je suis plus jamais retourné avec elle en promenade près des cygnes. Je la guettais mais elle était pas dans le coin. Et si je la repérais à la messe, elle filait pour m'éviter.

– Oh, j'en suis navré.

– La vérité là-dessus, je l'ai pas sue avant que les rêves commencent. Mais alors là, j'ai su la vérité là-dessus, monsieur. J'étais terrifié par ces rêves, monsieur.

Le capitaine s'interrogea : cet homme-là était-il déjà venu ici, était-il déjà venu dans cette maison pendant les années où il avait lui-même été absent ? Si c'était le cas, on ne lui avait jamais parlé de cette visite et il se demanda si on la lui avait cachée, ou si on l'avait tue, comme on fait parfois pour les actes des personnes dérangées. Mais rien ne le suggérait, ni le comportement de sa fille au salon, ni celui d'Henry.

La gêne avec laquelle l'ex-militaire occupait le fauteuil dans lequel il s'était recroquevillé confirmait le malaise qu'il avait mentionné. Pendant que s'installaient des silences ou que se poursuivaient ses propos décousus, ses mains touchaient de temps en temps ses vêtements à différents endroits, semblant chercher quelque chose. Puis brusquement, elles s'immobilisaient et les doigts et la paume de l'une se remettaient à frotter les articulations de l'autre. Ses yeux mi-clos restaient perpétuellement rivés au sol, aux tapis qui couvraient la majeure partie du plancher à larges lames, aux coins des lambris de bois.

– Vous avez pu ne pas être au courant, monsieur. Que les deux gars, ils avaient carrément déménagé.

– De quels gars s'agit-il, Mr Horahan ?

– Ils sont partis depuis tout ce temps-là, monsieur.

– Les garçons qui sont venus la fameuse nuit, n'est-ce pas ? Ils ont dû émigrer, c'est cela ?

Le capitaine se revit le souffle coupé par le regret et l'effroi, sa respiration bloquée quelque part en lui quand il s'était rendu compte qu'il avait blessé un des jeunes plantés sur la pelouse ; il se rappela son soulagement en voyant que le garçon n'était pas tombé. Ce dernier avait fait quelques pas titubants avant que ses compagnons s'avancent vers lui.

– C'était accidentel ! s'écria le capitaine. Il n'y avait pas d'intention de blesser. Je suis navré que ce soit arrivé.

Il alluma un de ses petits cigares et traversa la pièce pour se verser un whiskey – il en ressentait le besoin. Il aperçut en route la bicyclette posée près d'une des fenêtres et se demanda si c'était celle sur laquelle l'homme était venu les deux fois précédentes. Se demanda comment les compagnons d'Horahan l'avaient ramené à Enniseala, la nuit où il avait été blessé. Ça n'avait pas dû être commode, avec trois vélos. Il se versa davantage de whiskey qu'il n'en avait eu l'intention. Lentement, il regagna son fauteuil.

– Personne voulait en parler, monsieur. La fille avec laquelle on sortait, elle voulait pas, rapport à ce que c'était trop terrible à dire à un homme. Pareil pour les gens d'Enniseala, qui veulent toujours pas en parler. Dans les magasins non plus. Pas même ma mère, de son vivant – Dieu lui donne le repos ! Pas non plus les gars de là-haut, au Camp. Y a pas un homme qui travaille chez Ned Whelan qui le dirait carrément, monsieur.

– Et de quoi ne veulent-ils pas parler, Mr Horahan, voulez-vous me le dire ?

Le capitaine parlait doucement, estimant que cela pourrait donner un meilleur résultat dans une telle conversation. Il se souvint de la mère qui avait été mentionnée – un visage de pierre quand il était allé chez eux, une femme aux vêtements de couleur neutre et en chaussons. Elle s'était montrée aussi hostile que son mari, bien qu'elle n'eût soufflé mot.

– La lumière se rallumait au cinéma, monsieur, avant le *Chant des soldats*. Et dans la foule qui sortait, monsieur, pas une parole. Pas plus de la part d'un homme que d'une femme. Vous pouviez être à l'exercice dans la cour de la caserne : c'était la même chose, tout le temps. Vous pouviez manger votre gamelle : pas un mot. C'était Notre-Dame qui vous avait tiré de là, monsieur.

Avec une pitié qui lui vint si soudainement qu'elle le surprit, le capitaine imagina le pauvre homme au camp militaire, bizarre et solitaire dans une cour de caserne, cible de murmures proférés dans son dos, se débattant dans son sommeil contre des rêves qui le terrifiaient. Dans un éclair, il l'entrevit debout, dûment au garde-à-vous pendant qu'on jouait l'hymne national au cinéma d'Enniseala. L'écran vide que l'homme fixait alors se peuplait-il de ces projections imaginaires qui le tourmentaient ? Étaient-elles de nouveau là dans les rues, au bord de la mer, sur les berges de l'estuaire où vivaient les cygnes ?

– Le jour où je vous ai vu sur la promenade, monsieur, Notre-Dame s'est adressée à moi.

Quelques abeilles volaient autour des ruches, la plupart étaient au travail à l'intérieur. Les abeilles ne la piquaient jamais mais un jour, il y avait eu une guêpe dans son soulier quand elle l'avait enfilé et sa mère avait frictionné la piqûre avec quelque chose de froid, et ensuite, toute la matinée, elle lui avait lu des histoires dans le livre vert des Grimm. Longtemps après, alors que sa mère n'était plus là, Henry avait trouvé un nid de frelons dans une fissure du mur au poirier. « Parfois, je pense que c'est la plage, ou le gué de la rivière, avait-elle répondu à Ralph qui lui demandait quel était son lieu de prédilection. Parfois, je pense que c'est le verger. » Ils avaient cueilli les *Beauty of Bath* et, maintenant, elles étaient de nouveau mûres, rayées de rose et de rouge comme les joues d'Hannah, la dernière fois qu'elle l'avait vue. Dans le coin au soleil, les torchons de Bridget étaient étendus sur les cassissiers pour sécher. Raides comme du carton, ils étaient devenus. Lucy les ramassa, au cas où il pleuvrait plus tard.

Dans la cour, un des chiens de berger se dirigea vers elle d'un pas tranquille. Elle caressa la tête lisse et sombre, la sentit se presser contre sa cuisse. En hiver, quand il y avait du feu dans la remise à grain, elle s'asseyait auprès de l'âtre, comme elle le faisait enfant – Bridget le lui avait raconté. Lucy entra justement dans la remise et son obscurité pleine d'ombres. On n'y avait plus fait de feu depuis que l'usage du local avait changé, des années plus tôt. « Et si on y rangeait le bois ? », lui avait demandé Henry, feignant de croire que son opinion comptait. Onze ans, qu'elle avait alors.

Elle s'assit là, sur une chaise qui avait été à la cuisine jusqu'à ce que le dossier s'en fût détaché. Le chien n'était pas rentré avec elle, se détournant à l'entrée à cause du courant d'air froid. Elle entendit le pas d'Henry dans la cour et il annonça que c'était Horahan qui était venu. Elle ne savait pas qui c'était, sauf que c'était le même nom qu'avait prononcé son père. Elle interrogea Henry qui lui expliqua. Il lui prit les torchons des mains, ajoutant que, justement, il allait à la cuisine.

– Horahan ne tourne pas très rond, ces temps-ci, commenta-t-il.

Elle resta plantée à l'entrée de la remise à grain, regardant Henry traverser la cour jusqu'à la maison. Le responsable de tout ce qui s'était passé était revenu à Lahardane, et alors ? Il ne tournait pas rond, et alors ? Aucune espèce d'importance pour elle. Ralph s'était-il mis en route ? Avait-il fait juste un petit bout de chemin ? Aujourd'hui, cet après-midi ? Était-ce pour cela que son intuition avait été si forte ? Y avait-il en ce moment même une auto qui faisait marche arrière dans une entrée, pour effectuer un demi-tour et repartir ?

– Oh oui, murmura-t-elle, ne doutant pas de la véracité de ces vestiges d'une réalité qui n'avait pas duré. C'était bien aujourd'hui.

Elle se remit à marcher dans le verger et le jardin en friche. Elle éprouvait une lassitude dans son corps, comme si elle était tout d'un coup devenue vieille. Il devait savoir. Devait savoir qu'elle souffrait de sa propre stupidité. Un jour, elle recevrait une triste réponse à sa lettre, elle aurait envie d'écrire à son tour, elle essaierait mais peut-être n'y parviendrait-elle pas.

Elle se demanda si l'homme qui était venu à « sa » place était reparti à présent mais, passant du jardin dans la cour, puis sous l'arcade, pour gagner le devant de la maison, elle constata que le vélo était toujours là. Elle entendit des voix dans le hall. Elle aurait pu tourner les talons, monter à l'étage. Mais elle eut le sentiment de quelque chose d'inachevé et elle ne le fit pas.

– Un verre ? proposa son père au salon. Sinon, le thé doit être encore chaud, je crois.

Elle refusa d'un signe de tête. Elle comprit au regard de son père qu'il devinait : on avait expliqué à sa fille qui était cet homme qu'il avait trouvé dans la maison. Elle se demanda à quel moment il en avait lui-même pris conscience. Se demanda pourquoi il ne l'avait pas prié de s'en aller.

– Mr Horahan a été militaire, déclara son père.

Sur le bras du canapé se trouvait la broderie inachevée des silhouettes sur la plage, un fil bleu pâle pendait au chas de l'aiguille. Il y avait des vides, çà et là, aux endroits où manquaient des couleurs qu'elle attendait. Elle roula la pièce de lin, y piqua l'aiguille pour la maintenir en place, et la remit dans son tiroir à broderie.

– Reste avec nous, lady, invita son père.

Elle le regarda se verser un autre verre. Il lui en servit un aussi, bien qu'elle eût décliné l'offre un instant plus tôt. Il le lui porta et elle le remercia. Un oiseau se cogna contre un carreau, ses ailes battirent éperdument avant qu'il recouvrât ses forces et s'envolât.

L'homme marmonnait.

La fois où il avait peint les fenêtres de l'asile, soudain apparaissait un pensionnaire, deux ou trois peut-être, et ils vous serraient la main à travers les barreaux, ils vous demandaient si vous aviez du mastic en trop, alors on leur en roulait quelques boulettes et on les posait sur le rebord de la fenêtre, à l'intérieur. « Oh, je sais qui tu es ! », lui avait un jour lancé l'un d'eux, et les autres s'étaient mis à crier tous ensemble, voulant savoir. « Je ne vous connaîtrais pas, par hasard ? », avait relevé le sergent dans la cour de la caserne, comme, un autre jour, un homme qui sortait de chez Phelan avec le regard flou d'après la boisson. « Encore un estropié pour la cause de l'Irlande ! », s'écrie un de ses potes, et les rideaux s'enflent et prennent feu, les flammes se détachent sur le ciel.

– Tous les jours je brûle une bougie pour l'enfant.

Il leva les yeux pour regarder la pièce qui n'avait pas été du tout réparée : on n'avait même pas remplacé les carreaux, pas même nettoyé les murs noircis. Il y avait là les meubles calcinés, pratiquement réduits à néant, des éclats de verre partout au sol, les chiffons de rideaux qui pendouillaient. « Bon sang, grouille-toi ! disaient les potes. Bon sang, te retourne pas ! »

Les éclats de verre le tailladèrent quand il s'agenouilla. Les gouttelettes de sang étaient chaudes sur sa jambe quand il se releva et il déclara qu'il regrettait d'ajouter encore du sang dans la pièce.

– Juste des ombres, lâcha-t-il, et il expliqua car on ne comprendrait pas : Juste des ombres dans la fumée, quand il s'était retourné et que des gens emmenaient le corps.

– Voici ma fille, Mr Horahan. Ma fille est l'enfant qui était là à l'époque.

Une porte claqua doucement à l'étage, comme il arrive parfois quand souffle une brise de mer. La poignée battit car elle était mal vissée. Dans le calme de la pièce, Lucy essaya de déclarer qu'elle aurait pu épouser l'homme qu'elle aimait, que son père et sa mère avaient été chassés de chez eux, que sa mère ne s'était jamais remise de sa peine. C'était cela, la vérité : elle était venue au salon pour la proclamer, puisque c'était tout ce qu'il restait à dire, mais les mots ne voulaient pas sortir. Les fleurs qu'elle avait disposées plus tôt dans un vase – des campanules blanches –, étaient pâles contre le papier peint bruni par le soleil. La fumée montait du cigarillo de son père, en volutes paresseuses.

– C'est une belle soirée pour votre trajet de retour, releva son père.

Elle crut avoir mal entendu, tant cette politesse semblait extraordinaire. De nouveau, l'envie pressante d'évoquer les ravages causés à leurs vies ; la peur et le chaos survenus là où avait un jour régné le bonheur ; la douleur. Mais une fois de plus, sa colère s'effondra, incapable d'éclater.

– Eh bien, eh bien, conclut son père qui traversa la pièce jusqu'à la porte, l'ouvrit et se tint là. Maintenant, rentrez sans encombre, ajouta-t-il dans le hall.

Elle l'accompagna, comme s'il l'en avait priée mais il ne le lui avait pas demandé. Dehors, le soleil tombait à l'oblique sur le gravier et les marches du perron. La mer au loin était calme.

Elle aurait pu pleurer, mais elle ne l'avait pas fait et ne le fit pas non plus présentement. Pleurerait-elle jamais un jour ? Elle contempla un moment le visage de l'homme revenu après tant de temps et n'y vit que la folie. Aucune intention n'était là pour conférer une dignité à son retour, aucun ordre ne venait organiser le passé et le présent, comme ç'aurait pu être le cas. Rien pour donner un sens à quoi que ce fût.

– Chaque jour, je brûle une bougie, répéta-t-il.

– Bien sûr, commenta son père. Bien sûr.

Les pinces de cycliste furent remises avec soin et le visiteur d'un après-midi s'en fut, silhouette dégingandée sur sa grosse bicyclette de fer. Ils regardèrent disparaître le vélo dans la grande allée et quand son père dit qu'il était navré, elle perçut à son ton de voix qu'il avait compris pourquoi elle s'était habillée.

Ils marchèrent un peu dans l'allée, silencieux jusqu'à ce qu'éclatât la colère de Lucy, sauvagement surgie de sa fatigue, portée par une énergie propre. Elle cria en direction de l'homme qui était parti, les arbres de l'allée renvoyant l'écho de sa détresse. Ses larmes mouillèrent les vêtements de son père quand il la prit dans ses bras.

– Là, là, ça va, ça va.

Elle entendit la voix de son père qui murmurait ces mots, encore et encore.

VIII

Henry et Bridget n'avaient pas encore commencé à souffrir gravement des maux de l'âge qui devaient plus tard les handicaper l'un et l'autre. Quand les douleurs les prirent – le genou d'Henry, l'épaule de Bridget par temps humide –, ils s'en remirent à la Providence. Un jour, dans son atelier, Henry éprouva un serrement dans la poitrine : il resta immobile et sentit que ça passait. Bridget était devenue sourde d'une oreille mais soutenait que l'autre lui permettrait de s'en sortir.

Une plus grande calamité, en outre inattendue, fut une déclaration de la société laitière : le lait de Lahardane était infecté. On découvrit plus tard que la tuberculose s'était répandue dans le troupeau ; il ne resterait que huit vaches après l'abattage obligatoire des bêtes. Depuis son retour, le capitaine avait aidé Henry à la traite, à laquelle il ne s'entendait guère. Cette tâche et le reste du travail qu'elle supposait – conduire les bêtes à la salle de traite deux fois par jour, ébouillanter les bidons, passer la laiterie au jet d'eau –, tout cela devenait trop lourd pour deux hommes vieillis, comme ç'avait déjà été le cas d'Henry quand il était seul. Il avait persévéré tant bien que mal, y parvenant mieux avec l'aide du capitaine, mais ce fut lui qui souligna que les huit vaches restantes seraient trop nombreuses s'ils cessaient d'envoyer leur lait à la société laitière, mais ne suffiraient pas s'ils continuaient. On garda donc les trois meilleures laitières et les autres furent vendues.

Ainsi, une époque s'achevait. Ç'avait dû être un changement aussi définitif lorsque, des générations plus tôt, la majeure partie des terres de Lahardane avait été perdue aux cartes au profit des O'Reilly, songea Bridget. Henry était peiné que son travail lui eût été arraché par la malchance, même si la tâche avait commencé à le fatiguer et même si c'était une remarque de sa part qui avait entraîné la réduction d'un troupeau déjà amoindri. Dans l'état actuel des choses, trois vaches ne parviendraient pas à consommer, année après année, l'herbe dont elles disposaient. Les champs redeviendraient sauvages, les chardons se reproduiraient sans frein, les orties se répandraient partout. Il assisterait à tout cela, impuissant, sans le cœur ni la force de régler le problème avec sa faux. « Laisse tomber ! » : tels étaient les ordres de Bridget.

Ça n'avait pas de sens de faire autrement, pas de sens d'aller attraper la mort sous la pluie – un jeune ne s'y serait pas risqué. Tant et tant de fois, en rentrant des champs, Henry était arrivé à la cuisine trempé jusqu'à l'os et Bridget avait suspendu ses vêtements imbibés d'eau sur le séchoir à poulies, au-dessus du fourneau. De cinq heures du matin jusqu'à la tombée de la nuit, l'été, il avait manié la faucille ou son crochet à long manche pour tailler les haies. Tous les ans, en mars, quand repoussait l'herbe de la pelouse aux hortensias, il avait gratté la rouille hivernale de la tondeuse et huilé l'essieu. Il le faisait toujours.

– Ah non, monsieur, ah non !

Bridget avait refusé la suggestion du capitaine : il pourrait faire venir une femme de Kilauran pour l'aider dans la maison. Comme Hannah dans le temps, avait-il insisté, mais Bridget avait répliqué qu'une inconnue dans la maison causerait davantage d'ennuis qu'elle n'en vaudrait la peine.

– Oh, voyons, on se débrouille très bien !

Le capitaine savait que ce n'était pas le cas. Ils s'accrochaient à leurs habitudes, une obstination nourrie par l'orgueil.

Ils étaient fiers de Lahardane, tel qu'ils l'avaient conservé ; fiers du rôle qu'ils y avaient continuellement joué ; fiers de l'avoir géré, d'avoir improvisé, d'être devenus davantage que les gardiens qu'il avait laissés là. C'était Henry qui avait suggéré un moyen de sauver les pâturages de l'abandon et de la détérioration : les O'Reilly en avaient accepté la jouissance, moyennant une modeste location annuelle et l'engagement d'entretenir les clôtures.

A propos du visiteur revenu dans la maison un après-midi, plus d'un an auparavant, on se borna à constater qu'étant fou il n'était à strictement parler pas responsable de son intrusion. Henry le déclara à contrecœur ; Bridget l'admit avec réticence, après avoir prié. Mais chez l'un comme chez l'autre, le ressentiment ne se dissipa pas entièrement. Le capitaine, lui, l'affirma avec plus de conviction.

Lucy n'écrivit plus à Ralph – elle avait su qu'elle ne le ferait plus –, pas même quand arriva un mot de lui, ainsi qu'elle l'avait également pressenti. Les confusions d'un après-midi qui s'était déroulé d'aussi étrange manière s'étaient apaisées, rétrospectivement, mais aux yeux de Lucy, ce moment-là n'avait pas terni pour tourner en grisaille, il avait gardé ses couleurs, aussi fraîches que sur un tableau. Les images de réalité et d'illusion étaient encore présentes. L'auto s'arrêtait et faisait demi-tour. Lucy reprenait les torchons sur les cassissiers. L'homme qui était venu, et dont la présence était accidentelle sans l'être, s'agenouillait pour prier. Son père la prenait dans ses bras.

« C'est ainsi que les choses se sont passées, écrivait Ralph. Il n'y a de reproche à faire à personne. » Ce qu'elle avait voulu n'était pas le genre de Ralph. Or, c'était justement parce qu'il n'était pas ainsi, qu'elle s'était éprise de lui et qu'elle continuait de l'aimer. Elle ne l'avait pas su à l'époque et le comprenait seulement maintenant : toutes les lettres du monde, le plus ardent désir n'y auraient rien changé. Jusqu'à la fin de ses jours elle aimerait un homme qui en avait épousé une autre.

– Parle-moi de Montemarmoreo, demanda-t-elle un matin

au petit déjeuner, comme si son père ne l'avait jamais fait, et celui-ci répéta ce qu'il avait déjà raconté.

Reprirent les sorties aux courses et à l'Opéra, et Lucy se rendit compte que son père avait un espoir qui jamais ne se réaliserait : un homme émergerait de la foule des amateurs de courses ou d'un auditoire de théâtre, à l'instar de Ralph qui était venu de nulle part, si longtemps auparavant. Son père n'en parlait pas mais Lucy percevait de telles aspirations dans la sollicitude paternelle.

Leur relation – à l'origine empreinte chez Lucy d'une nervosité due au ressentiment et, chez son père, débordante de trop ferventes attentes – s'installa dans l'acceptation de ce qui était. Elle avait rejeté son père : telle était l'impression actuelle de Lucy, telle avait dû être celle de son père à l'époque. Elle en avait honte, honte aussi de ne pas avoir pleuré sa mère, honte que l'égoïsme de l'amour eût si cruellement pris le dessus. Les circonstances avaient façonné un vide dans son existence et la maladroite passion amoureuse appartenait, comme tant d'autres choses, au passé qui est sans exigences. Pour son trente-neuvième anniversaire, son père et elle allèrent voir *Nicholas Nickleby* au cinéma flambant neuf qui avait remplacé le Picture House d'Enniseala et, à leur retour à Lahardane, ils restèrent ensemble jusque tard dans la nuit, ainsi qu'ils le faisaient parfois maintenant.

Quelques semaines plus tard, par un bel après-midi de novembre, ils nettoyèrent ensemble les tombes de la famille à Kilauran, que Lucy avait toujours soignées seule dans le passé.

– Nous sommes parmi les nôtres, releva son père en coupant l'herbe devenue envahissante.

Les pierres tombales étaient posées à plat, selon la tradition des Gault, et l'herbe autour avait beaucoup poussé. Des tiges de boutons d'or s'étalaient par endroits jusque sur les lettres, le trèfle adoucissait les arêtes du calcaire.

Lucy arracha des géraniums sauvages, des jacobées et de la bardane. Le temps passant, elle avait souvent songé au calme avec lequel son père avait écouté les divagations proférées dans leur salon. En homme simple qu'il était, il aurait pu, cet après-midi-là, aller chercher le fusil qui avait fait feu d'une fenêtre du haut et, avec l'instinct du militaire, menacer de s'en servir à nouveau. Au lieu de cela, il s'était retiré d'une situation qui le dépassait, et avait persévéré dans ce sens depuis lors.

– Un jour, évidemment, prédit-il alors, il n'y aura plus personne pour s'occuper de tout cela. Non que ça ait de l'importance, puisque c'est pour soi qu'on le fait, tu ne crois pas ?

Elle confirma d'un signe de tête tout en déracinant une autre mauvaise herbe. Les gens s'éteignent quand ils trépassent, tout devoir à leur égard se termine, tout souvenir d'eux meurt. Seuls s'attardent les mythes, les histoires qu'on raconte.

– Oh oui, tout cela, confirma-t-il.

Elle balaya l'herbe coupée, éparpillée sur la surface lisse et grise d'une tombe. Elle se demandait parfois si les courses n'étaient pas trop fatigantes pour lui ; il y avait une éternité qu'il n'avait plus passé une matinée avec Aloysius Sullivan, au bar du Central Hotel. « Il est lent, ça se remarque » : Lucy avait entendu cette réflexion d'Henry. Lent dans l'escalier, moins agile que du temps où il grimpait sur le toit en se faufilant dans la trappe. Lent quand il maniait la faux dans le verger aux pommiers, ou la bêche pour supprimer les ronces. Maintenant, c'était elle qui conduisait l'auto, laissant son père dedans quand elle partait en commissions, allant de comptoir en comptoir à Enniseala avec la liste de Bridget, la ferme écriture inchangée depuis l'époque où Henry la tendait à Mrs McBride sur le chemin du retour de la société laitière. Une pancarte « A VENDRE » était restée sur la boutique de Mrs McBride pendant des années ; elle avait été enlevée récemment. Personne n'était venu s'installer là.

– Bon, eh bien, c'est tout de même mieux, conclut son père, se détournant pour faire la grimace en se relevant de sa position agenouillée. Un petit peu mieux, non, lady ?

Il y avait un endroit au cimetière où l'on déposait les mauvaises herbes et l'herbe coupée. Elle y porta ses déchets qui, déjà, se flétrissaient.

– Bien mieux, répondit-elle quand elle revint, et elle se mit à rassembler les outils qu'ils avaient utilisés.

Ils continuèrent sur Enniseala, puisque c'était leur destination. Elle acheta ce qu'il lui fallait, connue et saluée dans toutes les boutiques. Souvent, elle se demandait si elle mettait les gens d'Enniseala un rien mal à l'aise, car la bizarrerie des événements avait dû la rendre bizarre – on ne pouvait pas leur en vouloir de le penser. Malgré tout, elle s'attardait toujours un peu en ville maintenant, car elle en était venue à aimer ces lieux auxquels elle avait jadis été indifférente.

Cet après-midi-là, elle regarda les cygnes glisser de-ci de-là ou, avec moins de grâce, parader sur les berges qu'ils s'étaient appropriées. Elle admira la valériane d'un rose un peu rouge, accrochée aux hauts murs qu'elle longeait pour gagner la promenade. Elle remarqua un détail sur lequel son père avait attiré son attention peu après son retour : les armes royales toujours visibles sous la peinture verte des boîtes aux lettres. Elle observa les enfants qui jouaient sur les rochers, au pied du môle ; les charretées d'algues qu'on emportait. Parfois, elle s'asseyait au café de la boulangerie, à côté de l'ancienne salle des ventes désaffectée ; parfois, elle prenait le soleil sur le kiosque à musique mais, aujourd'hui, elle se contenta de passer devant et retourna à la voiture où son père somnolait devant l'*Irish Times*.

Ce soir-là, il parla des régates d'Enniseala et des festivités d'été qui n'existaient plus. Elle se rappela Mr Sullivan rapportant un jour la nouvelle que les *Blueshirts* [1] avaient défilé dans la longue grand-rue et que des voitures de course avaient traversé les rues de la ville en pleine nuit et à grand bruit, à mi-parcours de leur tour d'Irlande.

– Tu te rappelles le soir où nous sommes allés dire au revoir à Mr Aylward ? demanda son père. Et comme tu as cherché le pêcheur sourd-muet ?

En montant se coucher, il s'arrêta près de la table du hall

1. Les *Blueshirts* (Chemises bleues) étaient un mouvement fascisant irlandais, fondé par l'ex-président de l'Irlande, William Cosgrave.

pleine de fouillis, où il venait de prendre un livre à la reliure de cuir éraflée.

– Il m'avait appris à lui parler, répondit-elle. Je te l'ai dit ? Il m'attendait quand je rentrais de l'école.

– Tu sais parler avec les doigts, lady ?

– Oui.

D'où elle se trouvait, debout dans l'encadrement de la porte du salon, elle le lui montra. Le pêcheur avait eu des mains rudes et couvertes de cicatrices, le dos constellé de taches brunes, l'âge venu, et pourtant ses gestes lui avaient donné envie de les reproduire elle-même. Leurs conversations étaient de celles qu'ont les tout-petits et elle avait souvent pensé qu'il ne fallait pas en demander davantage à un vieillard et à une petite fille qui ne se connaissent pas bien.

– Tu étais solitaire, à l'époque, rappela son père.

– Ce n'est pas grave d'être un peu solitaire.

– Euh non, peut-être pas.

Distraitement, il reposa le livre sur la table, et le dos en cuir battit à l'endroit où il était décollé. C'était l'*Irish Life* de Le Fanu, avec une facture d'électricité en guise de marque-page. Sa main se posa sur le cuir qui tombait en pièces, ses pensées illisibles sur son visage, alors qu'elles y étaient souvent perceptibles. Il avait été conscient de la jalousie de la petite fille pour l'épouse, et savait ce sentiment moins pénible à présent qu'il l'avait été. Mais rien de tout cela n'avait jamais été exprimé.

– Un jour, lady, iras-tu au cimetière suisse ? Et à Montemarmoreo ?

– On ne pourrait pas y aller ensemble, à Montemarmoreo ?

– Tu aimerais ça ?

– Oui, j'aimerais bien.

– Elle n'a pas toujours été malheureuse pendant ces années-là, tu sais.

– Papa, tu es fatigué.

– C'est difficile à expliquer. Simplement, je le savais.

Elle le regarda s'éloigner sans le livre qu'il avait d'abord pris en main, puis reposé. La convention qui consiste à échanger des « Bonne nuit ! » n'avait jamais eu cours dans cette maison et ne s'appliqua pas plus ce soir-là.

– Les abeilles n'ont pas déserté Lahardane, ajouta-t-il à mi-chemin de l'escalier, le regard tourné vers le rez-de-chaussée. Je me demande si elles le feront jamais.

Lucy passa encore un petit moment seule au salon, puis elle tira le pare-étincelles devant les braises qui rougeoyaient toujours dans l'âtre. Elle mit de l'ordre dans les coussins et les fauteuils, referma les portes du placard d'angle, accompagnant le mouvement à l'endroit où elles coinçaient et où il fallait un peu pousser. Passant près du jeu de bagatelle, elle lança les billes parmi les clous. Deux cent dix : tel était son score le plus élevé, atteint quand elle avait six ans, et elle ne fit pas mieux ce soir-là.

L'espace d'un instant, se retournant pour vérifier que tout était bien comme il faut, elle vit la pièce telle qu'elle était naguère, quand le feu aurait pu la dévaster, et elle réentendit la voix tourmentée. Souvent, en s'éveillant d'un sommeil du petit matin, elle ramenait de quelque rêve troublé le personnage vêtu de noir lugubre, recroquevillé dans un fauteuil, terrifié, le regard vide. Un jour, elle avait aperçu la vieille bicyclette démodée, posée contre le mur voisin du phare et, au loin, sur la plage, la silhouette dégingandée de celui qui se croyait un assassin. Elle l'avait observé un moment sans savoir pourquoi, sans savoir pourquoi elle avait tant de facilité à se rappeler et à revoir le mouvement incessant des mains, les doigts agités tâtonnant pour toucher chaque point d'intense souffrance. Il n'avait pas bougé de l'endroit où il se trouvait sur la plage, planté là à contempler la mer.

Calé contre ses oreillers, le capitaine guettait les pas de sa fille et les entendit devant sa porte. A un moment de la nuit, il se réjouit qu'ils aient nettoyé les tombes. Plus tard, il éprouva une douleur. Qui ne le réveilla pas.

CINQUIÈME PARTIE

I

Longtemps après l'enterrement, quand une autre année eut commencé, Lucy tria les affaires et les vêtements de son père. Rien de ce qu'elle trouva ne fut une surprise. Pliant chemises et costumes, elle se demanda si l'on en avait enfin fini avec les drames dans cette maison, maintenant devenue sienne. Il avait bu son whiskey jusqu'au bout, elle ne l'en avait pas empêché. Il avait su que la mort s'avançait vers lui à pas de loup ; rien n'était plus certain que cela, avait-il relevé plusieurs fois. Il avait gardé le sourire tout au long de cette acceptation de la stricte économie de la nature et elle aussi, lui tenant compagnie dans son rejet d'une morbide attente, se le rappelant tel qu'il avait été pendant le lent voyage qu'elle avait entrepris pour l'aimer à nouveau, pardonnée pour ses reproches informulés.

Elle conserva certaines affaires : ses boutons de manchettes, sa montre, la canne qu'il avait pris l'habitude d'utiliser quand il l'accompagnait de temps à autre dans ses promenades, l'alliance qu'il avait portée. Elle mit les vêtements dans l'auto et se rendit à Enniseala pour les donner aux dames qui faisaient la collecte pour la société charitable de Saint-Vincent-de-Paul. Elle rangea les cartes postales qu'il avait conservées. La chambre à coucher qui avait été pareille à une tombe pendant ses années d'inoccupation le redevint, restant porte close et sans qu'on y pénétrât jamais.

Un certain décorum déserta la maison avec la mort du capitaine, une façon de faire propre à son passé, qu'il avait estimée et affectionnée, et qui avait repris ses droits tout naturellement à son retour. « Non, ce n'est pas nécessaire », décréta Lucy, ne voulant plus que Bridget ou Henry continuent le va-et-vient des plateaux de vaisselle entre la cuisine et la salle à manger. Au lieu que ce soient eux qui la servent, c'était maintenant elle qui, de plus en plus, s'occupait d'eux. Elle retrouva sa place à la table de cuisine, comme pendant son enfance et les années qui avaient suivi. Dans les adaptations qui furent faites, elle veilla à leur confort plutôt qu'au sien. Son père eût-il été là que, sans rechigner, on aurait porté les plateaux à la salle à manger, pour les desservir ensuite ; rien n'aurait pu changer cela, Lucy le savait, quoi que son père ou elle eussent pu dire ou faire.

Bridget continua de cuisiner ; Henry fendait du bois dans la cour, trayait les vaches et faisait de son mieux avec l'herbe haute du verger. Le dimanche, Lucy les emmenait avec elle quand elle partait pour Kilauran, arrivant avec une demi-heure d'avance pour le culte, afin qu'ils puissent, eux, assister à la messe – ils se rappelaient tous trois l'époque ancienne où cela aussi avait été l'inverse. Henry achetait ses cigarettes et puis ils attendaient Lucy devant le magasin. La messe et les gens qu'on retrouve ensuite : ç'avait toujours été un événement agréable pour Bridget, depuis l'enfance, et ça le restait. L'état d'abandon du pavillon de gardien n'était plus mentionné quand ils passaient devant, lors de leur sortie dominicale. A la cuisine, on évoquait plutôt la nostalgie de la mer qu'Henry avait éprouvée lorsque le mariage l'avait amené à Lahardane. Bridget avait été malheureuse quand il avait mis du temps à se poser, croyant l'avoir privé de ce qui avait été son mode de vie. « Mais, ma foi, on s'habitue à tout », commentait Henry ; il s'était en effet habitué, et ça s'était bien passé. Un colporteur avait coutume de parcourir les routes à l'époque, avec de petits tapis venus d'Égypte, des boutons de toutes tailles et couleurs, des broches à rôtir qu'il fabriquait avec du hêtre, des bâtons de craie et des flacons bruns contenant de l'encre. Jamais on ne verrait rien de tel de nos jours, il y avait bien trente ans qu'on n'avait plus vu ça. Un autre camelot venait à Lahardane avec des manchons de lampe et, chaque année, on avait la visite du vendeur de l'*Old Moore's Almanac*. Des gitans rétamaient les casseroles dans la cour, on emmenait les chevaux à six kilomètres de là pour les ferrer.

Telle était la conversation à présent et Lucy écoutait, apprenant que le jour de sa naissance il y avait eu de la brume toute la matinée, et qu'elle aurait pu s'appeler Daisy ou Alicia. Il y avait eu un feu de cheminée au salon, lors du premier Noël de son existence. Les *wren-boys*[1] avaient inventé un boniment où il était question de nouveau-né pour la Saint-Étienne. Un jour qu'Hannah rentrait chez elle en passant par la plage, elle avait entendu une *banshee*[2].

– C'était jamais que le vent, qui hurlait dans le creux qu'il y a dans les falaises, expliqua Henry.

Mais Bridget raconta qu'Hannah avait aperçu une silhouette ténue, à moins d'un mètre de l'endroit où elle se trouvait.

Le souhait du capitaine fut respecté. Par une belle matinée de mars 1953, Lucy contempla la tombe de sa mère.

« Héloïse Gault, dans sa 66e année. De Lahardane, Irlande. »

Les lettres funèbres brillaient sur le granite brut et Lucy tenta de voir le visage de son souvenir, tel qu'il avait dû devenir avec l'âge. Le cimetière de Bellinzona était petit, il n'y avait personne d'autre là.

Elle s'agenouilla et pria.

Plus tard, elle demanda un café dans la brasserie, en face de

1. *Wren-boys* (litt. : garçons au roitelet) : Groupe d'enfants ou de jeunes gens qui allaient de porte en porte le lendemain de Noël, jour des étrennes *(Boxing Day)* et jour de la Saint-Étienne, portant un houx décoré à l'effigie d'un roitelet et demandant des étrennes.

2. Sorte de fée dont les cris sont augure de mort.

la gare. Tout lui paraissait étrange : jamais elle n'était sortie d'Irlande. Le long voyage en train à travers l'Angleterre, la France et la Suisse avait déroulé devant elle une réalité étrangère qu'elle n'avait rencontrée que dans les romans. Le garçon qui lui apporta son café parlait une langue qu'elle n'avait jamais entendue, chaque mot lui en était incompréhensible. Des randonneurs suisses arrivèrent en bande et remplirent les tables autour d'elle, leurs bâtons et leurs sacs à dos empilés sur les chaises inoccupées. Quelque part dans cette ville vivait un gentil médecin.

Un autre voyage l'amena de l'autre côté de la frontière italienne. Ce soir-là, dans une petite chambre de l'unique hôtel de Montemarmoreo, elle sortit ses affaires de la valise bleue. Cette valise qui lui appartenait en propre, l'avait-on jadis assurée, bien qu'on n'eût pas eu le temps de faire graver ses initiales sur le cuir. Elle commanda à manger sans savoir ce qu'on lui servirait.

Tôt le lendemain matin, elle trouva la via Cittadella et la maison du cordonnier, avec ses marchandises exposées en vitrine, au rez-de-chaussée. Au premier étage, sur le balcon dominant la rue, il y avait juste assez de place pour une table et deux chaises. Elle ne dérangea pas le cordonnier, pas plus à ce moment-là que plus tard, se demandant seulement si c'était le fils de l'artisan du passé ou si quelqu'un d'autre avait racheté le fonds de commerce.

Elle déambula dans les ruelles bondées. A l'église, il y avait un autel dédié à Santa Cecilia. L'éclairage public était en réfection – nouveaux réverbères installés dans des trous creusés au bord du trottoir, circulation déviée. Elle apprit ses premiers mots d'italien : *ingresso*, *chiuso*, *avanti*. Elle trouva un restaurant dont son père lui avait parlé, un modeste établissement dans une petite rue. Et elle découvrit, en dehors de la ville, les carrières de marbre épuisées.

Sa mère avait trouvé sa place ici. Plus que l'Angleterre, plus que Lahardane, elle avait fait sienne cette petite ville banale, fait de l'Italie son pays. Pour Lucy, restaient une ombre et le lointain écho d'une voix remémorée, mais c'était une inconnue qu'elle percevait au milieu de l'animation des rues et sur la route des carrières de marbre. « Je vais prolonger un peu mon séjour », écrivit-elle sur une carte postale destinée à Bridget et Henry, se demandant si, par quelque nouveau caprice du hasard, elle y demeurerait pour toujours, elle aussi.

Elle entendit l'histoire de Santa Cecilia. Une dame à l'église la lui raconta ; une femme frêle, à la voix douce, qu'elle avait déjà aperçue là, et qui émergea des bancs vides pour l'aborder. Le miraculeux, c'était dans les yeux de la statue de l'autel, expliqua la dame en anglais. Ensemble, elles contemplèrent les yeux bleu pâle et les tresses blondes, le halo doré à la feuille, la robe si diaphane qu'elle en semblait incolore, la lyre délicatement tenue dans les mains. Enfant, Santa Cecilia avait entendu toute la musique qui était encore à venir dans le monde, rapporta-t-elle.

Lucy devina que sa mère avait appris – de cette même source, peut-être –, que Santa Cecilia était née pour connaître le martyre, qu'elle avait été assassinée pour s'être moquée des anciens dieux, devenant après sa mort la patronne des musiciens, comme sainte Catherine était celle des selliers, comme Charles Borromée était patron des fabricants d'amidon, et comme sainte Élizabeth intercédait pour tous ceux qui souffrent de mal de dents.

La femme partit après avoir demandé une obole pour les réparations de l'église.

Lucy quitta Montemarmoreo à regret, sachant que jamais elle n'y reviendrait. La part de temps et de circonstances qui lui était allouée était différente de celle de sa mère, de celle de son père. Elle ne pouvait pas faire semblant.

Quand vint l'hiver de cette même année, quand le souvenir de son long voyage commença de perdre de sa fraîcheur, elle relut les lettres qu'elle avait reçues de Ralph – méthodiquement, dans l'ordre de leur rédaction. Ces missives remuèrent l'amour qui l'affectait toujours mais, à présent, les auteurs de ces lettres étaient d'autres personnes, comme l'étaient son père et sa mère. Elle ressortit du tiroir sa broderie inachevée et en enveloppa les inquiètes supplications de Ralph, attachant le paquet avec une ficelle qu'elle confectionna avec ses fils colorés.

II

Un après-midi à Enniseala, Lucy chercha du regard la bicyclette noire. Elle la chercha près du phare, là où rentrent les bateaux de pêche, et dans le quartier pauvre de la ville. Elle crut l'apercevoir un jour devant la Salle de la Ligue de la Croix, et plus tard dans MacSwiney Street, mais elle constata en s'approchant qu'elle s'était trompée. Elle prit l'habitude d'aller s'asseoir au café de la boulangerie, près de la fenêtre. Elle ignorait ce qu'elle ferait si le vélo passait ou si elle le voyait posé contre un mur ou une devanture (c'était déjà arrivé). Cette compulsion n'avait aucune origine qui lui fût connue et semblait se nourrir de l'échec même de ses tentatives. Elle finit par se renseigner et on lui apprit que celui qu'elle cherchait avait été interné à l'asile.

Elle rapporta ce fait à Lahardane où la nouvelle ne suscita pas d'intérêt et guère de réaction. C'était une solution adéquate – telle semblait être l'opinion informulée. Lucy l'imagina exprimée à la cuisine quand elle n'était pas là, avec une note de satisfaction dans les échanges. Lorsqu'elle se rendit à Enniscala la fois suivante, elle alla à l'asile et se gara sur l'accotement, près d'un grand portail en fer. Le bâtiment de brique campé sur une colline semblait désert, à croire qu'il n'y avait personne dedans, ce qui n'était pas le cas, elle le savait. Les portes fermées à clé étaient intimidantes. Une chaîne pendait à l'un des piliers, derrière lequel il y avait une cloche accrochée à une potence.

Elle redémarra.

Elle étendit une autre pièce de lin sur la table de la salle à manger, chaque coin maintenu par un livre. Avec soin, elle reporta sur le tissu l'esquisse qu'elle avait faite à l'aquarelle : des coquelicots sur un fond ocre. Elle choisit les fils et les disposa en une rangée.

Combien de fois avait-elle déjà accompli ces gestes ? Combien de fois avait-elle demandé, lorsqu'une broderie était terminée : « Elle vous ferait plaisir ? » Elle n'avait jamais trouvé meilleure façon de ne pas donner l'impression qu'elle avait des prétentions, quant à la qualité de ce qu'elle offrait. C'était un plaisir de donner, et y participait son exagération, quand elle prétendait qu'il ne restait plus de place aux murs de Lahardane.

Elle marqua chaque couleur en passant un fil dans le tissu : une demi-douzaine de teintes d'orange et de rouge pour les coquelicots, quatre verts différents pour les feuilles piquantes, l'ocre étant agrémenté de gris. Des mois, cela prendrait. Tout l'hiver.

– Apportez son thé à Miss Gault.

Au café, derrière le comptoir des pains, la femme du boulanger avait donné cet ordre à une enfant en blouse à fleurs. Ainsi, « elle » était bien rentrée, avait-on constaté au café à son retour de Suisse et d'Italie. Le but de son voyage était connu mais n'avait pas suscité de commentaire.

Elle accrocha son parapluie au dossier de l'autre chaise de sa table. Il s'était mis à pleuvoir soudainement cet après-midi-là, une pluie portée par le vent marin.

– Quel sale temps ! lui lança la femme derrière le comptoir des pains.

Les cheveux roux de la boulangère grisonnaient depuis un

certain temps et un air de soulagement était venu habiter son regard, comme si elle rendait grâce silencieusement de ne plus être en âge d'avoir des enfants : elle avait eu dix filles et un garçon. Son époux, qui ne mettait jamais le nez dans le café, alimentait la moitié de la ville en pain, en pâtisserie, petits pains et beignets.

– Des gâteaux, ce sera, Miss ? demanda l'enfant, éparpillant de la main les miettes restées sur la nappe tachée, essuyant le lait que le dessous-de-plat de liège n'avait pas entièrement absorbé. Je vous en apporte-t-y un choix ?

– Merci.

La gamine avait le visage émacié, des engelures sur la main qui remettait en place le sucrier et le pot de lait. L'autre main était bandée.

– La pluie, l'est-y pas bien drue, Miss ?

– Si. C'est toi qui t'appelles Eileen ? Je te confonds avec ta sœur, excuse-moi.

– Ma sœur aînée ?

– Je crois que oui.

– Ma sœur aînée, elle s'appelle Philomena.

– Et toi, Eileen ?

– Oui, c'est ça. Attendez, je m'en vais vous apporter le thé.

Au-dessus de la porte qui menait dans les territoires de l'arrière-boutique, une silhouette de plâtre aux doigts levés bénissait le café. Lucy regarda l'enfant passer dessous et fouilla dans son porte-monnaie à la recherche d'une pièce de trois pence, au cas où elle oublierait plus tard. Elle la glissa dans son gant, sachant qu'elle la sentirait là. Elle regardait la pluie à travers les lettres peintes sur la large fenêtre à demi voilée de rideaux. Dans la rue, les passants se pressaient, l'imperméable sur la tête.

– Tu veux nous noyer, Mattie ! cria la boulangère derrière son comptoir, à l'adresse d'un loqueteux qui venait d'entrer et dont les hardes trempées bavaient par terre.

Il était souvent dans les rues où il jouait de l'accordéon pour de menues pièces jaunes.

– Ma foi, ça va-t-y point laver le parterre à vot' place ?

Il s'installa près de la porte, son instrument sur la table, devant lui.

– Il reste que ceux-là, expliqua la dénommée Eileen à propos des gâteaux qu'elle avait apportés.

On avait prélevé un morceau de génoise dans chaque pâtisserie, et inséré à la place de la crème synthétique et de la confiture de framboises, avant de remettre le bout de gâteau. Six, il y en avait.

– De toute façon, c'est les meilleurs, Miss.

– Ils sont très bien, Eileen.

Une théière métallique bosselée fut posée avec précaution sur le dessous-de-plat de liège, un couteau placé à côté d'une assiette blanche sans décor.

– Je vous apporte-t-y une tranche de pain aux raisins, Miss ?

– Non, non, j'ai largement assez, Eileen.

Elle versa le thé fort et brun, l'allongea avec du lait. Elle pela le papier sous un des gâteaux. D'autres gens entrèrent, fuyant la pluie : un landau fut poussé vers la table voisine de celle de l'accordéoniste, des gouttes d'eau tombèrent d'un parapluie rouge qu'on secouait, l'une des baleines saillant incommodément quand il fut refermé.

– Ça va durer jusqu'à la saint-glinglin ! releva quelqu'un et des rires fusèrent.

Comme elle aurait aimé qu'on lui parlât aussi naturellement qu'à l'accordéoniste ! Comme elle aurait aimé prendre part au badinage ! « La dame protestante attend sa monnaie », avait dit une des vendeuses de chez Domville, il n'y avait pas si longtemps. Voilà en quels termes on pensait à elle, voilà comment les gens la décrivaient quand son nom leur échappait ou s'ils l'ignoraient, voilà ce que suggéraient son allure et ses vêtements, sa voix et leurs comportements à son égard. Une protestante, c'était une relique attardée, respectée pour ce qu'elle était, mais qui n'avait pas sa place. Pourtant, sa différence était plus marquée encore, parmi les protestantes. Après qu'elle eut quitté Domville's ce jour-là, la vendeuse qui ne la connaissait pas avait dû être mise au courant.

Elle se versa une autre tasse de thé et demanda de l'eau chaude qui lui fut apportée au bout d'un certain temps. Un soleil flou éclaira faiblement la fenêtre, se perdit, puis refit une apparition vacillante. La couleur des maisons d'en face s'aviva – rose et vert, ardoises luisantes d'un toit. Elle avait autant l'habitude d'être différente que de se sentir seule. C'était peut-être la même chose et, de toute façon, c'était ridicule de s'en soucier.

Le moment passa. Elle avait connu l'allégresse – la jubilation, presque –, au cours des mois durant lesquels elle avait brodé les coquelicots. Elle n'avait pas cherché à comprendre, se contentant de faire ce à quoi elle était poussée, persistant dans son obéissance à une intention qui n'était pas entièrement sienne. Pendant un petit moment encore, elle observa les gens du café, l'accordéoniste vidant la tasse de thé qu'on ne lui demanda pas de payer, le bébé assoupi dans son landau, un couple mangeant du poisson et des pommes frites, deux femmes absorbées par leur conversation. Elle trouva la pièce de trois pence dans son gant et la laissa sous le bord de la soucoupe. Elle paya au comptoir.

Dehors, le trottoir avait déjà commencé à sécher par plaques quand elle regagna l'endroit où était garée sa voiture. Des petits gitans mendiaient. Quelque part derrière elle s'éleva un air d'accordéon. Du bleu se répandit dans le ciel.

Elle roula pour trouver un espace où faire demi-tour pour rentrer, longeant la Bank of Ireland et les entrepôts de Coughlan, traversant la ville et gagnant la campagne.

Quand elle arriva devant le portail en fer, elle se gara sur l'accotement, comme la fois précédente. La broderie qu'elle avait mis tout l'hiver à réaliser était encadrée d'un bois de hêtre si clair qu'il en était presque blanc. Elle tendit le bras vers la banquette arrière pour la saisir et, la portant, elle alla jusqu'au pilier où pendait la chaîne.

Rouillée sur son pivot, la lourde cloche se balança d'abord sans bruit, puis son tintement éveilla un écho sur la colline. Elle attendit mais il n'y eut pas de réponse. Personne ne vint, ni jardinier ni ouvrier. Nul n'apparut dans la courte allée en pente raide. Elle s'attarda un moment, puis repartit.

Elle s'arrêta en avisant des hommes à la file qui approchaient d'un carrefour, devant elle. Dix ou onze, il y en avait ; tous en vêtements sombres. Un surveillant ouvrait la marche, un autre la fermait. Elle attendit que le cortège fût plus près et sortit de l'auto.

– Il n'est pas avec nous aujourd'hui, l'informa le surveillant menant le groupe quand elle lui eut donné le nom de l'homme, mais si vous avez quelque chose pour lui, je le lui remettrai.

Elle lui donna la broderie dans son cadre.

– Vous l'avez faite vous-même, madame ? s'enquit l'autre surveillant, tandis que tous s'agglutinaient autour d'elle. Magnifique ! s'exclama-t-il, l'un des hommes répétant après lui, puis un autre, et encore un autre.

Elle demanda s'il serait possible de venir voir de temps en temps le destinataire de son cadeau.

– Voyons, à quoi ça rime ? marmonna Henry quand le printemps et l'été de cette année-là eurent passé et qu'un autre hiver se fut installé.

Bridget essuya une tasse et la posa à l'intérieur d'une autre – les deux tasses étaient couchées sur le côté, sur leurs soucoupes. Aujourd'hui, ses doigts étaient lents à exécuter ce qu'on attendait d'eux, les articulations refusaient de se déraidir.

– A rien, fit-elle. Mais tout de même.

– Elle tourne rond, tu crois ?

Bridget ne répondit pas, ne sachant que dire. Elle porta les tasses et les soucoupes jusqu'au grand vaisselier vert, suspendit les tasses à leurs crochets, posa les soucoupes à la verticale, derrière le rebord de l'étagère. C'était une rude journée à cause de l'humidité dans l'air. Les articulations n'étaient pas aussi affectées par temps froid.

– Elle rentre fatiguée, reprit Henry.

– Ma foi, c'est forcé.

Cinq ans, il y avait, depuis que l'homme était venu dans la maison ; trente-quatre ans, depuis la fois précédente. Bridget se rappela le lendemain matin de la première fois : elle descendait la grande allée depuis le pavillon, et Henry avait signalé qu'il y avait quelque chose qui clochait ; il avait mentionné les chiens empoisonnés environ une semaine avant, puis il avait enlevé les galets du parterre de gravier parce qu'il y avait du sang dessus. Elle se rappela Lucy arrivant à la cuisine sur son trente et un, lors du retour du bonhomme, annonçant qu'elle porterait le thé au salon. Lucy, plus tard, n'avait pas répété ce qu'Henry, le capitaine et elle avaient conclu : que les fous ne peuvent pas être tenus responsables des ennuis qu'ils causent. On ne pouvait pas lui en vouloir, à Lucy. On ne pouvait pas lui en vouloir de haïr cet homme-là.

– Y a des gens qui en causent… de ses visites là-bas, signala Henry.

– Ma foi, forcément.

Les gens en parlaient parce qu'ils ne comprenaient pas, pas plus qu'on ne comprenait à la cuisine. N'était-ce pas assez que les choses eussent fini par s'apaiser – le capitaine toujours compréhensif, leurs petites virées ensemble, son affection et sa compagnie enfin acceptées ? N'était-ce pas non plus assez que le souvenir de l'amour de son ami au fil des ans, toujours vivant, pour autant qu'on le savait ? « Pourquoi t'as besoin d'aller dans cette vieille baraque ? » : Bridget avait préparé sa protestation, prête depuis une éternité, mais elle la gardait pour elle.

– Au jeu des *Snakes and ladders*[1], qu'ils jouent ! ajouta Henry.

1. Jeu de société dans lequel on jette les dés pour faire avancer les pions, dans le but de parvenir à l'autre bout du plateau en parcourant des cases. Le parcours emprunte des échelles *(ladders)* qui vous permettent de progresser plus vite, mais aussi des serpents *(snakes)* qui vous font reculer.

III

Un jour, peu de temps après la première visite d'elle, le surveillant dit à l'homme :

– Je vais t'apprendre à aiguiser les rasoirs.

La vaisselle du petit déjeuner était encore sur les tables : les couteaux et les fourchettes posés en travers des assiettes – les lames avaient été émoussées à la lime –, des feuilles de thé au fond des quarts en fer-blanc. C'était son tour de débarrasser, de tout empiler sur le plateau et de le poser sur les passe-plats, attendant là qu'on le lui rendît. Pendant ce temps-là, le surveillant rangeait le reste dans les placards : le sel et le poivre, les couverts qu'on n'avait pas utilisés, les sucriers. C'était Matthew Quirke le surveillant, ce matin-là. Son manteau enlevé, il portait des brassards élastiques pour retenir ses manches de chemise, sa casquette était posée sur le coffre, près de la porte. Il n'y avait personne d'autre dans la pièce.

– Un privilège, déclara Mr Quirke. Les rasoirs.

Nul n'avait le droit d'approcher les rasoirs, à part Matthew Quirke. C'était lui qui rasait les hommes. Depuis qu'Eugene Costello avait gardé un rasoir près de lui et qu'on l'avait retrouvé mort le lendemain matin, c'était Mr Quirke qui rasait les hommes : la règle datait de là.

– Comme ça, ça va ? lança une voix, de l'autre côté du passeplat, des mains poussant le plateau pour le rendre, nettoyé.

Les mains de MacInchey, c'était, on reconnaissait sa voix.

– Tu me comprends ? demanda le surveillant. Tu saisis ce que je te dis ? fit Mr Quirke, laissant ses paroles faire leur chemin, sans insister. Ah, tu piges, oui, oui ! constata-t-il en essorant un chiffon dans une cuvette d'eau. (Matthew Quirke, il lui suffisait d'un coup d'œil pour savoir s'il avait été compris ou non.) Il n'y a personne d'autre à qui je confierais les rasoirs, ajouta-t-il. (De South Tipperary qu'il venait, destiné à la prêtrise, mais quelque chose avait cloché.) Allez, nettoie-moi cette table-là. Laisse-moi la grande, et puis on ira à côté.

Le local aux vitres peintes en noir était situé de l'autre côté de la grande cour, au milieu de laquelle s'ouvrait l'orifice d'écoulement des eaux. Il y avait deux cadenas sur la porte – l'un en haut, l'autre en bas – et une lumière, à l'intérieur.

La porte se referma derrière eux, le verrou claqua. L'éclairage était une ampoule qui pendait au-dessus de l'établi. Le surveillant déroula un ballot de feutrine verte, en sortit les rasoirs et graissa la pierre à aiguiser.

– C'est-y pas formidable qu'elle vienne en visite ? fit-il.

Il installa le premier rasoir dans l'étau, afin d'enlever un point de rouille en frottant au papier de verre, passa le tranchant sur la pierre et l'essuya avec un chiffon, avant de tirer sur le cuir pendu à un crochet pour le tendre.

– Tu attraperas le coup, expliqua le surveillant. Mais n'est-ce pas formidable, hein ?

On n'avait pas besoin de répondre. Matthew Quirke savait qu'on ne le ferait pas. Le nouveau surveillant qui remplaçait Mr Sweeney ne l'avait pas compris au début, pas avant que Briscoe lui eût expliqué qu'il y avait un homme qui ne voulait pas parler.

– Ah ça oui, ah ça, oui ! poursuivit Mr Quirke.

Le bar de Myley Keogh s'était trouvé sur le chemin du retour ce jour-là, avec un pichet d'eau sur le comptoir. « C'est-y pas une superbe bicyclette que vous avez là ! » avait noté la femme, l'ennui, c'est qu'on ne pouvait pas lui demander une gorgée d'eau du pichet, à cette femme, et elle attendait. Personne ne serait à même de demander de l'eau, après avoir vu la maison dans l'état où elle était, et les gens qui l'habitaient. Personne ne serait à même d'articuler une parole.

– Voilà, ça marche bien, encouragea le surveillant. Continue encore un petit moment avec le papier de verre.

Quand la lame brilla à la lumière, il lui dit de s'arrêter.

– Là, avec elle tu as une amie, et une fameuse ! reprit-il. Pardi, ce n'est-y pas ça qui importe, en fin de compte ?

Mr Quirke lui tendit un autre morceau de papier de verre. Il serra l'étau sur le rasoir suivant qu'il avait sorti de la feutrine. Il y avait davantage de rouille sur celui-ci que sur le précédent, signala Mr Quirke.

– Ne te presse pas avec celui-là.

On n'avait pas envie de se précipiter, vu comment se déroulaient les journées. N'importe quel jour : les heures passaient sans hâte. Alors on prenait exemple dessus. Pas besoin de se presser.

– C'est bien, c'est bien, nota Mr Quirke.

Il sifflotait doucement, à mi-voix. Il sifflota *Danny Boy*, puis se mit à chanter. Le rasoir avait terni (d'où sortait-il ?). Mais on pouvait lui rendre son brillant, expliqua Mr Quirke. Assez facile. Il serait mieux qu'en sortant de l'usine, quand ils en auraient fini.

Pendant une heure et plus encore, le travail se poursuivit dans le petit local. Il y avait un calendrier au mur, avec une image de montagne, des arbres abattus et couchés au sol, les jours du mois écrits dessus. Toujours en début de mois et au milieu, elle venait, et quand on se réveillait ce jour-là, on le savait. On ne savait pas quel jour on était, juste que c'était celui où elle venait. Ce ne serait pas aujourd'hui.

– On a fait du bon boulot ! constata le surveillant.

Il plia la feutrine, enveloppant la première des lames aiguisées, puis une autre. Il les maintint en place avec un élastique passé autour de la feutrine.

– Que penserais-tu d'un petit nichoir pour les oiseaux ? On l'attache à un tronc d'arbre et les rouges-gorges viennent nicher dedans.

Il le dessina sur un morceau de contreplaqué. Il montra comment couper le bois, deux côtés avec un pan à l'oblique, le panneau arrière plus grand que celui de devant, une charnière prévue à l'endroit où on soulève le couvercle pour regarder à l'intérieur. Les mesures étaient écrites en rouge sur le contreplaqué. 9 x 4 pour le derrière, $6\frac{3}{4}$ x 4 pour le devant, 5 x 4 x 4 pour le couvercle et le fond, 8 x 4 x $6\frac{3}{4}$ pour les côtés.

– Qu'est-ce que tu penserais de le faire pour elle ? suggéra Mr Quirke.

La cloche sonna midi.

– On va fermer boutique, déclara Mr Quirke, posant le contreplaqué en appui contre un rebord de fenêtre. Ce ne serait pas une chose à laquelle tu pourrais réfléchir ? fit-il dans la cour et, une fois encore, dans le couloir. Tu ne pourrais pas lui donner un prix, un jour, quand elle aurait gagné aux dés ?

Dans le hall, les hommes s'assemblaient pour l'Angélus. Mr Quirke était le responsable ce matin-là et il se dirigea vers l'estrade. *Father Quirke*, il s'appellerait maintenant, s'il avait choisi la prêtrise, donnant ses ordres le dimanche – tout serait différent pour lui.

La prière finie, les pieds s'agitèrent, les voix se remirent à parler, un homme cria, puis un autre encore. On le tiendrait prêt, tout emballé, fabriqué sur les instructions de Mr Quirke. Elle ferait un six et monterait à l'échelle, et puis elle tirerait un quatre, et elle serait arrivée. Alors on le lui donnerait, et elle dirait ce que c'était. Elle le dirait à votre place, comme toujours.

SIXIÈME PARTIE

L'aiguille de sa montre indique cinq heures vingt. Lumière diaphane du petit matin. Qui devient crue. Elle referme les yeux. Dans le temps, couchée là au point du jour, elle entendait les dindes glouglouter dans la cour, Henry appeler les vaches. Sur la toilette, une fissure court du bec du pot à eau, traverse les délicats motifs verts et se perd : elle est là depuis toujours. Le même vert décore la cuvette, se répète sur l'unique rangée de carreaux du meuble de toilette. Une des trois hautes fenêtres est ouverte de quelques centimètres en haut, parce qu'elle aime l'air de la nuit, même quand il fait de l'orage. La peinture extérieure s'est écaillée, le bois s'est délavé au soleil.

Elle remonte sa chemise de nuit par-dessus sa tête, le plancher craque de façon réconfortante tandis qu'elle gagne le fauteuil de bois cambré où attendent ses vêtements pliés la veille au soir, les bas soigneusement posés, les chaussures nettes sur les embauchoirs. Elle verse de l'eau et, lentement, se lave. Lentement, s'habille. Une mouette atterrit sur le rebord de fenêtre, regard impertinent de l'œil en bouton de bottine, puis l'oiseau plonge en piqué. Kitty Teresa racontait toujours qu'elle aurait aimé être une mouette, à quoi Bridget répliquait qu'elle n'aurait pas eu assez de cervelle pour ça.

Elle met ses épingles à cheveux, ajuste son col pour qu'il soit tel qu'elle aime le porter, se regarde dans le miroir de sa coiffeuse, se lève pour tirer sur sa robe, toujours guidée par son reflet. Elle vide l'eau de la cuvette de son meuble de toilette dans le seau d'émail qu'elle va poser près de la porte. Elle retape son lit, tend le drap du dessus et celui du dessous, passe la main pour effacer les plis, lisse aussi chaque couverture, secoue les oreillers, borde la courtepointe.

Après sa première visite, chaque fois qu'elle tirait la chaîne de la cloche sur le pilier, les cris commençaient, lui parvenant de loin, vaguement. Ensuite, le surveillant apparaissait dans l'allée raide, marchant avec précaution car le sol était raviné, ses clés tintant quand il s'approchait.

– Ah non, les Horahan ne viennent pas, avait-il déclaré la première fois, parlant des frères et d'une sœur qui avaient quitté Enniseala, mais qui étaient au moins revenus pour l'enterrement de leur mère. La famille devrait avoir honte, avait-il ajouté, assis à côté d'elle dans l'auto après avoir bouclé le portail.

Il lui disait toujours d'attendre quand ils arrivaient à la maison. La porte grise du hall ne s'ouvrait pas avant que le vacarme à l'intérieur ne se fût calmé.

Ces jours-là, elle s'habillait un peu. Elle s'en souvint, ce matin-là, en finissant ses préparatifs dans sa chambre. Elle s'habillait un peu, pour eux, parce qu'ils aimaient ça. Ils le disaient parfois quand elle traversait le hall où certains traînaient, ou quand ils s'approchaient d'elle en bredouillant des incohérences jusqu'à ce qu'on intervînt d'autorité. Ça ne les gênait pas, l'intervention autoritaire. Ceux qui n'en voulaient pas étaient ailleurs, avait expliqué le même surveillant, la précédant d'une marche sur le perron. Il regardait par-dessus son épaule, lui signalant du geste les cinq marches de pierre, pour lui éviter de trébucher. Il avait tourné le coin pour emprunter l'escalier de bois, viré encore pour s'enfiler dans le long couloir peint à la détrempe jaune, où toutes les portes étaient closes, le plancher sans tapis, les murs sans tableaux. La pièce affectée aux visiteurs et pensionnaires était nue et du même jaune, une lumière allumée sous un Christ en gloire, une place de choix réservée à la broderie de Lucy. « Dis donc, dis donc, une visite aujourd'hui ! » Ce surveillant-là avait un rire mémorable. Il était amusé en lui racontant que sur la route, la première fois, quelques-uns l'avaient prise pour la femme du pensionnaire dont elle avait su le nom. Ç'avait donné lieu à des disputes cette fois-là, et d'autres par la suite, avait-il expliqué, s'agissant de savoir si le jour avait bien été respecté lors de telle ou telle visite. Le premier jour de la quinzaine, elle venait. Toujours. Mais on avait colporté à plusieurs reprises qu'elle s'était trompée, qu'elle avait mal calculé. « Pourtant, ce n'est jamais arrivé, l'assura le surveillant. Pendant toutes ces années… » Dix-sept ans, en fin de compte.

Le visage de ce surveillant-là lui revient tandis qu'elle traverse le palier pour aller à la salle de bains. Certains vous reviennent plus facilement que d'autres. Était-ce lui qui avait déclaré qu'il s'arrangerait pour qu'elle eût sa propre clé du portail, un jour d'hiver où les carreaux des fenêtres à barreaux étaient couverts de glace, de sorte qu'on n'y voyait rien ? Un jour de printemps, c'était, quand la clé fut prête, spécialement fabriquée à son intention, et ils l'avaient essayée dans la serrure, parce que les clés neuves ne marchent pas toujours. Une cérémonie, qu'ils en avaient fait ; on lui avait montré le tour de main.

Elle vide l'eau de sa toilette en penchant le seau d'émail posé sur le bord de la baignoire. Elle pénètre dans chacune des pièces avant de descendre, pour n'y constater que ce qu'elle a déjà vu la veille, mais elle y tient. A portée de sa main, il y a une toile tissée pendant la nuit, à laquelle s'accroche une araignée. Elle prend l'araignée, la libère après avoir remonté la fenêtre à guillotine, donne une chiquenaude dans les restes de la toile. A cette époque-ci de l'année, chaque matin il y en a une quelque part.

A la cuisine, elle allume la plaque chauffante de la cuisinière qui chauffe plus vite que les autres. Elle regarde rougir le serpentin de métal et écoute les informations qui commencent : on a assassiné un fermier cette nuit-là, pour l'argent qu'il gardait chez lui ; un golfeur vient d'établir un record quelque part. C'est quand la sœur d'Henry a émigré en Amérique que la petite TSF en bakélite bleue est arrivée dans la cuisine, branchée le dimanche soir pour le *Question Time* de Joe Linnane et rien d'autre. En dix-neuf cent trente-huit ou dans ces eaux-là.

Les provisions ont été livrées hier, le pain est encore frais dans la boîte en fer. « Si vous n'êtes pas sur l'Internet, vous n'êtes pas dans la course », avertit une voix énergique. Tout en faisant le thé, elle se demande ce que cela signifie, se souvient de *Baltimore Girl* arrivant à neuf contre un – son père avait misé dessus à Lismore, elle sur *Black Enchanter*. « Tu ne vas pas me dire que tu n'es jamais allée aux courses ! » L'étonnement de son père lui revient, puis ce souvenir s'effiloche et en devient un autre, elle ne sait pourquoi : elle se demande si Ralph a jamais lu *Lady Morgan*. Henry était assis tout près du fourneau, glacé jusqu'à l'os, soufflait-il, et elle était partie chercher le nouveau médecin, une dame, et le prêtre était venu, avec son attirail tout prêt dans sa mallette noire. Un an plus tard, ç'avait dû être, le matin où Bridget n'était pas descendue.

Elle déjeune lentement, la radio éteinte à présent. Après avoir versé le reste d'eau chaude de la bouilloire sur sa tasse, sa soucoupe et son assiette ; essuyé le couteau avec un torchon ; vidé les feuilles de thé et posé la théière à l'envers sur l'égouttoir de l'évier, elle en a terminé. Elle sort une chaise dans la cour. Elle en porte une deuxième, puis une troisième, sa démarche à peine affectée par une boiterie qui s'est atténuée avec les années. Elle s'assied et attend, somnolant au soleil.

Les couleurs : voilà ce qu'il aimait. Le rouge et le vert, le jaune et le pourpre, le bleu ayant sa préférence. Il aimait les langues fourchues, les yeux noirs comme le brai. Deux plateaux de jeu de chez Ronan – ils les avaient usés à fond.

– Et si on s'asseyait près de la fenêtre, voulez-vous ? proposa-t-elle le jour où ils entendirent le coucou, et leurs regards suivirent la pente de la colline à l'herbe envahie par les jacobées, sans un arbre pour interrompre sa monotonie verte, sans palissade ni clôture pour délimiter la courte allée, juste le haut mur de brique. Oh, écoutez ! fit-elle, quand résonnèrent les deux notes du coucou.

Il lançait les dés et déplaçait son pion. Il voulait toujours qu'elle gagnât – il ne le disait pas, mais elle le savait. Elle avait entendu sa voix cette unique fois, au salon, puis plus jamais ensuite. Cet oubli qui le possédait, c'était son secret. Des secrets, on en a beaucoup à l'asile, avait confié un jeune surveillant ; dans les asiles, partout, il y a des secrets qu'on garde précieusement car on n'a plus grand-chose d'autre. L'oubli est souvent le dernier et le seul bien d'un pensionnaire. Ce jeune surveillant avait coutume de tenir des propos un brin fantastiques.

Quand ils regardaient par la fenêtre, ils voyaient des écureuils fouiller l'herbe folle, la tête parfois penchée sur le côté, l'oreille soudain aux aguets. Un renard était un jour passé tranquillement parmi eux, trop avisé pour s'en faire des ennemis. Elle l'avait signalé à haute voix, se demandant s'il avait compris.

Tout cela continue tandis qu'elle sombre plus profondément dans le sommeil. Le surveillant déclare qu'il est temps et les visages fous reculent quand elle passe dans l'escalier et dans les couloirs. Des mains se tendent et palpent l'air, inoffensives.

– Eh bien, voilà ! s'exclame sœur Mary Bartholomew.

Propres et nettes dans l'habit qui est le leur de nos jours, les deux sœurs foulent le pavé, chacune avec un petit quelque chose pour elle. Et des nouvelles aussi : un changement prévu au couvent, de nouveaux vestiaires devant le réfectoire. Et autre chose qu'elle n'entend pas tout à fait, mais elle ne pose pas de question car sœur Mary Bartholomew a déjà enchaîné sur les deux novices qui ont commencé cette semaine. Aujourd'hui, sœur Anthony lui a apporté des sablés aux raisins de Corinthe, et sœur Mary Bartholomew une sorte de tisane.

– A Enniseala ? dit Mary Bartholomew, répétant la question. Voyons donc, qu'est-ce qu'il y a de neuf ?

L'auto leur donne des ennuis, le radiateur surchauffe. Elles vont devoir circuler à vélo si la voiture tombe en panne. Mais ça n'ira pas jusque-là, bien sûr, et l'on rit.

– Condon a fermé, annonce sœur Anthony. Et le jeune Halpin est de retour d'Amérique.

– On ne peut pas dire qu'Eddie Halpin soit un « jeune », murmure doucement sœur Mary Bartholomew pour exprimer son désaccord. En aucune façon.

– Jeune quand il est parti, je voulais dire.

– Ah, jeune à l'époque, ça c'est bien vrai.

– Raconte, pour le père Leahy.

– Le père Leahy va peut-être partir en Équateur.

C'est agréable d'écouter les sœurs, le mardi généralement. Pas une fois elles ne l'ont oubliée, depuis qu'ont débuté leurs visites.

– C'est gentil de votre part, déclare-t-elle.

Gentil de leur part de se donner la peine de venir voir quelqu'un qui n'est pas de votre église, parce qu'on a entendu parler de sa solitude. Gentil de leur part de venir de si loin.

– Très gentil, confirme-t-elle.

Une sortie pour elles, ont-elles répliqué une autre fois qu'elle l'avait mentionné, lui racontant que l'été d'avant, durant la retraite à Mount Melleray, une vieille sœur acariâtre s'était montrée critique en apprenant qu'elles faisaient plus de vingt kilomètres pour aller visiter une protestante. « Les siens ne peuvent donc pas s'en charger ? » avait grommelé la vieille religieuse, et les sœurs n'avaient pas rapporté leur réplique. Elles ont commencé à venir, le jour où elles ont eu vent de l'histoire qui se raconte encore : un matin, elles ont tout simplement pris leur voiture et elles sont venues. Il est de notoriété publique à Enniseala que, des années plus tôt, elle a suivi le cortège funèbre à pied à travers la ville, et elle est tout aussi célèbre pour avoir si longtemps fait des visites à l'asile. Une renommée injustifiée à ses propres yeux car, en réalité, qu'importe la raison pour laquelle les gens se rendent visite ou suivent un enterrement, du moment qu'ils le font ?

– Les cygnes ?

– Ils sont toujours là, en permanence.

C'est son habitude de les interroger sur les cygnes, elle a pensé avant leur arrivée qu'il faudrait leur poser la question. Ce serait une perte, si les cygnes quittaient Enniseala. Les dernières paroles de son père avaient été à propos des abeilles du verger.

Leurs visages lui sourient. Celui de sœur Mary Bartholomew est allongé, avec un poil bouclé qui jaillit d'un grain de beauté sur le menton ; celui de sœur Anthony est rond comme un soleil. Déjà dans la cour flotte l'arôme du café qu'elles ont préparé. Frais moulu de chez O'Hagan, précise sœur Anthony, et sœur Mary Bartholomew installe la table à jeux couverte de feutrine verte, qu'elle a prise dans le passage aux chiens. Branlante, cette table ; elle a plus que fait son temps.

– On avait apporté des scones, je crois ? s'étonne sœur Mary Bartholomew en remarquant leur absence sur la table, quand sœur Anthony met la nappe.

– Ils sont encore dans la boîte en fer, précise sœur Anthony. Ils se garderont bien frais dedans.

Il y a là les macarons d'une des sœurs laïques, des tranches de cake également de sa confection, et les scones dans une boîte à fleurs.

– Comme c'est agréable, le soleil d'automne ! note sœur Mary Bartholomew.

– Oui, c'est beau !

Sa tranquillité leur est un étonnement. Et pour cela elles viennent, pour être de nouveau stupéfaites qu'il règne ici une telle paix. Une paix que ne mentionnent pas les on-dit passés ou présents. La calamité a façonné une vie lorsque, jadis, le sort s'est montré si cruel. La calamité façonne l'histoire qui se colporte, elle est la raison de son existence. Ce qu'elles savent, elles, de plus, est-ce le doux fruit qu'a récolté un tel malheur ? Elles aiment à le penser – elle l'a senti.

Leur émerveillement se lit dans leurs gestes et dans leurs cadeaux, dans leurs regards aussi. Elles n'ont pas elles-mêmes été témoins du voyage accompli pour apporter la rédemption, d'autres y ont assisté ; elles se demandent juste pourquoi il a été entrepris si fidèlement, et pendant si longtemps. Pourquoi le passé a-t-il été minimisé ? D'où est venue la clémence, alors qu'il aurait dû ne plus en rester du tout ? Elles louent cette clémence et applaudissent en silence la silhouette présente à l'enterrement, mais les ouï-dire ne les renseignent pas davantage.

Elle pourrait se débrouiller sans elles, répètent-elles souvent, puisqu'elle s'est fait un art de la solitude. Rien de sale à la cuisine ; elle les a vues le remarquer. Elle s'habille avec davantage de soin que quand elle était jeune fille. Un coiffeur vient de temps en temps d'Enniseala lui prodiguer ses services dans sa vieillesse tranquille.

– J'adore tout ce qui est italien ! s'exclame sœur Mary Bartholomew quand la conversation tarit momentanément.

Souvent, l'Italie est évoquée, la visite d'une ville du nom de Montemarmoreo. Elles ont entendu parler de ses ruelles encombrées, de la marche jusqu'aux carrières de marbre, des cerises aigres noires qu'on trouve en chemin. Elles savent qu'on y révère Santa Cecilia, une sainte qu'elle leur a fait découvrir et qu'elles ont mise dans leurs cœurs.

– Pauvre petite ! commente sœur Mary Bartholomew avec commisération. Pauvre petite Cecilia, je me dis souvent.

Elles passent quelques minutes à causer de tout cela – les actes, le châtiment, la vie. Elles versent encore du café, en y ajoutant du lait, tel qu'elle l'aime. Elle ne s'explique pas ce qui les surprend tant. Elle pourrait suggérer que le hasard était encore à l'œuvre, le jour où elle a remarqué la vieille bicyclette démodée appuyée contre la digue, où elle a aperçu une silhouette immobile. C'était par hasard qu'elle était passée par là à ce moment-là, comme ç'avait été par hasard que son père avait posé les yeux par terre et vu ce que le chien des O'Reilly s'était lassé d'enterrer parmi les galets.

Mais les sœurs ne croient pas au hasard. Le mystère, voilà leur affaire. « Enlevez à la forêt son mystère, et vous avez du bois sur pied. Enlevez à la mer son mystère, et vous avez de l'eau salée. » Elle avait trouvé cela quelque part, quand elle avait commencé à lire les livres des bibliothèques du salon. Elle l'avait répété aux sœurs longtemps après, un jour que cela lui était revenu. « Ça alors, c'est joliment troussé, non ? » s'était écriée sœur Anthony, pleine d'admiration, et sœur Mary Bartholomew avait demandé si l'auteur en était Charles Kickham ou le père Prout. Non, avait-elle répondu. Un étranger, croyait-elle.

– Ce qui va arriver, je crois, c'est qu'ils convertiront la maison en hôtel, prédit-elle, partageant une pensée qui lui est venue dans la nuit.

Elle était couchée et ne dormait pas, et l'image de la transformation s'était attardée : un bar à cocktails, une salle à manger bruyante, des numéros aux portes des chambres. Cela ne la gêne pas. Des gens qui viennent de partout, des voyageurs comme on n'en a jamais vus : c'est ainsi en Irlande, de nos jours. De jeunes pêcheurs de Kilauran avec sur le dos des uniformes de serveurs, des autos qui attendent. Les gens, à Enniseala, qui marchent dans la rue en bavardant au téléphone.

– Ah non, non ! proteste sœur Mary Bartholomew quand elle reparle d'un hôtel et sœur Anthony hoche la tête.

Elles n'aiment pas songer à tous ces changements, bien qu'ils soient déjà là. Elles aiment la sécurité de ce qui a toujours été, les choses qui leur sont acceptables. Les sœurs seront déplacées, comme le fut la famille qui demeure la sienne, comme les Morell de Clashmore, les Gouvernet d'Aglish, les Prior de Ringville, les Swift et les Boyce. Cela devait arriver, et peu importe. Mais ça peinerait ses visites, si elle leur confiait que cela devra peut-être se reproduire, et elle tait le fait – un mensonge de silence, sans importance.

Elles la questionnent et elle raconte : évoque Paddy Lindon et le pêcheur qui communiquait avec ses doigts, le cabriolet qui attend sur le gravier, les lampes à pétrole qu'on allume. Tout cela a disparu, on dirait, et en même temps pas du tout.

– On ferait mieux d'y aller, lance sœur Anthony qui met un terme à la matinée, et la conversation redevient terre à terre.

Désormais, les vaches des O'Reilly paissent dans tous les champs, grosses créatures tachées de brun. Au bord des falaises, elle regarde la plage, en bas, mais sans y descendre par le chemin facile qui maintenant ne l'est plus. Une libellule surgit de l'herbe en battant des ailes, puis s'envole dans le calme provisoire de l'après-midi.

C'est le jour de la semaine qu'elle préfère, bien qu'elle se sente un moment un peu seule après le départ de ses amies. En hiver, elles lui allument un feu dans la cheminée du salon et on prend le café là. Sœur Anthony vivait à la ferme avant d'entrer au couvent, et sœur Mary Bartholomew dans une institution charitable. Elles en parlent parfois, se remémorent le voisinage qu'elles ont connu dans leur enfance, évoquent des gens dont elle a pu entendre parler.

La chaleur de la journée a fraîchi. La fin de l'après-midi se nimbe d'une brume illuminée par le soleil, la mer est calme comme elle ne l'a jamais vue, les vagues clapotent si doucement qu'on pourrait les écouter à jamais. Elle ne se presse pas, ce n'est pas la peine. Mieux vaut que cela reste un mystère (c'est mieux pour l'histoire qui se raconte encore), même si Bridget en a été irritée et Henry aussi. Le don de la clémence, ont dit les sœurs. Le pardon a été l'oblation de Santa Cecilia pendant que résonnait la musique et que ses assassins étaient dans la maison. Elles iraient visiter cette église d'Italie ; un jour, ont-elles affirmé.

D'un sourire, elle efface tout cela. Ce qui est arrivé, est arrivé, tout simplement. Le cerfeuil sauvage était blanc, chaque mois de mai, quand, au volant de l'auto, elle s'éloignait du grand portail hérissé de pointes. Le fuchsia était éclatant à l'automne, au cottage où il y avait un lévrier toujours assis sur le mur. Ses visites avaient été la joie de l'existence de ce pensionnaire, avait raconté un vieux surveillant, des années plus tard, avant la démolition de la maison. Une lueur dans les ténèbres, avait-il ajouté, bien que l'homme n'eût jamais su qui elle était.

Elle aurait dû mourir, enfant ; elle le sait mais ne l'a jamais confié aux sœurs. Elle n'a jamais inclus dans son récit les jours qu'elle a passés parmi les pierres éboulées et qui lui ont paru des années. Cela leur aurait sapé le moral. Mais cela remonte le sien car, au lieu de rien, il y a ce qu'il y a.

Elle contemple la marée montante. La regarde s'inverser

avant de rentrer par les prés et le verger. Les sœurs ont ramassé les pommes tombées mais il en reste quelques-unes par terre. Les abeilles sont bien toujours là et butinent le chèvrefeuille ; les ruches se sont réduites à rien. Les cordes auxquelles on accrochait jadis le linge avec des pinces, pour le faire sécher, sont encore là aussi, grises de mousse et d'humidité.

La canne dont elle s'aide pour descendre le raidillon qui mène à son gué est là où elle l'a laissée, il y a des semaines, contre le mur de l'arcade. Aujourd'hui, elle se sent d'attaque pour ce difficile voyage. Pourtant, rien n'aura changé : l'écorce qui a repoussé par-dessus les initiales qu'elle avait un jour gravées, le ruisseau qui continue de dessiner les mêmes courbes, sans dérober davantage de terre à ses berges qu'avant son temps à elle. Son voyage lui prend l'après-midi entier, et le soir arrive sans qu'elle s'en aperçoive.

A la maison, elle se prépare un œuf à la coque et du pain grillé, et termine ses tâches à la cuisine avant de refaire le tour des pièces. Des moucherons gisent sous le verre de ses broderies, là où ils se sont glissés, minuscules cadavres qui ornent des mares d'eau parmi des rochers, des fleurs. Dans la salle de bains du bas, la baignoire est rayée, elle a perdu sa couleur au profit de vert et de brun ; le store, à demi baissé, a une déchirure ; l'ampoule pend nue, sans abat-jour.

Elle déambule dans le salon, effleurant des objets du bout des doigts – le verre d'une vitrine, un coin de table, le secrétaire sous le portrait d'un Gault inconnu, une tête de mouton. Flotte l'odeur du mouchoir de sa mère. Lady, dit son père.

Elle s'installe dans son fauteuil près de la fenêtre, pour contempler le bleu sombre des hortensias. La grande allée s'est enveloppée d'ombre, les arbres dressent leurs austères silhouettes contre le ciel. Comme chaque soir, les freux descendent sur la pelouse pour gratter la terre et, avec ses compagnons, elle assiste au déclin du jour.

DU MÊME AUTEUR

AUX ÉDITIONS PHÉBUS

Traduits de l'anglais par Cyril Veken

En lisant Tourgueniev, roman, 1993
(également en collection « libretto »)

Ma maison en Ombrie, roman, 1994
(également en collection « libretto »)

Traduits de l'anglais par Katia Holmes

Le Silence du jardin, roman, 1995

Le Voyage de Felicia, roman, 1996

Mourir l'été, roman, 1999

Mauvaises nouvelles, nouvelles, 2000

Très mauvaises nouvelles, nouvelles, 2001

DOMAINE ÉTRANGER
AUX ÉDITIONS PHÉBUS

(extrait du catalogue)

DOMAINE BRITANNIQUE

BARBELLION
Journal d'un homme déçu

RONAN BENNETT
Le Catastrophiste, roman

ELIZABETH BOWEN
Emmeline, roman

JOHN BUCHAN
Salut aux coureurs d'aventure ! roman

EDWARD CAREY
L'Observatoire, roman

RICHARD COBB
Une éducation classique, récit

W. WILKIE COLLINS
Pierre de lune, roman
La Dame en blanc, roman
Armadale, roman
Sans nom, roman
Histoires regrettables, nouvelles

Seule contre la loi, roman
Cache-cache, roman
Basil, roman
Secret absolu, roman

RODERICK CONWAY-MORRIS
Djem, roman

JOHN CRANNA
Les Visiteurs, nouvelles
(Nouvelle-Zélande)

R. B. CUNNINGHAME GRAHAM
El Paso, nouvelles

DAVID DONACHIE
Une chance du diable, roman
Trafic au plus bas, roman
Haut et court, roman

MARGARET DRABBLE
La Sorcière d'Exmoor, roman

DAPHNÉ DU MAURIER
Le Général du Roi, roman
Mary Anne, roman
L'Amour dans l'âme, roman
Le Bouc émissaire, roman
Le Vol du Faucon, roman
La Maison sur le rivage, roman
Les Souffleurs de verre, roman
Le Mont-Brûlé, roman

CARLO GÉBLER
Exorcisme, roman
Comment tuer un homme, roman

ELIZABETH GOUDGE
L'Arche dans la tempête, roman
La Colline aux Gentianes, roman
Les Amants d'Oxford, roman

RICHARD HUGHES
Cyclone à la Jamaïque, roman
Péril en mer, roman

TED HUGHES
Contes d'Ovide, poèmes

ROBERT IRWIN
Les Mystères d'Alger, roman
Nocturne oriental, roman
Cadavre exquis, roman
Satan & Co, roman

ROSAMOND LEHMANN
Le Jour enseveli, roman

NORMAN LEWIS
Torre del Mar, roman
Comme à la guerre, roman
L'Ile aux chimères, roman
Le Sicilien, roman

WYNDHAM LEWIS
Condamné par lui-même, roman

RICHARD LLEWELLYN
Qu'elle était verte ma vallée ! roman

ROSE MACAULAY
Les Tours de Trébizonde, roman

GEORGE MACKAY BROWN
Le Dernier Voyage, roman

DAVID MADSEN
Le Nain de l'ombre, roman

FREDERIC MANNING
Nous étions des hommes, roman

JOHN MASEFIELD
La Course du Thé, roman
Par les moyens du bord, roman
Martin Hyde, roman

NICHOLAS MONSARRAT
La Mer cruelle, roman

JOSEPH O'CONNOR
Les Bons Chrétiens, nouvelles
Desperados, roman
Le Dernier des Iroquois, roman
Inishowen, roman

JULIA O'FAOLAIN
Gens sans terre, roman

CHARLES PALLISER
I. Le Quinconce, roman
II. Les Faubourgs de l'enfer, roman
III. Le Destin de Mary, roman
IV. La Clé introuvable, roman
V. Le Secret des Cinq-Roses, roman
Trahisons, roman
Les Morts reviennent toujours, roman

MERVYN PEAKE
Titus d'Enfer, roman
Préface par André Dhôtel
Gormenghast, roman
Titus errant, roman

TIM PEARS
Un été brûlant, roman

CHARLOTTE PERKINS GILMAN
La Séquestrée, roman
Postface de Diane de Margerie

JOHN COWPER POWYS
Wood and Stone, roman
Owen Glendower, roman :
I. Les Tours de Mathrafal
II. Les Forêts de Tywyn

LLEWELYN POWYS
L'Amour, la Mort, roman

THEODORE FRANCIS POWYS
Dieu et autres histoires
Préface de Patrick Reumaux

JOHN B. PRIESTLEY
Adam au clair de lune, roman

KEITH RIDGWAY
Mauvaise pente, roman

RAFAEL SABATINI
Pavillon noir, roman
Captain Blood, roman
Le Faucon des mers, roman

SIEGFRIED SASSOON
Mémoires d'un chasseur de renards, roman

FRANCIS STUART
Liste noire, roman

JAMES WADDINGTON
Un Tour en enfer, roman

HELEN ZAHAVI
True romance, roman
Donna et le gros dégoûtant, roman

DOMAINE AMÉRICAIN

HERVEY ALLEN
Anthony Adverse, roman

ELLIOT ARNOLD
Le Temps des Gringos, roman

JOHN CALVIN BATCHELOR
Antarctica, roman
Nouvelles aventures de la comète de Halley, roman

NEIL BISSOONDATH
Retour à Casaquemada, roman
L'Innocence de l'âge, roman
Tous ces mondes en elle, roman

T. CORAGHESSAN BOYLE
Water Music, roman
La Belle Affaire, roman

LOUIS BROMFIELD
Précoce automne, roman
Mississippi, roman
Emprise, roman
Colorado, roman
Mrs. Parkington, roman

ROY CHANSLOR
Johnny Guitare, roman

MATT COHEN
Elizabeth et après, roman
Ultime entrevue, roman
Le Médecin de Tolède, roman
en collection « libretto »

EDNA FERBER
Géant, roman

KATHLEEN HILL
Eaux tranquilles, roman

MATTHEW KLAM
Sam the Cat, nouvelles

VICTORIA LANCELOTTA
En ce bas monde, nouvelles

MEYER LEVIN
Crime, roman
Frankie & Johnnie, roman

NORMAN LEVINE
Pourquoi habitez-vous si loin ? nouvelles
Vue sur la mer, roman

SINCLAIR LEWIS
Elmer Gantry, le charlatan, roman

LUDWIG LEWISOHN
Le Destin de Mr Crump, roman
Préface de Thomas Mann
Crime passionnel, roman

THOMAS MALLON
Henry et Clara, roman

EDGAR LEE MASTERS
Des voix sous les pierres
Les Épitaphes de Spoon River
poèmes

FRANK NORRIS
Les Rapaces, roman

O. HENRY
Contes du Far West
Préface par Antoine Blondin

DOROTHY PARKER
Hymnes à la Haine, poèmes
Préface de Benoîte Groult

ROBERT PENN WARREN
L'Esclave libre, roman
Les Fous du roi, roman

GARLAND ROARK
Le Réveil de la « Sorcière rouge », roman

KENNETH ROBERTS
L'Ile de Miséricorde, roman

LEON ROOKE
En chute libre, roman

JACK SCHAEFER
Shane, roman

ANYA SETON
La Turquoise, roman

IRWIN SHAW
Le Bal des maudits, roman

SAMUEL SHELLABARGER
Capitaine de Castille, roman

CHARLES SIMMONS
Les Locataires de l'été, roman

WALLACE STEGNER
Vue cavalière, roman
La Vie obstinée, roman
Angle d'équilibre, roman
La Bonne grosse montagne en sucre, roman

JOHN STEINBECK
Le Règne éphémère de Pépin IV, roman

RICHARD WATSON
Les Chutes du Niagara, roman

KATHLEEN WINSOR
Ambre, roman
D'or et d'argent, roman

HERMAN WOUK
Ouragan sur le « Caine », roman

Cet ouvrage
réalisé pour le compte des Éditions Phébus
a été reproduit et achevé d'imprimer
en février 2003
dans les ateliers de Normandie Roto Impressions s.a.s
61250 Lonrai
N° d'imprimeur : 03-0464

Imprimé en France

Dépôt légal : mars 2003
I.S.B.N. : 2-85940-888-6
I.S.S.N. : 1157-3899